ONSCHULD

DEAN KOONTZ

ONSCHULD

Uitgeverij Luitingh-Sijthoff

Uitgeverij Luitingh-Sijthoff en drukkerij Bariet vinden het belangrijk om op milieuvriendelijke en verantwoorde wijze met natuurlijke bronnen om te gaan.

Oorspronkelijke titel: *Innocence*
Vertaling: Jan Mellema
Omslagontwerp: Studio Jan de Boer
Omslagfotografie: Arcangel Images

ISBN 978 90 245 6290 9
NUR 332

www.boekenwereld.com
www.lsamsterdam.nl
www.watleesjij.nu

Dit boek is opgedragen aan Harry Recard omdat hij een echte vriend is, en omdat hij me in mijn studententijd pinochle heeft leren spelen, wat bijna fnuikend was voor mijn academische carrière. En aan Diane Recard, omdat ze al jaren zo goed voor Harry zorgt, geen geringe opgave.

Niets raakt een schrijver meer dan wanneer lezers vertellen dat hun leven door een van zijn boeken veranderd is of dat ze er in moeilijke tijden troost uit hebben geput. Toen ik *Onschuld* bijna af had, kreeg ik een brief van Elizabeth Waters, uit de staat Washington, betreffende mijn boek *From the Corner of His Eye* (*Verblind*), en wat ze daarin schreef heeft me diep geraakt. Beth, jouw moed stemt me nederig. De hoop die je hebt ervaren bij het lezen van mijn boek, wil ik vergelijken met de hoop die ik uit je vriendelijke brief putte. Je straalt.

Grote schoonheid en grote deugdzaamheid gaan zelden samen
– Petrarca, *De Remediis*

DEEL I:

Het meisje dat ik bij lamplicht ontmoette bij Charles Dickens

1

Aan vlammen ontsnapt, was ik voorbereid op een volgend vuur. Onbevreesd wachtte ik op de vlammen die nog komen zouden. Vuur was slechts licht en hitte. Iedereen heeft in zijn leven warmte nodig en zoekt het licht op. Ik hoefde niet te vrezen voor dat waar ik behoefte aan had en wat ik opzocht. Dat ik in brand zou worden gestoken, lag in de aard der dingen besloten. In deze wonderbaarlijke wereld van onmetelijke schoonheid en betovering en gratie vreesde ik slechts één ding, namelijk dat ik te lang in leven zou blijven.

2

Ik was tot liefhebben in staat, maar leefde na de dood van Vader in volstrekte afzondering verder. Daarom hield ik alleen van hem die mij ontvallen was, en van boeken, en van de momenten van grote schoonheid die ik ervoer wanneer ik in het diepste geheim door de stad trok.

Om een voorbeeld te geven: soms bij heldere hemel, in de kleine uurtjes van de nacht, wanneer het grootste deel van de bevolking slaapt, de schoonmaakploegen al naar huis zijn en de flatgebouwen zich tot de dageraad in het donker schuilhouden, verschijnen de sterren. Boven deze stad zijn ze minder goed te zien dan boven de vlakten van Kansas of de bergen van Colorado, maar toch flonkeren ze als een stad hoog in de lucht, een betoverende plek waar ik me op straat zou kunnen begeven zonder bang te hoeven zijn in brand te worden gestoken, een plek waar ik iemand zou kunnen tegenkomen die ik kon liefhebben en die mij zou liefhebben.

Als de mensen in deze stad me in de gaten kregen, mocht ik ondanks mijn vermogen om lief te hebben niet op genade rekenen. Integendeel. Als ze me zagen, zouden ze zich wezenloos schrikken, ongeacht of het nu mannen of vrouwen waren, en hun angst zou binnen de kortste keren omslaan in razernij. Omdat ik hun niets wilde aandoen, zou ik me niet verweren, en daarom was ik altijd weerloos.

3

Soms hoorde ik 's avonds in mijn raamloze kamers prachtige maar droevige muziek. Ik weet niet waar het vandaan kwam, en ook herkende ik het stuk niet. Er werd niet bij gezongen, maar ik verkeerde in de stellige overtuiging dat ik dit lied ooit had horen vertolken door een zangeres met een hese stem. Steeds wanneer ik de muziek hoorde, bewogen mijn lippen alsof ze woorden vormden, maar de woorden zelf ontgingen me.

Het was geen bluesnummer, maar toch was het net zo deprimerend als de blues. Je zou het een nocturne kunnen noemen, ware het niet dat een nocturne volgens mij altijd instrumentaal is. Bij deze muziek hoorden woorden. Dat wist ik zeker.

Ik probeerde uit te vinden waar die betoverende klanken vandaan kwamen: uit een ventilatierooster of een afvoerbuis of iets dergelijks, maar ik slaagde er niet in de bron ervan te lokaliseren. De muziek leek uit het niets te komen, alsof ze via een membraan in een andere, onzichtbare wereld tot me kwam.

Misschien vonden de mensen die bovengronds woonden het idee van een onzichtbare wereld belachelijk en zouden ze het op voorhand afwijzen.

Wij die ons voor alle anderen verborgen houden, weten dat de wereld vol wonderen en mysteries zit. We beschikken niet over toverkracht of bovennatuurlijke gaven, maar denken dat ons inzicht in de complexe dimensies van de werkelijkheid voortkomt uit onze eenzaamheid.

Wie in een drukke stad vol verkeer en lawaai leeft en voortdurend in een concurrentiestrijd om geld en status en macht verwikkeld is, heeft misschien geen oog meer voor het geheel der dingen en kijkt niet om zich heen. Of misschien kun je in dat jachtige bestaan alleen maar overleven als je blind bent voor de talrijke verbijsterende, raadselachtige wonderen waarmee de echte wereld vol zit.

Ik schreef net 'wij die ons voor alle anderen verborgen houden', maar beter zou zijn 'ik die me verborgen houd'. Voor zover ik wist, bestond er in die grote stad niemand zoals ik. Ik leefde al een hele tijd in afzondering.

Twaalf jaar lang had ik deze diep onder de grond gelegen schuilplaats met Vader gedeeld. Hij was zes jaar geleden overleden. Ik hield van hem en miste hem elke dag. Inmiddels was ik zesentwintig, en misschien lag er nog een lang en eenzaam leven voor me.

Voordat ik in de stad kwam, woonde mijn vader hier met zijn vader, die ik nooit gekend heb. Het meeste meubilair en de meeste boeken heb ik van hen gekregen.

Misschien kon ik mijn spullen ooit overdoen aan iemand die míj Vader zou noemen. We vormden een doorgaande dynastie van bezitlozen en leefden op geheime plekken die de inwoners van de stad nooit te zien zouden krijgen.

Ik ben Addison. Maar toentertijd hadden we geen naam nodig omdat we alleen maar met elkaar spraken.

Soms noemde Vader zichzelf glimlachend Het. Maar dat was niet zijn echte naam. Mij noemde hij Het van Het, of Zoon van Het, bij wijze van grapje.

Naar de maatstaven van de inwoners van de stad gerekend waren we afschrikwekkend lelijk, in zo'n hevige mate dat wij een doorn in hun oog waren en ze in blinde razernij ontstaken als ze ons zagen. Hoewel we net zo menselijk waren als zij die bovengronds leefden, zochten we de confrontatie niet en hielden ons verborgen.

Vader vertelde me dat onze soort niet boos moest zijn op andere mannen en vrouwen wanneer die ons op een vijandige manier bejegenden. Ze hadden zorgen die we nooit zouden kunnen begrijpen. Hij zei dat wij die ondergronds leefden ook zo onze zorgen hadden, maar dat degenen die bovengronds leefden het veel zwaarder hadden dan wij. Dat was waar.

We hielden ons ook verborgen om erger te voorkomen. Op een nacht werd mijn vader bovengronds gesnapt. Twee doodsbange, woedende mannen schoten hem neer en knuppelden hem dood.

Ik koesterde geen wrok. Ik had medelijden met ze, en ik probeerde zo goed en zo kwaad als dat ging van hen te houden. We zijn allen om een bepaalde reden op de wereld gezet, en naar het waarom kunnen we slechts gissen. Het enige wat we kunnen doen, is van onze ervaringen leren.

Mijn kleine raamloze residentie fungeerde tevens als mijn school, de plek waar ik dingen leerde, en het belangrijkste van die drie kleine vertrekken was de kamer met mahoniehouten planken die door mijn vaders vader waren gemaakt. Op de planken stonden boeken die door degenen die bovengronds leefden waren weggedaan.

Er waren twee diepe, comfortabele fauteuils, elk met een zacht voetenbankje ervoor. Ernaast stonden een eenvoudige houten kubus waar je een drankje op kon zetten en een bronzen schemerlamp met een perzikkleurige zijden kap.

In de eethoek stonden een klein tafeltje en twee eetkamerstoelen met rechte rug. Toen we nog met z'n tweeën waren, gebruikten we die tafel ook om te kaarten of te schaken.

Nu speelde ik zo nu en dan een potje patience. Ik vond er niet veel aan, maar soms, als ik de kaarten schudde of ze klaarlegde, zag ik niet mijn eigen handen maar de misvormde handen van mijn vader. Ooit op een zondagavond, toen hij nog klein was, had een dominee Vaders vingers gebroken. Vader had zijn vingers daarna eigenhandig gespalkt.

Ik hield van die handen, die nog nooit een ziel kwaad hadden gedaan. De verbleekte littekens en reumatische knokkels waren prachtig, omdat ze zijn moed symboliseerden en me eraan herinnerden dat ik nooit verbitterd mocht raken door de wreedheden die ons werden aangedaan. Hij had meer geleden dan ik, en toch hield hij van het leven en de wereld.

De tafel en het grootste deel van het overige meubilair waren hier met enige moeite naartoe gebracht of ter plekke gemaakt door degenen die hier in voorgaande jaren hadden gewoond.

Zes jaar lang had ik geen tweede fauteuil nodig gehad. Meestal zat ik in de stoel te lezen die van mij was vanaf het moment dat ik hier was komen wonen. Zo nu en dan ging ik in de stoel van Vader zitten, om de herinnering aan hem levend te houden en om me minder eenzaam te voelen.

Alle kamers waren tweeënhalve meter hoog. De dikke muren, de vloer en het plafond waren van gewapend beton en gaven soms een trilling door, maar nooit duidelijk herkenbare klanken, met uitzondering van de muziek die ik net noemde.

Aan beide kanten van een deurloze doorgang hing een hangmat tussen twee muren. Het doek ervan was gemakkelijk met een spons schoon te maken, en mijn deken was het enige beddengoed dat zo nu en dan gewassen moest worden.

Soms, toen Vader nog leefde, lagen we urenlang in het donker of bij kaarslicht te praten, als we niet konden slapen. We hadden het dan over het weinige dat we met eigen ogen van de wereld hadden gezien, over de wonderen der natuur die we uit boeken of van foto's kenden, en over wat het allemaal te betekenen zou kunnen hebben.

Dat waren misschien wel mijn dierbaarste herinneringen, hoewel ik zoveel dierbare herinneringen had dat ik het moeilijk vond er een uit te kiezen die boven de andere uitstak.

Tussen de hangmatten stond een koelkast tegen de muur. Vaders vader had het in zijn tijd zonder die luxe moeten stellen. Mijn vader – net als ik een autodidact – had zich de kneepjes van het elektricien- en monteursvak eigen gemaakt. Hij had de koelkast bovengronds uit elkaar gehaald, de losse onderdelen naar zijn woonvertrekken gesleept en het apparaat daar weer in elkaar gezet.

Links van de koelkast stond een tafel met daarop een grill/bakoven, een elektrische kookplaat en een elektrische pan. Rechts hingen planken aan de muur waarop ik mijn voedselvoorraad en tafelgerei bewaarde.

Ik zorgde goed voor mezelf en was dankbaar voor de overvloed aan eten in deze stad.

Toen Vaders vader deze schuilplaats ontdekte, was er al elektriciteit en was er een basale riolering aangelegd, maar de kamers waren nog niet gemeubileerd. Niets wees er toen op dat de vertrekken ooit eerder bewoond waren geweest.

Voordat Vader me vond en mijn leven redde, hadden hij en zijn vader een aantal mogelijke verklaringen voor de aanwezigheid van deze kamers bedacht.

Het lag voor de hand om te denken dat dit een atoombunker was geweest, zo diep onder de grond, onder zoveel dikke lagen beton dat hij een kernaanval zou moeten kunnen weerstaan. Om de kamers te bereiken moest je een ingewikkelde route volgen, zodat alle dodelijke straling, die altijd in een rechte lijn ging, niet tot hier kwam.

Maar als je de stopcontacten openschroefde, zag je de naam van de fabrikant op de metalen aansluitdoos staan, een bedrijf dat, zo bleek, in 1933 was opgedoekt, lang voordat er sprake was van enige nucleaire dreiging.

Bovendien lag het niet voor de hand om in een miljoenenstad een atoombunker voor slechts twee personen te bouwen.

Bij de bouw van het derde vertrek, een badkamer, ook volledig uit beton opgetrokken, was men er kennelijk niet van uitgegaan dat de stad en alle bedrijven door een kernaanval van de aardbodem konden worden gevaagd. De op een zuil staande wastafel en de badkuip op klauwpoten bevatten elk twee kranen, waarvan de heetwaterkraan nooit heter werd dan aangenaam warm, wat deed vermoeden dat de boiler die het water leverde een heel eind weg stond. Het oude toilet werkte met behulp van een spoelbak; je moest aan de ketting ernaast trekken om door te spoelen.

Misschien was de kleine bunker gebouwd door een of andere hoge functionaris met perverse, moordzuchtige neigingen, die een of andere smoes had verzonnen om de bouw te legitimeren. Misschien wilde hij de betreffende documenten later uit alle openbare databanken verwijderen, zodat hij vrouwen naar zijn privékerker kon slepen om ze daar te martelen en te vermoorden zonder dat bovengronds iemand iets merkte van het gegil.

Maar het lag niet voor de hand dat een gemeentebouwkundige of een architect van openbare werken zich als een onverzadigbare seriemoordenaar had ontpopt. Toen Vaders vader deze knusse vertrekken ontdekte, bevonden zich geen gruwelijke bloedvlekken of andere sporen van moord op het gladde beton.

Bovendien ging er van deze kamers absoluut niets dreigends uit.

Voor hen die bovengronds leefden, zouden het kale beton en de afwezigheid van ramen misschien doen denken aan een kerker. Maar die observatie was gebaseerd op het idee dat hun manier van leven niet alleen superieur was aan die van ons, maar ook de enige die mogelijk was.

Steeds wanneer ik deze schuilplaats verliet, wat ik om diverse redenen deed, zette ik mijn leven op het spel. Ik had daardoor een scherp gevoel voor dreigend gevaar ontwikkeld. Hier bestond geen dreiging. Dit was mijn thuis.

De theorie die ik aanhing, behelsde een onzichtbare, parallelle wereld, die ik al eerder heb genoemd. Als die werkelijk bestond en van onze wereld gescheiden werd door een membraan dat we met onze vijf zintuigen niet konden waarnemen, was het misschien mogelijk dat het membraan ergens langs dat scheidvlak uitstulpte en een deel van die andere wereld bij de onze trok. En als beide werelden waren ontstaan uit dezelfde liefdevolle bron, vond ik het een fijn idee dat zulke geheime plekken zoals deze ondergrondse schuilplaats speciaal bedoeld waren voor mensen als ik die buiten hun

schuld om buiten de maatschappij geplaatst waren, bespot en op-
gejaagd werden, en naarstig op zoek waren naar een plek om te
schuilen.

Dat was de enige theorie waar ik iets in zag. Ik kon niet veranderen wie ik was, ik kon me niet aantrekkelijker presenteren aan
degenen die zich hoe dan ook walgend van me af zouden keren, ik
kon geen ander leven leiden dan het leven waartoe ik veroordeeld
was. Ik putte troost uit die gedachte. Mogelijk zouden er minder
geruststellende theorieën ontstaan, maar daar zou ik dan niets van
willen weten. Er was zoveel schoonheid in mijn leven dat ik het risico niet wilde lopen mijn geest te vergiftigen met een duister idee
waardoor ik de lol in het leven zou verliezen.

Ik ben nooit overdag bovengronds gegaan, en ook niet als het
schemerde. Enkele uitzonderingen daargelaten waagde ik me pas
na middernacht bovengronds, wanneer de meeste mensen lagen te
slapen en andere misschien wakker waren maar toch droomden.

Zwarte wandelschoenen, een donkere spijkerbroek en een zwarte of marineblauwe capuchon vormden mijn camouflage. Ik droeg
een sjaal onder mijn jas, zodat ik die snel voor mijn gezicht kon
doen als ik langs een steegje moest – of in een enkel geval een straat
– en iemand me zou kunnen zien. Mijn kleren haalde ik uit kringloopwinkels die ik na sluitingstijd kon betreden via de route die ratten misschien zouden volgen als ze net zo voorzichtig zouden zijn
als ik.

Een dergelijk tenue had ik die decembernacht aan toen mijn leven voorgoed zou veranderen. Iemand als ik ging er niet van uit dat
ingrijpende veranderingen op de lange termijn positief konden uitpakken. Mocht ik echter ooit de kans krijgen om terug te gaan in
de tijd en een ander pad te kiezen, dan zou ik toch weer hetzelfde
doen, ongeacht de gevolgen.

4

Ik noemde hem Vader omdat hij van iedereen die ik had gekend daar nog het meest op leek. Hij was niet mijn echte vader.

Volgens mijn moeder hield mijn echte vader meer van zijn vrijheid dan van haar. Twee weken voor mijn geboorte ging hij definitief bij haar weg. Hij is naar zee gegaan, zei ze, of naar de tropen, omdat hij rust noch duur kende en naar zichzelf op zoek was, maar in plaats daarvan zichzelf kwijtraakte.

De nacht waarin ik werd geboren, jakkerde er een harde wind om ons huisje. Volgens mijn moeder trilde zelfs de berghelling waarop ons huis stond. De wind belaagde het dak, rukte aan de ramen, rammelde aan de deur alsof hij wilde binnendringen in de ruimte waar ik ter wereld was gekomen.

De twintigjarige dochter van de vroedvrouw werd zo bang toen ze me zag dat ze in tranen de slaapkamer uit rende en haar toevlucht in de keuken zocht.

Toen de vroedvrouw probeerde me in mijn geboortedeken te smoren, pakte mijn moeder, ondanks het feit dat ze net een zware bevalling achter de rug had, een pistool uit het nachtkastje en behoedde me voor een voortijdige dood.

Later, in de stilte van de ochtend, waren alle vogels verdwenen, alsof ze door de wind uit de bomen waren geblazen en naar de uithoeken van het continent waren verdreven. Pas na drie dagen kwamen ze terug; eerst de musjes en zwaluwen, toen de kraaien en haviken, en als allerlaatste de uilen.

De vroedvrouw en haar dochter zwegen over mijn geboorte, misschien omdat ze bang waren beschuldigd te worden van moord, of omdat ze alleen nog konden slapen als ze verdrongen dat ik bestond. Tegenover de buitenwereld beweerden ze dat ik dood ter wereld was gekomen, iets wat door mijn moeder werd bevestigd.

Ik heb acht jaar op die berghelling gewoond, in dat knusse huisje aan het eind van het zandpaadje. Al die tijd, tot de middag waarop ik vertrok, zag ik alleen maar mijn gezegende moeder.

Op een gegeven moment vond mijn moeder het goed dat ik urenlang in het afgelegen bos rondstruinde. Ik was toen op een leeftijd waarop de meeste kinderen dat absoluut niet mogen. Maar ik was heel sterk, had een goed ontwikkelde intuïtie en voelde me verbonden met de natuur, alsof het sap van de bomen en het bloed van de dieren hetzelfde DNA bevatten als ik. Mijn moeder voelde zich meer op haar gemak als ik niet thuis was. Het bos, overdag vol schaduwen, 's nachts door de maan beschenen, werd me net zo vertrouwd als mijn eigen spiegelbeeld.

Ik raakte bekend met de herten, de eekhoorns, de verschillende soorten vogels, de wolven die vanuit velden vol overhangende varens tevoorschijn kwamen en er ook weer in verdwenen. Mijn wereld werd bevolkt door gevederde wezens die door de lucht zwalkten en wezens met een vacht die zich op vier snelle poten konden verplaatsen.

Tussen de bomen en in de velden, zo nu en dan ook rond ons huis, zag ik soms wat ik de Helderen en de Nevelen noemde. Ik wist niet wat ze waren, maar wel wist ik intuïtief dat mijn lieve moeder ze nooit had gezien, want anders zou ze dat wel verteld hebben. Ik zei er niets over tegen haar, omdat ik niet wilde dat ze van slag zou raken en zich nog meer zorgen zou maken dan al het geval was.

Later zag ik de Helderen en de Nevelen ook in de stad. En langzamerhand begon ik hun aard te doorgronden, iets wat ik later zal uitleggen.

In mijn jonge jaren was ik gelukkig, zoals ik altijd in meer of mindere mate gelukkig ben geweest. Ik zag het bos niet als een wildernis maar als mijn eigen tuin. Ik voelde me er op mijn gemak, ondanks het feit dat het een uitgestrekt woud was, en ik vond het onbeschrijfelijk mysterieus.

Hoe meer je bekend raakt met een plek, hoe mysterieuzer die wordt, mits je openstaat voor de ware aard der dingen. Dit heb ik mijn hele leven ervaren.

Vlak nadat ik acht was geworden, wilde mijn moeder me niet langer in huis hebben. Als ik bij haar in huis was, deed ze geen oog dicht. Ze had geen trek meer en viel af. Ze wilde niet dat ik in de buurt zou blijven, deels omdat dat haar eraan zou herinneren dat ik wel maar zij niet in het bos welkom was, maar deels ook vanwege de jager. En daarom stuurde ze me weg.

Ik kon het haar niet kwalijk nemen. Ik hield van haar.

Ze deed haar uiterste best van mij te houden, en dat is haar tot op zekere hoogte gelukt. Maar ik was en bleef een last die zwaar op haar drukte. Hoewel ik zelf altijd gelukkig was – of in elk geval niet ongelukkig – maakte ik haar intens verdrietig. Dat verdriet vrat aan haar en dreef haar uiteindelijk de dood in.

5

Meer dan achttien jaar later, in deze mij zo vertrouwde en toch mysterieuze stad, brak de decembermaand aan die mijn leven zou veranderen.

Toen ik die avond op pad ging, een rugzak op omdat ik mijn voedselvoorraad op peil wilde brengen, nam ik twee kleine led-zaklantaarns mee, een in de hand en de andere als reserve aan mijn riem. De route van mijn kamers naar de stad boven me liep voor het grootste gedeelte door het donker, zoals vele wegen in deze wereld, of ze nu ondergronds zijn of niet, en of ze nu van beton zijn of niet.

Vanuit de kamer met de hangmatten leidde een gang van bijna anderhalve meter breed en drie meter lang naar een ogenschijnlijk blinde muur. Ik maakte me zo lang mogelijk, stak een wijsvinger in het gat dat daar zat, de enige oneffenheid in die gladde muur, en drukte op de knop die daarin verborgen zat. De dertig centimeter dikke stenen plaat draaide geluidloos open op twee weggewerkte kogelscharnieren die dertig centimeter van de linkerrand af zaten.

De opening die vrijkwam was meer dan een meter breed. Nadat ik erdoorheen was gestapt, viel de massieve deur achter me dicht.

Ook zonder licht kende ik de weg in deze gang: tweeënhalve meter recht vooruit, dan een bocht naar links, en uiteindelijk nog drie meter naar een ingenieus ontworpen deur met ventilatieroosters erin. Vanaf de andere kant gezien leek deze deur op een afsluitpaneel van een grote ventilatieschacht.

Ik bleef in het donker staan luisteren, maar het enige wat ik hoorde, was een luchtstroom die net zo zacht en koel en puur klonk als de adem van een sneeuwpop die door liefde en magie tot leven was gewekt.

De tocht voerde de geur van vochtig beton mee dat in de loop van tientallen jaren met kalk was uitgeslagen. In dit deel van de onderwereld van de stad rook ik nooit rattenlijken of de riekende schimmels die elders soms welig tierden.

Net als bij de draaiende betonwand het geval was, kon deze deur met een verborgen knop worden geopend. Hij viel automatisch achter me dicht.

Ik knipte de zaklantaarn aan, waardoor een hemelwaterrioolbuis zichtbaar werd, alsof de lichtbundel de ruimte uit een rotspartij sneed. De grote ronde tunnel van beton was zo groot dat hij al het water van een mogelijke zondvloed leek te kunnen afvoeren.

Zo nu en dan reden er onderhoudsploegen doorheen, in elektrische karretjes ter grootte van een pick-up. Op dit moment was ik echter alleen. Door de jaren heen had ik maar een paar keer zo'n karretje gezien, en dan meestal in de verte; nooit hoefde ik in allerijl weg te duiken om te voorkomen dat ze me zagen.

Het leek of ik door een toverspreuk veroordeeld was tot eenzaamheid. Of ik nu onder of boven de grond vertoefde, mensen keerden zich van me af en vice versa, nog voor ze me goed en wel gezien hadden.

Anders zou ik allang om het leven gebracht zijn.

De laatste zware regenval had eind oktober plaatsgevonden. De tunnel was inmiddels opgedroogd, en hier en daar lag wat afval: plastic tassen, lege blikjes bier en fris, etensbakjes van fastfoodketens, bekertjes van Starbucks, een wollen handschoen, een babyschoentje, een paar glimmende schakels van een kettinkje, allemaal spullen die zichtbaar waren geworden nadat het laatste hemelwater was verdampt.

Er lag niet veel rommel. Ik zou kilometers hebben kunnen doorlopen zonder dat ik ergens op stapte. Maar aan weerszijden van de tunnel liep op een metertje hoogte een brede richel voor onderhoudspersoneel, en daar kwam slechts bij uitzondering afval te liggen.

Zo nu en dan passeerde ik andere deuren met ventilatieroosters erin, die niets anders waren dan wat ze leken, en ijzeren ladders die omhoogliepen naar doorgangen, en de uiteinden van kleinere zijtunnels die tijdens regenval water op deze tunnel afvoerden.

In dit ondergrondse doolhof waren ook tunnels te vinden die uit een vroegere periode stamden en uit baksteen, rotsblokken of betonblokken bestonden. Die waren veel mooier om te zien dan de recentere constructies, omdat ze gebouwd waren door metselaars die nog eer in hun werk legden.

Er gingen geruchten dat er in het verleden bouwvakkers waren geweest die voor een grote crimineel werkten en verschillende van zijn vijanden hadden ingemetseld, sommigen van hen nadat ze om zeep waren geholpen, andere levend. Ik had nooit zo'n kruisje gezien dat volgens die verhalen in bakstenen was gekerfd om die plekken te markeren, noch had ik botten in de gaten in het cement gezien, gefossiliseerde resten van vingers die ooit een uitweg hadden gezocht. Het zou kunnen dat dergelijke geruchten niet op waarheid berustten en niets anders dan sterke verhalen waren, hoewel ik me er wel degelijk van bewust was dat de mens zeer onmenselijke trekjes aan de dag kon leggen.

Toen ik halverwege de eerste afslag van de tunnel was, zag ik een vertrouwde, oplichtende, zilverwitte mistflard in de verte, een Nevel, die als een samenhangende, dunne sliert naar me toe zweefde, als een lichtgevende paling die door water gleed.

Ik bleef even staan, omdat ik mateloos gefascineerd werd door dit fenomeen, net als het fenomeen dat ik de Helderen noemde. Ik had geleerd dat ik niet bang hoefde te zijn, maar ik moet toegeven dat ik me wel enigszins ongemakkelijk voelde.

In tegenstelling tot echte mist of een uitstoot van stoom vervaagde deze verschijning aan de rand niet, noch veranderde de vorm ervan onder invloed van luchtstromen. De witte sliert kwam kronkelend mijn kant op, zo'n tweeënhalve meter lang, dertig centimeter in doorsnee, en toen de Nevel langs me gleed, hield hij even stil en richtte hij zich op, kronkelend in het midden van de tunnel, als een cobra die door fluitmuziek werd betoverd. Daarna strekte hij zich weer horizontaal uit en gleed weg, als een glimmende sliert van zilver die steeds kleiner werd en ten slotte uit het zicht verdween.

Ik had mijn hele leven lang al Nevelen en Helderen gezien en hoopte ooit te weten te komen wat ze waren en wat ze te betekenen hadden, hoewel ik de kans klein achtte dat het ooit nog eens zover zou komen, en dat ik anders een hoge prijs zou moeten betalen als ik achter het geheim van dat raadsel zou komen.

6

'Ik heb een te hoge prijs voor jou moeten betalen,' verklaarde mijn moeder op de middag dat ze me wegstuurde. 'Ik heb altijd volgens mijn eigen regels geleefd, en ik wist dat me dat duur zou komen te staan, maar dat het zo zwaar zou zijn, had ik nooit verwacht. Door jou.'

Ze was altijd net zo knap geweest als de vrouwen die je in tijdschriften zag, de televisieberoemdheden op wie miljoenen verliefd waren, maar de laatste tijd was ze vermagerd en zag ze er afgetobd uit. Ondanks de onmiskenbare sporen van vermoeidheid en de donkere wallen die als vaalblauwe plekken onder haar ogen zaten, had ze niet aan schoonheid ingeboet. In feite viel het daardoor des te meer op dat ze teerhartig was en een verschrikkelijk verlies te verwerken had, en dat haar pijn, als de pijn die een martelaar moet verduren, prachtig was. Daardoor straalde haar gezicht nog meer dan eerst.

Ze zat in de keuken aan de tafel met de glimmende verchroomde poten en het rode formica tafelblad. Ze had haar medicijnen en haar whisky onder handbereik, waarvan ze zei dat dat ook een medicijn voor haar was.

Daarvan leek de whisky nog haar beste medicijn, als je het mij vraagt, want daardoor werd ze in het slechtste geval somber, maar soms moest ze lachen of ging ze liggen slapen als ze gedronken had. Als ze pillen had genomen of poeder had gesnoven, kon ze zomaar boos worden. Ze schreeuwde het dan uit, ging met dingen gooien of verwondde zichzelf opzettelijk.

Alles wat ze met haar ranke handen aanraakte, kreeg iets elegants: het gewone whiskyglas dat fonkelde als geslepen kristal als ze herhaaldelijk met het topje van haar vinger langs de met whisky bevochtigde rand gleed, de slanke sigaret die een toverstaf werd waaruit rook omhoogkringelde alsof ze er wensen mee kon doen uitkomen.

Omdat me niet was gevraagd te gaan zitten, bleef ik tegenover haar bij de tafel staan. Ik deed geen poging dichter bij haar te komen. Lang geleden had ze me wel eens geknuffeld, maar na verloop van tijd kon ze het hooguit opbrengen om me zo nu en dan heel even aan te raken. Dan streek ze mijn haar van mijn voorhoofd of legde haar hand even op die van mij. De laatste maanden was zelfs dat meer dan ze kon verdragen.

Omdat ik wist dat ik haar pijn berokkende en ze het al weerzinwekkend vond om naar me te kijken, leed ik ook. Ze had abortus kunnen plegen, maar dat had ze niet gedaan. Ze had me op de wereld gezet. En toen ze zag wat ze had gebaard... zelfs toen beschermde ze me tegen de vroedvrouw die me om het leven wilde brengen. Ik moest mijn moeder wel liefhebben en kon alleen maar hopen dat ze van iets als ik kon houden.

Door het raam achter haar zag ik dat de bewolkte oktoberlucht grijs en grauw was. Er stond een oude plataan die al bijna kaal was, en in de onstuimige wind trilden de overgebleven blaadjes als bruine vleermuizen die op het punt stonden te gaan vliegen. Dit was geen dag om het huis te verlaten, geen moment om alleen te blijven.

Ze had me opgedragen mijn jas met capuchon aan te doen, en dat had ik gedaan. Ze had eten voor me klaargemaakt en dat samen met wat EHBO-spullen in een rugzak gedaan, die ik nu om mijn schouders hing.

Moeder wees naar een stapeltje bankbiljetten op tafel. 'Neem dat mee, misschien heb je er nog wat aan. Het geld is gestolen, maar dat heb jíj niet gedaan. Als een van ons tweeën iets moet stelen, doe ik dat. Het is voor jou, iets waar jij geen vuile handen voor hebt hoeven maken.'

Ik wist dat ze nooit om geld verlegen zat. Ik nam haar geschenk aan en stopte het in een van mijn broekzakken.

De tranen die ik had verdrongen, stroomden nu over mijn wangen, maar zij liet totaal niet merken dat ze enig verdriet had. Ik kreeg de indruk dat ze dit moment heel vaak had gerepeteerd, om te voorkomen dat er door mijn toedoen iets aan het scenario zou veranderen.

Er trok een waas voor mijn ogen, en ik probeerde haar te laten inzien dat ik veel van haar hield, en dat ik het betreurde dat ze door mij zo wanhopig was geworden, maar de paar woorden die ik over mijn lippen kreeg, klonken onwerkelijk en pathetisch. Fysiek en emotioneel was ik sterk voor mijn leeftijd, en wijzer dan een kind, maar desalniettemin was ik nog steeds een kind, een jongetje van acht.

Ze drukte haar sigaret uit in een asbak, bevochtigde de vingers van beide handen met de condens die zich op haar whiskyglas had afgezet. Ze deed haar ogen dicht, drukte de toppen van haar vingers op haar oogleden en haalde een paar keer diep adem.

Ik had het gevoel dat mijn hart was opgezwollen en zo hard tegen mijn borstbeen, ribben en wervelkolom drukte dat het op knappen stond.

Toen ze weer naar me keek, zei ze: 'Leef 's nachts, als het je al lukt om in leven te blijven. Hou je capuchon steeds op, en trek je hoofd tussen je schouders. Laat je gezicht nooit zien. Een masker zal aandacht trekken, maar misschien kun je verband gebruiken. Laat in elk geval nooit je ogen zien. Die ogen zullen je onmiddellijk verraden.'

'Ik red me wel,' verzekerde ik haar.

'Alsof dat zo makkelijk gaat,' zei ze op scherpe toon. 'Maak jezelf toch niks wijs. Je moet niet doen alsof er niks aan de hand is.'

Ik knikte.

Nadat ze het halfvolle glas whisky in een keer achterover had ge-slagen, zei ze: 'Ik zou je niet wegsturen als de jager er niet was ge-weest.'

De jager had me die ochtend in het bos gezien. Ik was er als een haas vandoor gegaan, en hij had de achtervolging ingezet. Een paar keer schoot hij op me en vlogen de kogels me om de oren.

'Die komt wel weer terug,' zei Moeder. 'Hij zal net zo vaak te-rugkomen tot hij je te pakken heeft. Pas als jij dood bent, zal hij weer verder trekken. En dan raak ik er ook bij betrokken. Dan zul-len ze van alles van me willen weten, tot in detail, en al die be-moeizucht kan ik er verdomme niet bij hebben.'

'Het spijt me,' zei ik. 'Het spijt me heel erg.'

Ze schudde haar hoofd. Ik wist niet of ze daarmee bedoelde dat ik me niet hoefde te verontschuldigen of dat mijn woorden niet toe-reikend waren. Ze bracht haar hand naar het pakje sigaretten en haalde er een uit.

Ik droeg gebreide handschoenen, omdat mijn handen me ook zouden kunnen verraden, en deed mijn capuchon op.

Toen ik bij de deur stond en mijn hand op de deurkruk legde, hoorde ik Moeder zeggen: 'Ik heb gelogen, Addison.'

Ik draaide me naar haar om.

Haar sierlijke handen trilden zo erg dat het haar niet lukte haar sigaret aan te steken. Ze liet de aansteker vallen en legde de sigaret weg.

'Ik heb gelogen toen ik zei dat je alleen maar weg moest vanwe-ge de jager. Ik zou je sowieso hebben weggestuurd, jager of geen jager. Ik kan er niet tegen. Niet meer. Ik ben een egoïstisch kreng.'

'Nietes,' zei ik. Ik deed een stap in haar richting. 'U bent bang, dat is alles. U bent niet alleen bang voor mij, maar bang voor... voor van alles en nog wat.'

Toen veranderde ze, al bleef ze knap, in een heidense stormgodin die laaiend was en op wraak zinde. 'Hou toch eens je kop en neem aan wat je verteld wordt, jongen. Ik ben egoïstisch en ijdel en inhalig en nog erger, en dat is oké. Daar gedij ik bij.'

'Nee, zo bent u helemaal niet, u bent...'

'Hou die klotekop van je nou eens! Bek dicht! Je kent me heus niet beter dan ik mezelf ken, hoor. Ik ben wat ik ben, en hier heb jij niks te zoeken. Dat was zo en dat zal altijd zo blijven. Ga jij nou maar weg en zorg er maar voor in leven te blijven. Ga diep het bos in of weet ik veel waarnaartoe, en wee je gebeente als je terugkomt, want hier heb jij niks te zoeken. Hier wacht alleen de dood op jou. En nou *opgehoepeld*!'

Ze gooide het glas naar mijn hoofd, maar ik weet zeker dat het niet haar bedoeling was me te raken. Het glas zeilde door de lucht en spatte tegen de koelkast uit elkaar, een heel eind van me af.

Elke seconde dat ik langer bleef, zou ze meer lijden. Ik kon niets zeggen of doen om haar leed te verzachten. In een verwrongen wereld valt het leven niet mee.

Tranen met tuiten huilend, erger dan ik ooit gedaan had – of ooit nog zou doen – verliet ik het huis, zonder verder nog achterom te kijken. Ik voelde me ellendig, en dat kwam niet doordat ik het nu zo moeilijk had of vanwege mijn povere vooruitzichten. Ik voelde me ellendig om haar, omdat ik wist dat ze me niet haatte, dat ze alleen zichzelf haatte. Ze verachtte zichzelf, niet omdat ze me op de wereld had gezet, meer dan acht jaar geleden, maar omdat ze me nu de deur wees.

De dag liep ten einde. De bewolkte hemel, die eerst nog egaal grijs was geweest, werd nu dreigender, en hier en daar was de lucht inktzwart.

Toen ik het huis achter me liet, wervelden er dode bladeren om mijn voeten, als dieren die om een heks heen dansen.

Ik liep het bos in, in de veronderstelling dat de jager zich voorlopig niet zou laten zien. Zijn afschuw was veel groter dan zijn haat; hij zou pas de volgende dag terugkomen.

Zo gauw ik er zeker van was dat de schaduwen me dekking gaven, bleef ik staan. Ik draaide me om en leunde met mijn rug tegen een boom. Ik wachtte tot ik geen tranen meer had en het waas voor mijn ogen was opgetrokken.

Dit zou de laatste keer zijn dat ik het huis zag waarin ik acht jaar eerder was geboren en was grootgebracht. Ik wilde wachten tot de schemering zich tot duisternis zou verdiepen en het licht in huis aanging.

Op dagen waarop Moeder het niet kon opbrengen mij om haar heen te hebben, was ik altijd het bos in gegaan tot het begon te schemeren, en dan sliep ik op het erf, of als het buiten te koud was, in een uiterst comfortabele slaapzak in de garage, een bouwval die los van het huis stond. Ze zette dan een bord eten voor me klaar, in haar Ford, en dat at ik in het schemerduister op. Ik keek dan naar het huis, omdat ik het altijd fijn vond als er achter de ramen plotseling een warm schijnsel oplichtte en ik wist dat ze in alle rust thuis zat, verlost van mijn aanwezigheid.

Ook nu, terwijl het kleine huis werd omgeven door de duisternis van een sterreloze nacht, de wind ging liggen en het stil werd in het bos, zag ik achter de ramen het licht aangaan. Die verlichte ruitjes brachten een intens genoegzaam gevoel van veiligheid en geborgenheid bij me teweeg. De keren dat ik wel binnen mocht komen, leek datzelfde licht veel minder warm en raakte het me veel minder.

Ik had op dat moment moeten vertrekken, ik had het smalle zandpaadje af moeten lopen en naar de asfaltweg moeten gaan, maar ik draalde. Eerst hoopte ik nog een laatste glimp op te vangen van de vrouw aan wie ik mijn bestaan te danken had. Toen er een uur verstreken was, en daarna nog een, moest ik toegeven dat ik geen idee had wat me nu te doen stond, waar ik naartoe kon. Ik stond aan de rand van het bos en voelde me verloren, iets wat me veel dieper in de wildernis nog nooit was overkomen.

De voordeur ging open, en in de stilte van de avond hoorde ik de scharnieren zachtjes protesteren. Mijn moeder verscheen op de veranda; haar silhouet tekende zich in de deuropening af. Ik dacht dat ze me misschien zou roepen, in de hoop dat ik in de buurt gebleven was, dat ze misschien zou zeggen dat haar liefde groter was dan haar angst voor mij, en dat ze er spijt van had dat ze me had weggestuurd.

Maar toen zag ik het geweer, een riotgun, kaliber 12, dat ze altijd geladen bij de hand had om ongenode bezoekers te verjagen die ze verder niet met naam en toenaam beschreef. Het geweer noemde ze haar verzekeringspolis. Ze hield het wapen niet achteloos vast, maar resoluut, met beide handen, de loop naar het dak van de veranda gericht. Ze tuurde in het nachtelijk donker. Ik vermoedde dat ze er rekening mee hield dat ik niet was weggegaan en dat ze duidelijk wilde maken dat het haar menens was.

Ik had niet zonder meer gehoor gegeven aan haar verzoek, en daar schaamde ik me voor. Maar toen ze weer naar binnen ging en de deur dichtdeed, bleef ik aan de rand van het bos staan en kon ik het niet opbrengen om weg te gaan.

Er verstreek misschien een halfuur voordat ik door de rauwe knal van het geweer werd opgeschrikt. Ondanks het feit dat het geluid door de muren van het huis werd gedempt, werd de stilte op de berghelling er oorverdovend mee doorbroken.

Eerst dacht ik dat iemand het huis moest zijn binnengedrongen, achterom of door een raam buiten mijn blikveld, want Moeder had het vaak over vijanden, en dat ze ergens wilde gaan wonen waar ze haar niet konden vinden. Ik rende door het lage struikgewas en stormde het erf op. Halverwege begon het me te dagen dat het misschien geen indringer was die daarbinnen dood of gewond op de grond lag, maar dat het hoogstwaarschijnlijk haar ergste vijand was, namelijk zijzelf.

Als ik haar weer tot leven had kunnen wekken door zelf te sterven, zou ik ter plekke dood zijn neergevallen.

Ik vond dat ik eigenlijk naar binnen moest gaan, omdat ze misschien alleen gewond was geraakt en hulp nodig had.

Toch betrad ik het huis niet. Ik kende mijn moeder maar al te goed. Wanneer ze zich had voorgenomen een bepaalde taak te verrichten, zette ze zich er met hart en ziel toe, en altijd wist ze te bereiken wat ze zich tot doel had gesteld. Ze maakte daarin nooit fouten en nam geen halve maatregelen.

Ik weet niet hoe lang ik daar in het donker op het erf heb gestaan nadat het geluid van het schot was weggestorven.

Na een tijdje merkte ik dat ik op mijn knieën zat.

Ik kan me niet meer herinneren dat ik daar ben weggegaan. Pas een minuutje voordat ik de asfaltweg bereikte, werd ik me ervan bewust dat ik op het zandpad liep.

Vlak na de dageraad verstopte ik me in een verwaarloosde schuur van een verlaten boerderij, waarvan het woonhuis was afgebrand en nooit meer was opgebouwd. Muizen waren de rechtmatige bewoners ervan, maar ze waren niet al te bang voor me, en ik verzekerde ze dat ik maar een paar uur zou blijven.

Moeder had me niet alleen de eerste levensbehoeften meegegeven, maar ook een paar chocoladekoekjes met pecannootjes die ze zelf had gebakken en waar ik dol op was.

7

Onder de stad door lopend kwam ik bij een kruising van tunnels, waar ineens een rommelend geluid weerklonk; het gedender van een ondergrondse trein, het enige wat dieper lag dan de riolering. In de zeldzame gevallen waarin een deel van het metrostelsel onder water liep, werd er water naar deze afwateringsbuizen omhooggepompt. Voor de millenniumwisseling hadden ze het overtollige water ooit in het riool gepompt, maar nadat het water toen op een rampzalig moment was teruggestroomd, de metrotunnel over een afstand van vier kilometer onder de smurrie was komen te zitten en schoonmaakploegen weken nodig hadden gehad om het spoor vrij te maken, had men een andere constructie bedacht.

Een stad is deels beest en deels machine, met aderen vol drinkwater, kanalen vol viezigheid, telefoon- en elektriciteitskabels die als zenuwen onder de grond door lopen, riolen als darmen, buizen met samengeperste stoom en andere met gas, kleppen en ventilatoren en filters en meters en motoren en transformatoren en tienduizenden computers die met elkaar verbonden zijn, en hoewel de stadsbewoners soms slapen, slaapt de stad zelf nooit.

De stad voedde me en bood me een geheim toevluchtsoord, waar ik dankbaar voor was, maar niettemin bleef ik op mijn hoede, en soms was ik zonder meer bang voor de stad. Het leek logisch om te denken dat de stad weliswaar een complex geheel vormde, maar dat het niet meer was dan een optelsom van dingen, gebouwen en machines en systemen. De stad had geen bewustzijn en geen eigen wil. Hoewel de mensen van de stad me niet kenden, leek het er vaak op dat de stad zelf me wel kende en me in de gaten hield.

Als een stad een eigen leven leidde, los van haar inwoners, kon ze waarschijnlijk ook vriendelijk of genadeloos zijn. Omdat de stad door mannen en vrouwen was gebouwd, zou ze mogelijk niet alleen hun goede maar ook hun slechte eigenschappen hebben overgenomen.

Het gedender van de trein onder mijn voeten stierf weg, en nadat ik het kruispunt van reusachtige tunnels was gepasseerd, ging ik naar links, een zijtunnel in, die onder een grotere hoek omhoogliep dan de hoofdtunnel. Omdat er hier aan weerszijden geen looppad voor het onderhoudspersoneel was aangebracht en de tunnel niet zo hoog was, moest ik me enigszins bukken en mijn hoofd intrekken om verder te kunnen lopen.

Ik was zo bekend met deze ondergrondse lanen en stegen dat ik geen zaklantaarn nodig had. Maar hoewel ik me alleen 's nachts boven de grond waagde en ik overdag ondergronds bleef, was ik geboren voor het licht en verlangde ik er hevig naar, meer dan mijn situatie toeliet.

Ik kwam bij een inham in de tunnelwand, rechts van me, gemaakt van betonblokken die een halve cirkel vormden. De nis was ruim een meter in doorsnee, zo'n twee meter hoog, en vormde een soort put, alleen was een put dieper, afgesloten met een deksel en alleen via de bovenkant te betreden.

Boven me lag een zware ijzeren deksel, waar aan de rand een moer was bevestigd. Uit mijn rugzak haalde ik het enige werktuig dat erin zat: een dertig centimeter lange staaf met aan het ene uiteinde een T-vormige handgreep en aan het andere iets wat leek op een dopsleutel. Door deze sleutel in de moer te steken en die een slag te draaien, schoof een grendel uit de rand waar het deksel in vastzat en kon je hem omhoogduwen.

Mijn vaders vader had die sleutel jaren voor zijn dood uit een vrachtwagen van de gemeente gepakt en hem zich toegeëigend. Die dekselsleutel was het kostbaarste wat ik bezat. Als ik dat ding kwijtraakte, zou ik mijn bewegingsvrijheid praktisch helemaal kwijtraken.

Nadat ik de dekselsleutel weer in mijn rugzak had gedaan en die had dichtgeritst, klemde ik de zaklantaarn tussen mijn tanden, klemde mijn vingers om het frame van de put en trok mezelf door de vrijgekomen opening omhoog. Ik kwam uit in de kelder van de openbare stadsbibliotheek. Het was er stil, precies zoals zou moeten. De lucht was droog maar niet schraal, het was koel maar niet koud.

In dit eerste uur van de zondag zou er niemand in het grote gebouw aanwezig zijn. De schoonmaakploeg was allang vertrokken. De bibliotheek was zondags altijd gesloten. Tot maandagochtend had ik het hele gebouw voor mezelf alleen. Ik was van plan er maar een paar uur te blijven en daarna verder te gaan om de voedselvoorraad in mijn bunker aan te vullen.

De kelder, waarin de vochtigheidsgraad op een constant niveau werd gehouden, was enorm groot, één immense ruimte, met dikke pilaren die naar boven toe steeds breder werden en uitwaaierden in prachtige kalkstenen gewelven. Tussen de zuilen stonden metalen kasten op dertig centimeter hoge betonnen sokkels. In sommige laden lagen gewone documenten, maar andere waren extra breed en ondiep en bevatten blauwdrukken en publicaties die zo oud en fragiel waren dat ze uit elkaar zouden vallen als ze onder andere boeken gelegd zouden worden.

Dit waren de geschiedkundige archieven van de stad, wat verklaarde waarom er putten in de vloer waren gemaakt. Mocht er een waterleidingbuis of iets dergelijks knappen, dan konden de putten worden geopend, zodat het water nooit hoger zou komen dan de sokkels waarop de kasten stonden.

Ik vond het heerlijk in die uitgestrekte ruimte, die zuilen en gewelven, die me deden denken aan foto's van de reusachtige reservoirs die François d'Orbay had aangelegd onder de waterterrassen en tuinen van Versailles. In het wiegende schijnsel van mijn zaklantaarn gleden de schaduwen van de zuilen als grote zwarte deuren opzij.

Er kwamen een personenlift en een goederenlift in de kelder uit, maar die gebruikte ik nooit. Trappen zijn stil en veiliger. Ik kon kiezen uit een aantal en nam die in de zuidoosthoek.

Natuurlijk waren boeken de reden waarom ik naar de bibliotheek was gegaan. Hoewel Vader en diens vader boeken hadden verzameld die waren weggedaan door hen die bovengronds leefden en ik leesvoer kon lenen uit de kringloopwinkels waar ik na sluitingstijd rondneusde, waren sommige boeken alleen in de bibliotheek te vinden.

Via de trap kwam ik in een met walnotenhouten panelen gelambriseerde leeszaal waar kranten en tijdschriften lagen. Een korte gang voerde naar de eigenlijke leeszaal, een architectonisch meesterwerk dat zich over vijftienhonderd vierkante meter uitstrekte, met een vloer van karamelkleurig marmer. Dit immense vertrek bevatte een deel van de boekcollectie van de bibliotheek, en achter een doolhof van boekenkasten stonden lange houten tafels waaraan in totaal meer dan vijfhonderd lezers konden plaatsnemen.

Bij eerdere gelegenheden rond dit tijdstip was de leeszaal slechts verlicht geweest door het naargeestige schijnsel van de stad dat door de hoge boogramen naar binnen viel. Deze keer brandden er verscheidene lampen.

Bijna was ik weer weggegaan, maar intuïtief bleef ik om te kijken wat er zou gebeuren.

Decennia geleden werkten er nog nachtwakers in de bibliotheek, die de talloze vertrekken en gangen in de gaten hielden. Maar in een land dat zoveel had uitgegeven dat het bijna failliet was, had men ervoor gekozen de veiligheid te waarborgen middels stevige sloten en een alarminstallatie op ramen en deuren, want apparatuur kostte geen salaris, medische voorzieningen en pensioenopbouw.

De gangpaden tussen de tweeënhalve meter hoge boekenkasten

liepen van oost naar west en van noord naar zuid. Toen ik een van de ingangen van het labyrint naderde, hoorde ik voetstappen die ondanks de stilte nauwelijks waar te nemen waren, voetstappen die zo licht en snel waren dat ze klonken als die van een geest van een overleden kind die verschrikt wegloopt in het besef dat hij dood is.

Verderop in het gangpad voor me kwam een slank tienermeisje van rechts, het noorden. Ze liep zo snel als een gazelle, bewoog zich met ballerina-achtige gratie en trippelde op haar tenen. Ze droeg zilverkleurige schoenen, als de gevleugelde voeten van Mercurius, en voor het overige ging ze in het zwart gekleed. Haar lange haar was ook zwart, glanzend in het licht van de lampen, als een meertje dat 's nachts bij het schijnsel van de maan ligt te glimmen. Doordat ze in een oogwenk weer verdwenen was, kreeg ik het idee dat ze voor haar leven rende.

Ik hoorde geen achtervolger, hoewel ik wel verwachtte dat iemand haar dicht op de hielen zat. Ik kende geen enkel roofdier – en kon me er ook geen voorstellen – dat zich net zo onhoorbaar voortbewoog als zij.

Voorzichtig liep ik naar de kruising van gangpaden waar ik haar voorbij had zien rennen. De grote kroonluchters die aan het vijftien meter hoge plafond hingen, brandden niet. Het lange gangpad waar het meisje doorheen had gerend, lag er nu in beide richtingen verlaten bij en werd verlicht door lampen van geborsteld staal en glimmend koper die hoog aan de tussenschotten van boekenkasten bevestigd waren.

De kasten zaten aan de achterkant dicht, zodat ik niet over de boeken heen in het volgende gangpad kon kijken. Zo zachtjes mogelijk liep ik door in oostelijke richting, naar de volgende kruising van gangpaden, maar ook daar was het meisje nergens te bekennen.

De kasten vormden een groot doolhof, minder ingewikkeld dan het speelveld van dat oude videospelletje Ms. Pacman, maar toch stelde het me voor vreemde verrassingen toen ik voorzichtig van gangpad naar gangpad liep, om hoekjes loerde, links en rechts ging, waarbij ik me door mijn intuïtie liet leiden.

Ik liep in zuidelijke richting, kwam bij een hoek, wilde naar links, toen ik dacht iets te horen, mogelijk het nauwelijks hoorbaar piepen van een rubberen schoenzool. Ik bleef als versteend tussen de laatste twee tussenschotten staan, niet in het donker, maar ook niet in het volle licht.

Een lange, pezige man kruiste gehaast het gangpad waar ik stond en ging van rechts naar links. Kennelijk was hij er zo zeker van waar zijn prooi zich bevond dat hij niet opzij keek toen hij mijn gangpad kruiste en vervolgens verdween. Ik was bang dat hij mijn aanwezigheid vanuit een ooghoek had geregistreerd en dat hij terug zou komen om nog eens beter te kijken, maar hij liep gewoon door.

Hij was gekleed in een pak met das, maar dan zonder colbertje. De mouwen van zijn witte overhemd waren opgerold, wat de indruk wekte dat hij zich hier thuis voelde en een leidinggevende positie bekleedde. Maar hij straalde iets uit – misschien door zijn intense manier van doen, zijn verbeten mondhoeken, zijn grote knokige handen tot vuisten gebald – waardoor ik het idee had dat hij snode of zelfs oneerbare bedoelingen had.

Ik besloot hem achterna te gaan, maar tegen de tijd dat ik om het hoekje keek, was hij al verdwenen. Weliswaar was ik in de loop der tijd vertrouwd geraakt met dit gebouw, maar het zou goed kunnen dat hij in dit labyrint beter de weg wist dan ik. Als hij de rol van de legendarische Minotaurus speelde en ik die van Theseus, die dergelijke monsters doodde, zou dit wel eens slecht kunnen aflopen, gezien het feit dat ik nog nooit een levend wezen had doodgemaakt, een monster of wat dan ook.

Het meisje begon te gillen, en de man schreeuwde: 'Kreng, lelijk kreng, ik maak je hartstikke dood', waarop het meisje weer ging gillen. Het gestommel en gebons van boeken die op de grond vielen, deden vermoeden dat iemand zich op onconventionele wijze bediende van het wapen van het woord.

De grote ruimte had een bedrieglijke akoestiek. Door de sierlijke, vergulde panelen aan het plafond, de kalkstenen muren, de marmeren vloer, de talloze kasten vol boeken die geluiden deels dempten en deels weerkaatsten, leek het of het kortstondige gevecht in elk gangpad werd gevoerd, overal om me heen. Toen werd het plotseling stil.

Ik stond op een kruising van gangpaden, luisterde met schuin gehouden hoofd en keek om me heen. Mijn hart ging wild tekeer, en ik was bang dat het meisje iets was overkomen. Ik bedacht dat de Minotaurus in het labyrint op Kreta mensenvlees at.

8

Met mijn capuchon op en mijn hoofd zo laag mogelijk, zodat ik nog wel kon zien waar ik liep, ging ik naar links, naar rechts, weer naar links, deze kant op, die kant op, de hoek om en weer terug, langs Geschiedenis met alle oorlogen, langs Natuurwetenschappen met alle ontdekkingen en mysteries. Meer dan eens hoorde ik hier en daar wat bewegen, de lichte snelle ademhaling van een meisje, een gedempte vloek van een lage mannenstem. Twee keer zag ik hem nog, een eindje verderop, toen hij net een hoek om ging. Haar zag ik niet, maar dat was goed, dat was prima, beter dan dat ik haar lijk vond.

Op een gegeven moment kwam ik op de plek waar boeken op de grond gevallen waren, mogelijk door het meisje naar haar belager gegooid of uit de kast getrokken om hem de achtervolging te beletten. Het ging me aan het hart boeken voor dat doel ingezet te zien. Maar ik schatte haar op zestien, hooguit zo'n vijfenveertig ki-lo. De man met de opgerolde mouwen was bijna een meter negen-tig lang, bijna twee keer zo zwaar als zij, duidelijk niet goed in het in toom houden van zijn woede, en dreigde haar te vermoorden. Als ze de hele bibliotheek moest vernielen om het vege lijf te red-den, zou dat haar goed recht zijn. Elk boek is het product van een levende geest, een geopenbaard leven, een wereld die verkend kan worden, maar levende mensen zijn dat ook, en zelfs in hogere mate, want hun verhalen zijn nog niet ten einde.

Toen veranderde er iets, en even dacht ik dat het kwam doordat de geluidjes van de achtervolging waren weggestorven en het volkomen stil was. Maar er was een nauwelijks waarneembaar geruis hoorbaar, wat vaag aan iets stromends deed denken, alsof duizenden dunne straaltjes water in een fontein van het ene bassin naar het onderliggende bassin sijpelden.

Dat minieme geluid ging vergezeld van een geur die niet in de bibliotheek thuishoorde, niet de geur van papier dat al drie eeuwen bestond en als kazen op een plank lag te rijpen, noch de zwakke citrusgeur die van de kalkstenen muren afkomstig was, en zeker niet hout- of marmerwas. Dit was de half-frisse lucht van een natte straat, en ook voelde ik een koele luchtstroom, te zwak om de bladzijden van de op de grond getuimelde boeken in beweging te zetten.

Heel voorzichtig, om te voorkomen dat iemand me zou horen, zocht ik de bron van de tocht, liep tegen de luchtstroom in naar het zuidelijk eind van de boekenkasten, en daar bleef ik staan, bang om tevoorschijn te komen. Links bevond zich het bureau waar de geleende boeken ingeleverd konden worden, rechts stond de centrale balie, en ertussendoor leidde het glanzende karamelkleurige marmer naar een ronde foyer met een koepelplafond. Een van de vier rijkelijk versierde bronzen deuren aan de andere kant van de foyer stond open.

Ik hoorde dat er iemand aan kwam rennen, buiten mijn gezichtsveld, elders in het boekenkastenlabyrint. Terwijl ik me terugtrok in de ijle schaduwen van het gangpad, verscheen de ontstemde man vanuit de oostkant en rende met een boog om de innamebalie heen. Hij was zo gericht op de foyer en de openstaande deur dat hij me totaal niet opmerkte, ook al had ik op een sokkel in het volle licht gestaan.

Het hele gebeuren vond ik zeer spannend, zonder goed te snappen waar het precies om ging, en ik durfde onverantwoord veel risico's te nemen, iets wat ik tot dan toe nooit gedaan had. In de stellige overtuiging dat de man door de openstaande deur naar buiten zou gaan en langs de twee lange buitentrappen naar beneden zou gaan om te kijken of het voortvluchtige meisje nog ergens te zien was, ging ik blindelings achter hem aan. Hij had alleen maar achterom hoeven te kijken om me te zien.

Hij stormde inderdaad naar buiten, en toen ik bij de openstaande deur kwam, zag ik dat hij in volle vaart de trappen af denderde. Op het trottoir aangekomen keek hij om zich heen, op zoek naar het meisje met de zilverkleurige schoenen. De brede straat was nog niet zo lang geleden door een wagen van de gemeentereiniging schoongespoten, wat verklaarde waarom de geur niet zo fris was als wanneer het zou hebben geregend, en het geruis dat ik gehoord had, was afkomstig van het weinige verkeer dat over het vochtige wegdek zoefde.

Toen de man de straat op liep om te kijken waar het meisje was gebleven, drong het tot me door dat het alarm niet was afgegaan toen ze door de deur naar buiten was gegaan. En toen zag ik dat de zware deur, die voorzien was van een dranger, open bleef staan door de lange L-vormige klink die ze uit een gat in de dorpel moest hebben gehaald. Ze had de tijd niet genomen om de klink in de daarvoor bestemde opening te klikken, en nu was het uiteinde ervan blijven steken in een kuiltje dat in het graniet van het trapbordes zat.

De kans dat de klink uit zichzelf in dat ene kuiltje in het verder gladde steen was gegleden, was klein. Ik vermoedde dat ze het ding er zelf in had gestoken om ervoor te zorgen dat de deur open bleef staan en er een luchtstroom ontstond die binnen niet onopgemerkt bleef.

Toen de gefrustreerde man buiten op straat aanstalten maakte de trap te beklimmen om weer naar binnen te gaan, trok ik me terug om te voorkomen dat hij me in de gaten zou krijgen. Ik rende door de foyer in de richting van het boekenlabyrint.

Ik bleef staan toen ik het in het zwart geklede meisje zag. Gehaast liep ze door het schemerige leesgedeelte dat achter de boekenkasten lag, naar een binnendeur in de verre noordoosthoek van de immense leeszaal.

Ze had haar ontsnapping in scène gezet, wat betekende dat ze een geheime schuilplaats kende, een plek in het gebouw waar ze zich veilig voelde. En het betekende nog meer, al kon ik niet zo gauw bedenken wat dat dan precies was.

De man vloekte nog harder dan eerst toen hij de trap op kwam. Er was geen tijd meer om de onafzienbare marmeren vlakte over te steken en toevlucht te zoeken tussen de boekenkasten, want dan zou hij me meteen bij binnenkomst zien. Ik stoof naar links en dook achter de balie, geen gewone balie maar een ruime werkplek voor een bibliothecaris, uitgerust met een verfijnd lijstwerk van mahoniehout, een plek waar klanten aan vier kanten bediend konden worden. Ik kroop erachter weg, in de hoop dat de man me niet gezien had.

Ik hoorde dat de bronzen deur met een klap werd dichtgetrokken en op slot werd gedaan, en dat de klink zachtjes een metalig geluid produceerde toen het ding in de bronzen rand van het gat in de vloer werd geschoven. Ik hoorde dat de man recht op de plek af liep waar ik zat, maar hij liep door. Hij kwam zo dichtbij dat ik zijn scherpe parfum rook. Toen hij verder liep, mompelde hij 'kreng' en nog ergere termen, verschillende bijtende scheldwoorden, alsof hij haar zo intens haatte dat hij haar zonder pardon wilde vermoorden. Toen daalde er een stilte neer. Verderop werd een deur dichtgetrokken.

Na een tijdje gingen de lichten uit.

Ik kwam overeind, maar was er nog niet aan toe uit de veiligheid van de balie tevoorschijn te komen.

De hoge ramen aan de zuidzijde van de zaal begonnen op een hoogte van drie meter, waar de boekenkasten ophielden, en liepen vervolgens tien meter omhoog tot aan de sluitsteen, drie meter onder het gelambriseerde plafond. Een van de charmes van de stad is de gloed die ze 's nachts uitstraalt, altijd romantisch, soms zelfs betoverend. Op deze decemberavond straalde de metropolis geen dreigend mat licht uit, zoals eerder, maar meer een schijnsel als van maanlicht dat door een verse deken van sneeuw wordt weerkaatst. De rode bordjes met EXIT boven de deuren deden me denken aan besjes van de hulst, hoewel ik er zelf versteld van stond dat dat beeld bij me bovenkwam en ik me afvroeg hoe het kon dat ik net nog doodsbang was geweest en ik de wereld nu luchthartig bezag.

Dat kwam natuurlijk door het meisje. Haar gracieuze manier van doen, haar lichtvoetige dansende pas, en haar mysterieuze aanwezigheid in de bibliotheek, dat alles had bij mij een niet onplezierige spanning gecreëerd. Ik was getuige geweest van een opwindend avontuur, ook al kon ik daar zelf niet aan meedoen.

Hoewel mijn leven zonder meer onconventioneel te noemen was, was het niet vol sprankelende ontmoetingen en avontuurlijke tochten. Overdag hield ik me schuil. Ik las wat, luisterde met de koptelefoon naar muziek op mijn cd-speler, dacht na, verwonderde me, en zo nu en dan ging ik slapen. 's Nachts sloop ik door de stad, zocht spullen om te overleven, zag schoonheid op plekken zoals deze, waar wonderschone cultuur en fantastische kunst in sublieme architectuur samenvielen. Maar gezien de verwoestende haat en woede die ik met mijn verschijning bij anderen opriep, was het niet slim om me samen met iemand anders in een avontuur te storten. Dat zou net zo onverstandig zijn als een hemofiliepatiënt die met bijlen ging jongleren.

Uit boeken had ik echter geleerd dat alle mensen overal ter wereld op zoek waren naar zingeving, naar een doel in hun leven. Dat was een universeel verlangen. Ook ik, die zo wanstaltig anders was dan anderen, wilde niets minder dan zin en een doel in het leven.

Ik voelde aan dat dit meisje misschien anders tegenover me zou staan dan anderen, dat ze me in elk geval misschien zou gedogen, net zoals mijn moeder dat had gedaan, dat ze een maatstaf was waaraan ik mijn waarde als mens kon meten zonder dat ik meteen gemarteld werd en gewelddadig aan mijn eind zou komen. Ik had zo'n vermoeden dat ze wel wat hulp zou kunnen gebruiken en dat ik haar, ondanks al mijn beperkingen, mogelijk van dienst kon zijn.

Ik verwachtte geen relatie, alleen een gedenkwaardige ontmoeting waarin ik misschien iets voor haar zou kunnen betekenen, iets van cruciaal belang in haar leven. Vader had vaak gezegd dat we op aarde zijn om te leren en te geven. Maar hoe kun je nou geven als je je steeds verborgen moet houden? Ik verkeerde nu al zes jaar in eenzaamheid.

Een paar minuten nadat de lichten waren uitgegaan, klonk er door het hele gebouw een stem door de luidsprekers: '*Alarm ingeschakeld.*'

De woedende man verliet het gebouw waarschijnlijk via de achteruitgang, die in een steegje uitkwam. Bij die deur zat een paneel waarmee je het alarm kon instellen.

In de bibliotheek waren geen bewegingsmelders geplaatst, omdat die in zo'n groot gebouw te vaak onbedoeld afgingen. Omdat de luchtvochtigheid constant gehouden werd, konden de ramen niet open; dieven zouden heel wat werk hebben om de bronzen spijlen te forceren die voor de ramen zaten. Bovendien was het huidige boevengilde nog dommer dan in voorgaande eeuwen en wisten criminelen niet dat boeken enige waarde bezaten. En de vandalen die het ooit leuk vonden om zich in de bibliotheek te laten opsluiten om de boel na sluitingstijd te beschadigen en te vernielen, kwamen daar tegenwoordig zo gemakkelijk mee weg dat ze er geen lol meer in zagen om boeken kapot te scheuren of erop te urineren, zodat ze liever op een andere manier probeerden de beschaving om zeep te helpen. Het was tamelijk eenvoudig om een alarm op de deuren te zetten en vooral de buitenkant van het gebouw te beveiligen. Binnen de muren van de bibliotheek was ik vrij om te gaan en te staan waar ik wilde.

Ik deed mijn zaklantaarn aan en kwam achter de balie vandaan.

Gedurende de achttien jaren dat ik hier nu kwam, had ik de pracht en praal van het gebouw steeds urenlang voor mezelf gehad, alsof ik een boekenkoning was en de bibliotheek mijn paleis. Met elk hoekje en gaatje was ik vertrouwd geraakt, en ik raakte er maar niet op uitgekeken, maar nu was er iets nieuws. Waarom was dat meisje hier? Waarom was ze niet gevlucht toen ze de kans had? Wie was haar vertoornde belager? De bibliotheek was weer net zo spannend als tijdens de eerste keren dat ik hier met Vader kwam.

Snel liep ik door de grote leeszaal naar de deur waardoor het meisje het vertrek had verlaten. Ik kende een paar schuilplekken die ze misschien ook ontdekt had, heiligdommen waarvan zelfs het personeel dat hier al heel lang werkte misschien geen weet had.

Als ze bij nader inzien toch niet zo tolerant bleek als mijn moeder, was ze in elk geval veel kleiner dan ik, zodat ik niet bang hoefde te zijn dat ze me iets aandeed zonder dat ik de kans had te ontsnappen. De betoverende herinnering aan de sierlijke manier waarop ze tussen de boekenkasten door had gerend, alsof ze door de lucht gleed, kon ik niet van me afzetten, maar ik hield mezelf voor dat zelfs mensen die niets dreigends uitstraalden me soms hadden aangevallen. Zelfs bij de man die op sterven lag en niets meer te verliezen had, was er zo'n verzengende haat opgekomen dat hij zijn laatste adem gebruikte om me te vervloeken toen ik bij hem neerknielde om hem te helpen.

9

Ik was een jongen van acht, anders dan andere jongens van mijn leef-tijd, en ik zocht een plek in de wereld waar ik me thuis kon voelen.

Nadat ik bij het huisje op de berghelling was weggestuurd, trok ik vijf dagen lang verder, meestal de eerste twee uren na zonsop-gang en het laatste uur voordat het donker werd, omdat dan de kans het kleinst was dat ik in het bos of het open veld een wandelaar of jager zou tegenkomen. 's Nachts sliep ik, en het grootste gedeelte van de dag hield ik me verborgen, voortdurend op mijn hoede.

Omdat ik al snel op onbekend terrein kwam, in bossen kwam waar ik nog nooit geweest was, probeerde ik steeds zo dicht moge-lijk bij de weg te blijven, zonder dat ik vanaf de weg te zien was. De omgeving bestond voornamelijk uit bomen, sommige waarvan ik de naam wist, maar veel andere die ik niet kende. Ik hield zicht op de weg, maar probeerde steeds zo veel mogelijk achter de bo-men verborgen te blijven, om te voorkomen dat iemand die langs-kwam me zou opmerken.

Die ochtend ging ik op pad voordat de zon boven de horizon uitkwam. In het oosten kregen de blauwe vederwolken al een war-me tint, het roze van flamingo's die ik ooit eens in een natuurboek had gezien.

Naast whisky, pillen en het witte poeder dat ze snoof, hield mijn moeder verder eigenlijk alleen maar van de natuur. Ze had zo'n honderd boeken met afbeeldingen van vogels en herten en andere dieren. Ze zei dat mensen geen knip voor de neus waard waren, niemand uitgezonderd. Ze zei dat mijn echte vader een lui stuk vreten was, net als alle anderen, en ze was niet van plan het ooit nog weer aan te leggen met een man, en trouwens ook niet met een vrouw, want het bleken stuk voor stuk egoïstische viezeriken als je ze eenmaal wat beter leerde kennen. Maar ze was dol op dieren. Desondanks wilde ze geen hond of poes in huis, of wat voor dier dan ook, want ze zei dat ze geen levende wezens wilde bezitten, zoals ze ook niet door een ander levend wezen geclaimd wilde worden.

De flamingoroze wolken kregen een diepere tint, werden bijna oranje, en ik wist dat de felle kleuren al snel zouden vervagen, zoals altijd gebeurde. De wolken die nu nog zo'n flamboyante kleur hadden, zouden al snel vaalgrijs worden, en de lucht erachter zou blauw kleuren. Toen de lucht in het oosten oranje was, vlak voordat de zon tevoorschijn zou komen en met heldere stralen het bos zou doorboren, was het tussen de bomen zo donker dat ik de schaduwen bijna over me heen voelde glijden, koel als zijde.

In de oranje gloed van de zonsopgang kwam een auto aangereden over de verder verlaten weg, die een metertje hoger dan de bosgrond lag. Een glooiend talud van wild gras leidde van het asfalt naar de plek waar ik me verborgen hield. Omdat ik ervan uitging dat ik tussen de bomen en in de schaduwen niet zichtbaar was, leek het me niet nodig me tegen de grond te drukken of in elkaar te duiken, ook niet toen de auto tot stilstand kwam en een aantal mannen uitstapten. Op de een of andere manier wist ik dat ze hiernaartoe waren gekomen voor iets bijzonders, iets waar ze hun volledige aandacht bij nodig hadden. Voor hen was de hele wereld verkleind tot datgene wat ze hier kwamen doen.

Drie van de mannen liepen te dollen met de vierde. Ik hoorde ze lachen, al kon ik niet horen wat ze zeiden. De man die door twee anderen ondersteund werd, leek niet in de stemming om lol te trappen. Eerst dacht ik dat hij ziek en verzwakt was, of misschien dronken, maar toen besefte ik dat hij in elkaar geslagen was. Zelfs van vijf meter afstand zag ik dat zijn gezicht er onwerkelijk en verwrongen uitzag. Zijn lichtblauwe shirt zat onder het bloed.

Terwijl hij door twee mannen overeind gehouden werd, kreeg hij van de vierde een stomp in zijn maag. Ik dacht dat het een stomp was, maar toen de man het nog een keer deed, zag ik dat hij een mes in zijn hand had. Ze gooiden de neergestoken en in elkaar geslagen man in de berm, en daar gleed hij langs het talud, ondersteboven, naar de voet van de grashelling, waar hij doodstil bleef liggen.

De drie mannen die bij de auto stonden, lachten om de manier waarop het slachtoffer over het bedauwde gras naar beneden was gezakt, en een van hen ritste zijn broek open alsof hij op het lijk wilde plassen, maar misschien was dat enkel als grap bedoeld. Toen liep de man die het slachtoffer had neergestoken om de auto heen naar het portier aan de bestuurderskant en riep: 'Kom, wegwezen, zakkenwassers, *wegwezen!*'

De auto flitste voorbij, het geluid van de motor werd al snel opgeslokt door het uitgestrekte woud, en de zon kwam op. Het was stiller dan ooit. Ik hield de dode man een tijdje in de gaten en wachtte tot de auto terug zou komen, maar tegen de tijd dat de kleurige wolken een aswitte tint hadden gekregen, wist ik dat de moordenaars niet meer zouden komen opdagen.

Toen ik naar het slachtoffer toe liep, merkte ik dat er nog wat leven in hem zat. Zijn gezicht was vreselijk toegetakeld, vol builen. Maar hij ademde nog.

In zijn buik stak een mes, waarvan alleen het fraai gegraveerde ivoren handvat zichtbaar was. De man had de vingers van zijn rechterhand eromheen gevouwen; op de plekken waar zijn hand niet bebloed was, was de huid net zo wit als het ivoor.

Ik wilde hem wel helpen, maar wist niet wat ik kon doen. Niets wat me te binnen schoot, leek geschikt om te zeggen. In de ongemakkelijke stilte vroeg ik me af of ik ooit iets tegen iemand anders kon zeggen, want tot nu toe was mijn moeder de enige geweest tegen wie ik ooit iets gezegd had.

De man lag op sterven, naderde zijn eind en leek zich eerst niet bewust van mijn aanwezigheid. Zijn linkeroog zat bijna helemaal dicht, met zijn opengesperde rechteroog staarde hij omhoog, alsof hij naar iets wonderlijks keek dat door de lucht vloog.

'Het spijt me,' zei ik. 'Het spijt me heel erg.'

Zijn blik gleed naar mij. Hij maakte een zacht, verstikt geluid, meer een uiting van walging dan van pijn.

Ik had wollen handschoenen aan, maar toen ik hem aanraakte, huiverde hij, en het was duidelijk dat hij me het liefst van zich af zou schoppen en weg zou kruipen als hij er de kracht voor had gehad.

Met een rauwe stem vol wanhoop zei hij, terwijl er bloed tussen zijn lippen opborrelde: 'Ga weg. Ga. Ga weg.'

Toen besefte ik dat ik niet alleen was vergeten mijn sjaal voor mijn gezicht te doen, maar ook dat mijn capuchon van mijn hoofd was gegleden.

Moeder had me gewaarschuwd dat mijn ogen me zouden kunnen verraden, en de stervende man leek zijn blik niet van mijn ogen af te kunnen houden. Toen hij me aankeek, werd hij nog bleker dan hij al was, alsof mijn blik hem meer pijn deed dan het mes.

Met een plotselinge opleving van energie beet hij me een woord toe dat ik niet kende, zo fel dat ik snapte dat het bedoeld was als scheldwoord en als vloek. Toen hij dat woord herhaalde, kwam er zo'n diepe haat bij hem boven dat de gruwelijke pijn in zijn buik erdoor verdoofd werd. Hij trok het mes uit zijn lijf, waardoor de wond nog groter werd, en haalde naar me uit, alsof hij de ogen wilde uitsteken die hem zo grievend voorkwamen.

Ik deinsde achteruit, het mes sneed door de lucht, viel uit zijn hand, zijn arm gleed op de grond, en hij was dood.

10

Achter de deur waardoor het meisje verdwenen was, bevond zich een brede gang met kruisgewelven die naar vier vertrekken leidde waar bijzondere boekencollecties opgeslagen waren, waaronder een verzameling van zevenduizend eerste drukken van belangrijke detectives, die miljoenen dollars waard was, een donatie van een beroemde schrijver die in de stad woonde.

Ik liep de gang in, deed mijn zaklantaarn uit en bleef in de donkere ruimte staan luisteren.

In elk groot gebouw dat niet alleen op functionaliteit is ontworpen maar ook om het oog te behagen, bevinden zich dode ruimtes die achter muren schuilgaan, nissen waar geen waterleidingbuizen of elektriciteitskabels weggewerkt hoefden te worden. Sommige daarvan zijn zo groot als een inloopkast. Als de nissen bij de vertrekken getrokken werden, zou de vorm van het geheel worden verstoord. Om ook voor het oog een harmonieus geheel te creëren worden die nissen achter muren weggewerkt.

Slimme architecten met een hang naar romantiek en mysterie maken die ruimtes soms toegankelijk, bijvoorbeeld middels een geheime deur die in een gelambriseerde muur is weggewerkt. Vaak worden die dode ruimtes dan gebruikt om dingen in op te slaan, maar er zijn architecten met gevoel voor humor en een voorliefde voor geheime nissen die er een andere bestemming voor bedenken.

Als het supersnelle meisje hier haar toevlucht had genomen, tussen de legendarische boeken vol FBI-agenten, rechercheurs, privédetectives en amateurmisdaadbestrijders van diverse pluimage, wist ze hoe ze zich net zo stil kon houden als de lijken die in die boeken voorkwamen.

De originele blauwdrukken van de bibliotheek, die meer dan een eeuw oud waren, lagen in de kelder opgeslagen. Mijn voorliefde voor de schoonheid van het pand en de boeken die erin stonden, had me ertoe gedreven tijdens vorige bezoeken de bouwtekeningen te bestuderen, jaren geleden, en bij die gelegenheden had ik twee loze ruimtes van behoorlijke omvang ontdekt.

Een was inderdaad toegankelijk via een geheime deur in een gelambriseerde muur, elders in het gebouw. De ruimte was drieënhalve meter lang, twee meter breed, en was prachtig afgewerkt met verschillende exotische houtsoorten. Volgens mij had de architect – John Lebow van het architectenkantoor Lebow & Vaughn – de ruimte zelf ontworpen en ook stiekem uitgevoerd en afgewerkt, zowel hier als in de andere ruimte, al maakte hij toen niet zo'n vrolijke tijd door.

Achter in de eerste ruimte hing een opvallend portret van een prachtige vrouw met kastanjebruin haar en groene ogen. Ze had een boek in haar handen en zat naast een tafel met een hoge stapel boeken erop. Onder op de schilderijlijst prijkte een koperen plaatje met daarop MARY MARGARET LEBOW / GELIEFDE ECHTGENOTE. Haar datum van overlijden stond erbij: 15 juni 1904, ruim een jaar voordat de bouw van de bibliotheek was voltooid.

De tweede geheime kamer, drie meter lang en tweeënhalve meter breed, bevond zich in de ruimte met de collectie detectives, verborgen achter een muur van boeken met daarnaast een schilderij van drie bij anderhalve meter van de hoofdingang van de bibliotheek zoals die eruit had gezien rond de kerst in 1905. Het schilderij leek stevig aan de muur te zijn bevestigd. Maar als je een reeks

kleine stalen knoppen, op ingenieuze wijze in de fraaie sierlijst weggewerkt, in de juiste volgorde indrukte, sprong er een hendel opzij,
waardoor het schilderij aan verborgen pianoscharnieren opendraai-
de.

In de tweede verborgen kamer, al net zo prachtig afgewerkt met
houtwerk van de hoogste kwaliteit, hing ook een olieverfschilderij,
waarop twee kinderen stonden afgebeeld: een jongen van zeven en
een meisje van negen, allebei met een boek in de hand. Op het plaatje op de lijst stond KATHERINE ANNE LEBOW / JAMES ALLEN LEBOW,
met daarbij de vermelding dat ze op dezelfde dag als hun moeder
waren gestorven.

Uit wat speurwerk dat ik had verricht, had ik ontdekt dat Mary
Margaret Lebow bibliothecaresse was geweest toen ze de architect
ontmoette en met hem trouwde. Jaren later, tijdens een bezoek aan
New York, terwijl haar man hier bleef om de bouw van de bibliotheek in goede banen te leiden, ging zij samen met de kinderen en
een paar familieleden – en meer dan dertienhonderd andere passagiers – een dagje varen op de stoomboot *General Slocum*. Het plan
was om rustig van de Lower East Side van Manhattan langs de East
River naar Long Island Sound te varen. Ze waren nog maar net vertrokken toen er aan boord een brand uitbrak die snel om zich heen
greep. Honderden doodsbange passagiers sprongen overboord. Er
waren maar weinigen die konden zwemmen. Wie niet in de vlammen omkwam, verdronk; er waren meer dan duizend doden te betreuren. Wat er op 15 juni 1904 gebeurde, zou de grootste tragedie
in de geschiedenis van New York blijven, tot 11 september 2001.

De meesten die die dag om het leven kwamen, waren lid van St.
Mark's Evangelical Lutheran Church in East Sixth Street, waartoe
de familie van Mary Margaret behoorde. In hun verdriet zouden
sommigen God misschien onvergeeflijk wreed hebben genoemd en
zich voor altijd van Hem hebben afgekeerd, maar zo stak John Lebow kennelijk niet in elkaar. In beide geheime nissen prijkten vergulde crucifixen, met buitengewoon groot vakmanschap in ingelegd
hout uitgevoerd. Ze vormden een altaar ter ere van zijn vrouw – de

bibliothecaresse – en hun kinderen, en getuigden ook van het ongebroken geloof van de architect.

Ik knipte de zaklantaarn aan, scheen ermee op het grote schilderij dat tevens dienstdeed als deur, en zei op luide toon, zodat het meisje het kon horen als ze in de nis erachter verborgen zat: 'Ik ben Addison, hoewel er niemand ter wereld is die dat weet – behalve jij nu. Als je daarbinnen zit, bij de kinderen van John Lebow, wil ik graag dat je weet dat ik net als die kinderen in zekere zin niet meer van deze wereld ben, en hoewel ik nog steeds niet van deze wereld ben, ben ik geen kind meer.'

Er kwam geen reactie.

'Ik heb geen kwaad in de zin. Als ik je iets had willen doen, zou ik de drie verborgen knoppen in de juiste volgorde indrukken en je uit je schuilplaats halen. Maar ik wil je alleen maar helpen. Misschien denk je dat je geen hulp nodig hebt. Soms denk ik dat zelf ook. Maar we hebben allemaal hulp nodig. Iedereen.'

Op het schilderij stonden zuilen die waren begroeid met groenblijvende ranken. De zuilen markeerden de ingang van de bibliotheek, en boven elk van de vier grote bronzen deuren hingen volle rode kransen. Het sneeuwde in de reeds met sneeuw bedekte straat, en de wereld zag er mooier uit dan hij in werkelijkheid misschien was geweest sinds 1905.

'Als je niet met me wilt praten, zal ik je verder niet meer lastigvallen. Ik ben niet van plan nooit meer in de bibliotheek te komen, want daarvoor hou ik er te veel van, maar ik zal je dan niet meer gaan zoeken. Denk daar even over na. Als je wél wilt praten, ben ik het komende halfuur in de grote leeszaal, tussen de boekenkasten, waar de boze man je niet te pakken kreeg en waar je als een danser tussen de boeken door rende. Je kunt me vinden bij de boeken van Charles Dickens.'

Ik wist dat ze lef had en snel was en geen muis was. Maar zelfs een muis die een kat rook die de geur van de muis had opgepikt, achter het dunne kersenhouten beschot, had zich niet stiller kunnen houden dan dit meisje.

11

In het labyrint van boekenkasten kon elk gangpad afzonderlijk worden verlicht. Ik klikte het licht in dat ene gangpad aan. De hoge lampen met hun koperen kappen van geborsteld staal wierpen kringen van licht op de karamelkleurige marmervloer.

Ik had het peertje uit een van de lampen gedraaid en stond dicht bij Dickens, zo dichtbij als ik durfde, zijn boeken in het volle licht, ik in de schaduwen. Ik wilde niet dat het meisje mijn gezicht zou zien, gesteld dat ze al zou komen opdagen. Ik had mijn capuchon op, en er viel indirect licht op mijn ogen, maar ze zou de kleur ervan niet kunnen zien, noch andere details of kenmerken waardoor mensen me in elkaar wilden slaan en me in brand wilden steken.

Als ze kwam opdagen en we een tijdje als gelijken met elkaar hadden gepraat en ze dan plotseling mijn wezen zou doorzien en van me weg wilde rennen, zou ik haar niet achternagaan maar juist van háár wegrennen. Nadat ze dan tot bedaren was gekomen, zou ze misschien beseffen dat ik haar geen kwaad wilde doen, dat ik alle begrip voor haar afkeer had en dat ik haar dat niet kwalijk nam.

Om mijn vriend te worden moest je misschien net als ik zijn, een van degenen die zich verborgen hielden. Voor iemand die bovengronds leefde, was het misschien niet mogelijk om een ding als ik te gedogen. Maar ik had altijd de hoop gekoesterd dat er tussen de miljoenen mensen op aarde misschien een paar waren die de moed konden opbrengen om me te leren kennen zoals ik was, mensen die zoveel zelfvertrouwen hadden dat ze een deel van hun leven met mij zouden willen delen. Het meisje, dat zelf een mysterieuze verschijning was, leek me de eerste sinds lange tijd die misschien die capaciteiten bezat.

Net toen ik dacht dat ze niet meer zou komen, zag ik haar aan het eind van het gangpad, toen ze in het schijnsel van de laatste lamp stapte. In haar zilverkleurige schoenen, haar zwarte spijkerbroek, zwarte sweater en zwarte leren jas, wijdbeens, de handen op haar heupen, oogde ze alsof ze zo was weggelopen uit zo'n strip waar ik niet zo van houd. Ik bedoel die strips waarin zowel de helden als de schurken zelfverzekerd en stoer en vastberaden en trots op zichzelf zijn. Ze staan altijd met hun borst vooruit, de schouders naar achteren en het hoofd omhoog, met een heldhaftige, kordate blik in de ogen, en hun haar wappert altijd, ook al staat er geen wind, en dat komt omdat ze er met wapperende manen beter uitzien. In de bibliotheek stond natuurlijk geen wind, maar doordat het meisje springerig haar had, leek het alsof haar lange zwarte lokken toch wapperden, ook al was dat niet zo.

Ik heb het niet zo op die superhelden en superschurken die in die strips voorkomen, omdat ze – misschien met uitzondering van Batman – altijd in dramatische houdingen staan afgebeeld en je nooit te weten komt hoe ze over zichzelf denken. Altijd vol eigendunk, of ze de wereld nu redden of die opblazen. Ontzettend bezig met het uitoefenen van macht. Dit meisje oogde alsof ze zo uit een strip was weggelopen, maar op de een of andere manier wist ik dat de wijze waarop ze zich presenteerde geen afspiegeling was van hoe ze zichzelf zag.

Misschien had ik het mis. Eenzaamheid vormt een vruchtbare bodem voor zelfbedrog.

Nadat ze me van een afstand had opgenomen, haalde ze haar handen van haar heupen en liep mijn kant op, niet op haar hoede of overmoedig, maar met dezelfde moeiteloze gratie die ik eerder bij haar had waargenomen.

Toen ze in de lichtbundel stapte die op de boeken van Dickens viel, zei ik: 'Liever niet dichterbij komen, alsjeblieft.' Ze gaf gehoor aan mijn verzoek. We stonden nog geen vier meter van elkaar af, maar doordat ik mijn capuchon ophad en ik het peertje van de dichtstbijzijnde lamp had losgedraaid, kon ze mijn gezicht niet goed zien en schrok ze niet van mijn uiterlijk.

Wat háár uiterlijk betrof, toen ik haar in volle vaart voorbij had zien komen, had ik me niet gerealiseerd dat ze zichzelf op een groteske manier had uitgedost. In haar rechterneusvleugel droeg ze een zilveren ringetje in de vorm van een slang die in zijn eigen staart bijt. In haar onderlip stak een glimmend rood knopje, dat als een druppel bloed tegen haar zwart gestifte lippen afstak. Haar smetteloze huid was zo bleek als poedersuiker, een indruk die nog werd versterkt doordat ze mascara droeg en een dikke laag make-up had opgedaan. Haar inktzwarte en merkwaardig geknipte haar vormden een onderdeel van haar gothic look, nam ik aan, maar dan een eigen variant erop. Zo had ze twee ruitvormige figuren op haar gezicht aangebracht, waarvan de bovenste punt het midden van haar wenkbrauw raakte en de onderste punt vijf centimeter over haar wang doorliep. Het deed me denken aan een harlekijn, maar ook aan een zeer onheilspellende marionet die ik ooit in een winkel met antiek speelgoed had zien liggen.

Midden in die zwarte ruiten bevonden zich ogen die precies leken op die van de marionet. Het oogwit was net zo smetteloos wit als dat van hardgekookte eieren, de irissen hadden een donkere antracietkleur met donkerrode stralen die zo subtiel waren dat ze alleen zichtbaar waren bij een bepaalde lichtval. Omdat ik in mijn leven zelden met anderen oog in oog kwam te staan en ik de verscheidenheid binnen het menselijk gezicht en de kleuren van het oog alleen uit boeken kende, kon ik niet met zekerheid zeggen of zulke ogen weinig voorkwamen, maar ze brachten me dusdanig van mijn stuk dat ik aannam dat ze een zeldzaamheid waren.

'Dus jij wilt me helpen,' zei ze.

'Ja. Voor zover dat in mijn macht ligt.'

'Niemand kan me helpen,' verklaarde ze zonder het minste spoortje verbitterdheid of wanhoop. 'Er was maar één die me kon helpen, en die is dood. Jij zult ook doodgaan als je je met mij inlaat, en wel op een gruwelijke manier.'

12

Ik stond in de schaduwen vlak bij Dickens, zij in het schijnsel van de lampen. Ik zag dat ze haar nagels zwart had gelakt en dat ze op de rug van haar handen een blauwe hagedis met een gespleten rode tong had laten tatoeëren.

'Dat was geen dreigement, dat ik zei dat je gruwelijk aan je eind zult komen,' zei ze. 'Het is gewoon waar. Je wilt je niet in mij nabijheid ophouden.'

'Wie was de enige die jou kon helpen?' vroeg ik.

'Dat maakt niet uit. Dat was een andere plek, een andere tijd. Dat is niet terug te halen door erover te gaan praten. Het verleden is dood.'

'Als het verleden dood was, zouden we er niet met zoveel liefde aan terugdenken.'

'Ik denk er niet met liefde aan terug,' zei ze.

'Volgens mij wel. Toen je het had over een andere plek en een andere tijd, zag ik dat je een zachtere uitstraling kreeg.'

'Zie maar wat jij wilt zien. Er is niks zachts aan mij. Ik ben een en al botten en pantser en stekels.'

Ik glimlachte naar haar, maar natuurlijk kon ze mijn gezicht niet zien. Soms worden ze juist bang als ik glimlach. 'Hoe heet je?'

'Dat gaat je niks aan.'

'Dat klopt. Maar ik was er gewoon benieuwd naar.'

De flinterdunne rode stralen in haar intens zwarte ogen werden helderder. 'Hoe heet jij, jongen die niet van deze wereld is?'

'Addison. Dat had ik al gezegd.'

'Addison? En hoe nog meer?'

'Mijn moeder was een Goodheart.'

'En had ze ook een goed hart?'

'Ze was een dief en heeft misschien nog wel ergere dingen gedaan. Ze deed haar best om aardig te zijn, maar ze wist niet goed hoe dat moest. Ik hield van haar.'

'Wat was de achternaam van je vader?'

'Dat heeft ze me nooit verteld.'

'Mijn moeder is in het kraambed overleden,' zei ze. Ik bedacht dat mijn moeder in zekere zin ook in het kraambed was overleden, acht jaar na dato, maar ik hield mijn mond.

Het meisje keek omhoog naar het geornamenteerde plafond, waar de kroonluchters hingen, onverlicht. Ze keek alsof de diepe panelen met de rijkelijk versierde lijsten en de schilderingen van gouden wolken beschenen werden door een onzichtbaar licht.

Toen ze haar blik weer op mij richtte, zei ze: 'Wat doe jij nog zo laat in de bibliotheek? Het is al na middernacht.'

'Ik wilde hier wat gaan lezen en gewoon genieten van het prachtige interieur.'

Ze bleef een tijdje zwijgend naar me kijken, hoewel ze nauwelijks meer kon zien dan mijn silhouet. Toen zei ze: 'Gwyneth.'

'Wat is je achternaam, Gwyneth?'

'Die gebruik ik niet.'

'Maar je hebt er wel een.'

Terwijl ik wachtte tot ze iets zou zeggen, kwam ik tot de conclusie dat haar gotische outfit meer was dan een fashion statement, dat het misschien niets met de mode te maken had, maar dat ze zich erachter verschool.

Uiteindelijk zei ze weer iets, al vertelde ze me niet haar achternaam: 'Je zag me voor hem wegrennen, maar ik heb jou niet gezien.'

'Ik ben buitengewoon discreet.'

Ze keek opzij naar de boeken van Dickens die op de planken stonden. Ze gleed met haar vingers langs de leren ruggen, waarvan de titels in het lamplicht glommen. 'Zijn dit kostbare boeken?'

'Niet echt. Ze zijn in de jaren zeventig uitgegeven.'

'Ze zijn prachtig.'

'Het leer is met de hand bewerkt. De letters zijn verguld.'

'Wat kunnen mensen toch mooie dingen maken.'

'Sommigen wel, ja.'

Toen ze weer naar me keek, zei ze: 'Hoe wist je waar ik zat, daar bij de kinderen van Lebow?'

'Ik zag dat je de leeszaal uit rende toen hij buiten naar je op zoek was, en ik dacht dat je misschien de blauwdrukken had gezien die in de kelder bewaard worden. Die had ik namelijk ook gezien.'

'Waarom heb je die bekeken?' vroeg ze.

'Ik dacht dat het ontwerp van het geheel misschien net zo mooi zou zijn als het gebouw toen het klaar was. En dat was ook zo. Waarom heb jíj die blauwdrukken bekeken?'

Misschien een halve minuut lang dacht ze over haar antwoord na, of misschien overwoog ze zelfs helemaal geen antwoord te geven. 'Ik vind het fijn om alles van gebouwen te weten. Gebouwen in de hele stad. Ik wil er meer van te weten komen dan wie dan ook. Mensen zijn hun geschiedenis kwijt, het wat en hoe en waarom van de dingen. Ze weten zo weinig af van de gebouwen waarin ze vertoeven.'

'Jij bent hier niet elke nacht, anders zou ik je wel eerder gezien hebben.'

'Ik kom hier bijna nooit. Alleen heel soms.'

'Waar woon je?'

'Hier en daar. Overal en nergens. Ik vind het fijn om steeds weer ergens anders te gaan zitten.'

Het viel niet mee om me haar voor te stellen zonder die dikke laag make-up, maar ik vermoedde dat ze heel leuk was om te zien als ze zich niet had opgemaakt. 'Wie was die vent die achter je aan zat?'

Ze zei: 'Ryan Telford. Hij is de conservator van de bibliotheek en beheert de zeldzame uitgaves en de kunstcollectie.'

'Dacht hij dat je iets wilde stelen of kapotmaken?'

'Nee. Hij had me hier helemaal niet verwacht.'

'Ze weten ook niet dat ík hier soms kom.'

'Ik bedoel dat hij me juist hier niet had verwacht. Hij kent me van... van een andere tijd en plaats.'

'Waar, wanneer?' vroeg ik.

'Dat is niet belangrijk. Hij probeerde me destijds te verkrachten, en dat was hem bijna gelukt ook. Vannacht deed hij weer een poging. Al gebruikte hij een ander woord dan "verkrachten".'

Haar woorden stemden me somber. 'Ik weet niet wat ik daarop moet zeggen.'

'Wie wel?'

'Hoe oud ben je?' vroeg ik.

'Maakt dat wat uit?'

'Waarschijnlijk niet.'

Ze zei: 'Ik ben achttien.'

'Ik dacht dat je hooguit zestien was, of zelfs nog geen dertien toen ik je van dichtbij zag.'

'Ik heb een jongensachtig lichaam.'

'Nee, helemaal niet.'

'Ja, helemaal wel,' zei ze. 'Jongensachtig in de zin dat heel jonge meisjes er soms jongensachtig uitzien. Waarom hou je je gezicht verborgen?'

Het intrigeerde me dat ze nu pas met die vraag kwam. 'Ik wil je niet afschrikken.'

'Uiterlijk interesseert me niet zo.'

'Het ligt niet alleen aan mijn uiterlijk.'

'Waaraan dan wel?'

'Als mensen me zien, keren ze zich walgend van me af en worden ze bang. Sommigen haten me dan, althans dat denken ze, en dan... nou, dan loopt het scheef.'

'Ben je in je gezicht verbrand of zo?'

'Ik wou dat dat het enige was,' zei ik. 'Een keer hebben ze geprobeerd me in brand te steken, maar ik... ik was al zo voordat ze dat deden.'

'Het is hierbinnen niet koud. Draag je handschoenen om dezelfde reden?'

'Ja.'

Ze haalde haar schouders op. 'Ze zien eruit alsof het heel normale handen zijn.'

'Dat is ook zo. Maar ze... geven een indruk van hoe ik er verder uitzie.'

'Met die capuchon op lijk je net de Dood.'

'Misschien wel, maar dat ben ik niet.'

'Als je niet wil dat ik je zie, zal ik dat ook niet stiekem proberen,' zei ze. 'Je kunt me vertrouwen.'

'Ik denk het ook.'

'Echt, hoor. Maar ik heb ook een regel waar je je aan moet houden.'

'Wat dan?'

'Je mag me niet aanraken. Ook niet heel even, in het voorbijgaan of zo. En al helemaal niet huid op huid. Dat in geen geval. Maar je mag ook niet met je handschoen aan mijn jas komen. Niemand mag me aanraken. Dat wil ik niet hebben.'

'Oké.'

'Dat zei je wel heel snel. Meende je dat wel?'

'Jazeker. Als ik jou aanraak, trek je mijn capuchon van mijn hoofd. Of als jij als eerste mijn capuchon van mijn hoofd trekt, raak ik jou aan. We houden elkaar met onze excentrieke regels in gijzeling.' Weer glimlachte ik een onzichtbare glimlach. 'We zijn voor elkaar geboren.'

13

Ik was acht, had geen idee waar ik naartoe kon, en belandde op een zondagavond in een stad, aan boord van een tientonner met een dieplader vol industriële machines waarvan ik geen idee had waar ze voor dienden. De machines waren met kettingen vastgezet en afgedekt met zeildoek. Tussen het doek en de machines was voldoende ruimte voor een jongen van mijn postuur om zich te verstoppen. Ik had me daar stiekem verschanst toen het begon te schemeren en de chauffeur in een truckstop was gaan eten.

Ik was al twee dagen door mijn voorraad heen. Mijn moeder had me een rugtas vol eten meegegeven, en toen ik langs een onbewaakte boomgaard kwam, had ik wat appels buitgemaakt. Hoewel ik in feite door mezelf was grootgebracht en meer tijd in het bos dan bij Moeder thuis had doorgebracht, wist ik niet wat er zoal voor eetbaars in bossen en velden te vinden was.

Na een hongerige dag kwam ik zondagochtend vroeg in een dor naaldbos terecht dat in een veengebied lag. Ik voelde me er niet veilig, omdat het land tamelijk vlak was en er nauwelijks struikgewas tussen de bomen groeide. De stammen waren het enige waarachter ik me kon verschuilen, maar die waren niet dik, en de onderste takken ervan zaten tamelijk hoog. Het was alsof ik in een droom verzeild was geraakt en in een reusachtig klooster stond, omgeven door duizenden zuilen. Je kon niet ver tussen de bomen door kijken, maar als er iemand in dat bos aanwezig was geweest, zou die me tussen die verticale architectuur onmogelijk over het hoofd hebben kunnen zien, ook omdat het er zo stil was.

Toen ik mensen hoorde zingen, had ik me snel uit de voeten kunnen maken, maar ik voelde me tot het gezang aangetrokken. Ineengedoken rende ik in de richting van het geluid, tot ik aan de rand van het bos kwam. Honderd meter links van me zag ik auto's en pick-ups op een parkeerplaats staan. Vijftig meter de andere kant op stroomde een trage rivier in het vroege ochtendlicht, als gesmolten zilver.

Er hadden zich zo'n veertig mensen aan de oever verzameld, die een loflied zongen. De priester stond in de rivier, samen met een vrouw van ongeveer vijfendertig, bezig met een doopplechtigheid. Bij het zingende gezelschap stonden een man en twee kinderen te wachten, kennelijk tot het hun beurt was om gedoopt te worden.

Recht voor me, aan de andere kant van een grasveld, stond een houten kerkje, witgeverfd met lichtblauwe accenten. In de schaduw van een grote eik stonden stoelen en picknicktafels klaar waarop genoeg eten stond om het gehele gezelschap te voorzien van ontbijt, lunch en avondeten.

De leden van de kerkelijke gemeente stonden met hun rug naar me toe, en alle ogen waren gericht op de feestelijke ceremonie in het water. Als de priester toevallig mijn kant op keek, zou ik door het gezelschap buiten zijn gezichtsveld blijven. Ik had misschien niet al te veel tijd, maar ik rekende erop dat het me zou lukken.

Ik deed mijn rugzak af, ritste de grootste vakken open, kwam uit het bos tevoorschijn en rende naar de picknicktafels. In het gras lagen honkballen, knuppels en handschoenen, en ook een badmintonnet dat nog niet gespannen was, met rackets en pluimpjes erbij. Ik had nog nooit van die sporten gehoord, en de spullen zeiden me niets. Pas achteraf snapte ik wat ik daar toen gezien had.

Toen ik de aluminiumfolie van een van de schalen trok, zag ik dat er dikke plakken ham onder lagen. Ik wikkelde een paar ervan in de folie en stopte ze in mijn rugzak. Er stonden aardappelsalades en pastasalades die met plastic of met een deksel waren afgedekt, maar die waren niet makkelijk mee te nemen. Ik zag manden met broodjes en koekjes, afgedekt met servetten, en ook sinaasappels, bananen, gekookte eieren in bietensap, en allerlei soorten koekjes.

Uit een van mijn broekzakken haalde ik het stapeltje bankbiljetten dat ik van mijn moeder had meegekregen, pakte een paar briefjes en legde die op tafel. Achteraf bekeken betaalde ik waarschijnlijk veel te veel voor wat ik in mijn rugzak had gestopt. Maar toentertijd had ik zo'n honger dat ik geen prijs te hoog vond om mijn rammelende maag tevreden te stellen.

Bewasemde blikjes fris en thee en sap lagen in plastic bakken vol ijs. Nadat ik mijn rugzak weer had opgedaan, pakte ik een koud blikje cola.

Toen zei een stem achter me: 'Jongen, het is eerst tijd voor de Heer. We gaan nog niet ontbijten.'

Geschrokken draaide ik me om, keek op en zag dat een man uit een zijdeur van de kerk was gekomen. Hij droeg een pan vol gebraden kippenpoten.

Hij had dunnend haar, een hoog voorhoofd, een brilletje met een dun montuur, en een vriendelijke, zachtmoedige uitstraling – tot hij mijn gezicht ontwaarde, dat deels maar niet volledig schuilging onder mijn capuchon. Hij zette grote ogen op, alsof het eind der tijden plotseling in volle duisternis op de aarde was neergedaald, en hij tuurde naar me alsof ik de duivel in eigen persoon was die de eindstrijd wilde inluiden. Hij liet de pan met kippenpoten uit zijn handen vallen, alle kleur trok in één klap uit zijn gezicht, hij stommelde een paar passen achteruit en stond te trillen op zijn benen. Toen hij mijn gezicht had gezien, richtte hij zijn blik op mijn ogen, waarna hij een gesmoord geluid voortbracht.

'Het spijt me,' zei ik. 'Het spijt me heel erg, echt heel erg.'

Mijn woorden betekenden niets voor hem, net als het geld dat ik op tafel had gelegd en waarnaar ik wees. Hij bukte zich, raapte een Louisville Slugger op, stormde op me af en haalde met de honkbalknuppel uit, zo hard dat hij in een wedstrijd de bal kilometers ver weg zou hebben geslagen.

Ik deed of ik naar links ging, hij haalde weer uit, ik bukte me en dook naar rechts, weer haalde hij uit en was zo snel dat hij me bijna raakte. Maar toen leek hij ineens overdonderd te zijn, beschaamd en ontzet omdat hij zo'n kleine jongen met zoveel geweld te lijf was gegaan, en hij liet de knuppel vallen. Hij deinsde weer achteruit, en op zijn gezicht verscheen nu een uitdrukking van spijt, hij leek zelfs gekweld, en in zijn ogen welden tranen op. Hij bracht een hand naar zijn mond, alsof hij een kreet van smart onderdrukte.

Bij de rivier werd nog steeds uit volle borst gezongen. Niemand had iets van onze confrontatie gemerkt.

'Ik ga al,' zei ik. 'Het spijt me. Ik ga al.'

Ik zette het op een lopen en was bang dat de man de honkbalknuppel weer zou oprapen, ondanks zijn tranen en hartstochtelijke gesnik. Zo snel als ik kon rende ik achter de kerk langs, over een gemaaid grasveldje een ongemaaid veld in, in een boog bij de rivier vandaan, naar het naaldbos toe, in de hoop dat daar meer struikgewas zou zijn en dat een voortvluchtige daar goed uit de voeten kon.

Ik heb niet meer achterom gekeken. Ik weet niet of de man me een halve kilometer of honderd meter of überhaupt achterna is gekomen. Misschien een halfuur later, toen het land wat meer begon te glooien en mijn longen in brand leken te staan en ik van uitputting bijna niet meer verder kon, bleef ik op een bebost heuveltje staan. Ik zag dat niemand me achterna was gekomen.

Voortgedreven door een angst die mijn honger tijdelijk stilde, liep ik nog twee uur door, tot ik een plek bereikte die zo afgelegen was dat ik me er enigszins veilig voelde. Ik ging in een veldje vol varens op een rotspartij zitten om een deel van het eten dat ik bij de kerk in mijn rugzak had gestopt op te eten. Mijn tafel was een platte rots, en hoog boven me in de naaldbomen verzorgden kwinkelerende vogels een lunchconcert.

Ik dacht na over de emoties die mijn aanwezigheid teweeg had gebracht bij de man met het vriendelijke, zachtmoedige gezicht. Dat mensen schrokken als ze me zagen, wist ik. Dat ze zich walgend van me afkeerden, wist ik ook. Maar hij reageerde anders dan de neergestoken man die mij op zijn beurt probeerde neer te steken, genuanceerder dan de vroedvrouw, die – zo had ik van Moeder gehoord – er enkel op uit was geweest om me te vermoorden. Ondanks het feit dat de man bij de kerk me maar heel even had gezien, was zijn reactie complex geweest, bijna net zo complex als de band die ik met mijn moeder had gehad.

Moeder en ik hadden nooit besproken wat ik later kon gaan doen, alsof het al moeilijk genoeg was om onder ogen te zien dat ik een gruwel was. Ze had me negen maanden lang bij zich gedragen, en toch kon ze mijn aangezicht meestal niet verdragen. Mijn lichaam, mijn handen, mijn gezicht, mijn ogen, de reactie die ik opriep bij iedereen die me zag: elke poging om dit soort zaken te bespreken, ze te analyseren en de oorzaak ervan vast te stellen, leidde er alleen maar toe dat ze zich nog meer van me afkeerde. Uiteindelijk kreeg ze zo'n ellendig gevoel van me dat ze er depressief en wanhopig van werd.

Een of ander vogeltje, klein met een blauwe borst, waagde zich op de rand van de platte rots die als mijn tafel dienstdeed. Toen ik een paar koekkruimels in zijn richting wierp, hipte het beestje dichterbij om ze te bemachtigen. Hij was niet bang, verwachtte blijkbaar niet dat ik hem plotseling zou pakken en met een vuist zou fijnknijpen. Hij wist dat hij niets van me had te duchten, en terecht.

Ik dacht toen dat het beter was als ik voor altijd diep in het bos bleef, omdat ik daar tenminste geaccepteerd werd. Dan zou ik alleen 's nachts plekken van menselijke beschaving verkennen, om eten te gaan zoeken, tot ik had ontdekt hoe ik van de overvloed der natuur kon leven.

Maar ook toen al, nog jong en me niet bewust van mijn ware aard, verlangde ik naar meer dan alleen rust en overleven. Ik had het idee dat mijn leven zin had, maar dat ik ergens anders naartoe moest om dat te ontdekken, dat de zin van mijn bestaan juist te vinden was bij de mensen die zich vol walging van me afkeerden. Ik had het gevoel dat mijn leven een doel had, al wist ik nog niet dat ik daarvoor in de stad moest zijn waar ik al snel zou belanden.

Later die zondag, toen de donkerpaarse schaduwen van de schemering langer werden, en de stenen tafel waaraan ik had zitten eten kilometers achter me lag, kwam ik bij de truckstop en de tientonner met de dieplader. Verscholen onder het zeildoek werd ik naar de stad gebracht, waar ik na middernacht aankwam.

In de kleine uurtjes van die zondagnacht zag ik voor het eerst de onheilspellende marionet in de verlichte etalage van een winkel met antiek speelgoed. De pop zat met zijn rug tegen een met de hand vervaardigd hobbelpaard. De marionet had een verkreukelde smoking aan, zijn benen lagen in een onrealistische hoek voor hem, de armen hingen slap, en de zwarte ogen met rode streepjes leken me te volgen toen ik voor de etalage langs liep.

14

Ik ging achter Gwyneth aan, die met een zaklantaarn door gangen van de bibliotheek liep die niet voor het publiek toegankelijk waren, en ik zei: 'Waar kom je vandaan? Ik bedoel, voordat je in de stad terechtkwam.'

'Ik ben hier geboren.'

Toen ze een jaartal en een dag in begin oktober noemde, bleef ik verbijsterd staan. 'Dan ben je achttien.'

'Dat had ik je toch gezegd?'

'Ja, maar je zag er zo jong uit dat ik gewoon niet geloofde dat...'

Ze dekte de zaklantaarn met haar hand af en liet net genoeg van het licht door om niet in het volslagen duister te zitten en mij toch te kunnen ontwaren zonder dat ze mijn gezicht zag. 'Wat geloofde je niet?'

'Ik ben zesentwintig, jij bent achttien, en we zijn allebei al achttien jaar in de stad.'

'Wat is daar zo bijzonder aan?'

Ik zei: 'De dag waarop jij werd geboren, is de dag waarop ik hier in de stad aankwam, vroeg in de ochtend, als verstekeling op een tientonner.'

'Zo te horen vind je dat dat geen toeval meer kan zijn.'

'Dat vind ik inderdaad, ja,' gaf ik toe.

'Wat betekent het dan?'

'Ik weet het niet. In elk geval iets.'

'Je wilt toch niet beweren dat het het noodlot is, hè? Er is geen sprake van dat er iets tussen ons bestaat.'

'Het noodlot impliceert niet meteen een romantische band,' zei ik enigszins verontschuldigend.

'Als je dat maar weet.'

'Ik koester geen enkele illusie wat romantiek betreft. *Belle en het beest* is een leuk sprookje, maar sprookjes komen alleen in boeken voor.'

'Jij bent geen beest, en ik ben geen belle.'

'Wat mij aangaat,' zei ik, 'vond mijn eigen moeder dat "beest" geen goed woord was om mij te beschrijven. En wat jou aangaat... dat is maar net hoe je het ziet.'

Na een tijdje in gepeins te zijn verzonken, zei ze: 'Als iemand al een beest genoemd kan worden, komt dat omdat hij in zijn hart een beest is, en dat is niet het hart dat in jouw lijf klopt.'

Haar woorden raakten me, en ik kon even geen woord uitbrengen.

'Kom, Addison Goodheart. We moeten hier nog wat verder rondneuzen.'

J. Ryan Telford, conservator van de collectie Zeldzame Boeken en van de collectie Kunst, had naast de deur van zijn kantoor een bordje opgehangen met zijn naam erop.

Bijgeschenen door de smalle lichtbundel van Gwyneths zaklantaarn liepen we langs de receptie, een bureau van de secretaresse van Telford. Het eigenlijke kantoor, met een aangrenzende badkamer met toilet die alleen de conservator mocht gebruiken, was ontzettend groot en smaakvol ingericht met antieke meubels uit de artdecostijl. Het meisje wist van alles over de meubels te vertellen. Het ebbenhouten bureau was vervaardigd door Pierre-Paul Montagnac, het dressoir van palissander en Portoro-marmer was door Maurice Rinck ontworpen, de prachtige sofa en bijpassende fauteuils van zwartgelakt citroenboomhout door Patout en Pacon, de lampen waren van Tiffany en Galle, de beelden van ivoor en koud gepatineerd brons gemaakt door Chiparus, die onmiskenbaar de grootste beeldhouwer van zijn tijd was. Terwijl ze me van alles en nog wat vertelde, zorgde ze er steeds zorgvuldig voor niet mijn kant op te schijnen, zodat mijn gezicht zelfs niet door het weerkaatste licht werd beschenen.

En uit respect voor Gwyneth hield ik steeds voldoende afstand tussen ons om te voorkomen dat ik haar per ongeluk aanraakte of tegen haar op botste.

Pas toen ze het me vertelde, besefte ik dat het kunstmuseum aan de overkant van de brede avenue bij de bibliotheek hoorde, al was dat gebouw tientallen jaren later gebouwd. Beide instituten waren de rijkste van het land.

Ze zei: 'Hun uitgebreide en uiterst kostbare collecties worden beheerd door J. Ryan Telford, die dief.'

'Eerst zei je dat hij een verkrachter was.'

'Onsuccesvolle verkrachter en succesvolle dief,' zei ze. 'Ik was dertien toen hij me voor het eerst aanviel.'

Ik had geen zin om dieper in te gaan op wat hij haar bijna had aangedaan, en daarom vroeg ik: 'Van wie steelt hij?'

'Van de bibliotheek en het museum, vermoed ik.'

'Dat vermoed jij?'

'Die hebben ontzettend uitgebreide collecties. Het zou kunnen dat hij wat knoeit met de inventarislijst, hij maakte eens een babbeltje met het hoofd van de afdeling Financiën, verkoopt zo nu en dan eens een kostbaar stuk aan een handelaar die weinig scrupules kent.'

'"Denk ik..." "Het zou kunnen dat..." Je lijkt me niet iemand die met het grootste gemak een onjuiste verklaring aflegt.'

Ze ging in de stoel achter het ebbenhouten bureau zitten, draaide zich honderdtachtig graden om naar de computer, die op een aparte tafel stond, en zei: 'Ik wéét gewoon dat hij een dief is. Hij heeft mijn vader bestolen. Door de functie die hij hier bekleedt, kon hij de verleiding niet weerstaan.'

'Wat heeft hij van je vader gestolen?'

'Miljoenen,' zei ze, terwijl ze de computer aanzette. Het woord galmde tussen de art-decospullen heen en weer zoals geen ander woord dat ooit had gedaan.

15

Ondanks het beperkte licht had ik in dat kantoor de stellige indruk dat ik in een bijzonder luxueuze omgeving stond. Het deed me denken aan foto's van Edward Steichen: zachte schaduwen die zich verdiepen tot een sombere duisternis, hier en daar de suggestie van een voorwerp door de weerspiegeling van licht op glanzend hout, de mysterieuze glans van Tiffany-glas in de kap van een lamp die niet brandt, de kamer eerder vaag aangegeven dan duidelijk afgebeeld, en alles toch zo duidelijk aanwezig alsof het baadt in het zonlicht in plaats van nauwelijks zichtbaar in de schemering van het spookachtige schijnsel van de stad dat door de ramen naar binnen valt.

De scherpe parfumgeur van de conservator hing nog in de lucht.

Beschenen door het licht van het computerscherm kreeg Gwyneths gezicht iets Aziatisch, voornamelijk doordat haar bleke huid en dramatische zwarte make-up me deden denken aan het masker van een kabuki-acteur.

Ik kreeg niet de indruk dat ze rijk was. Natuurlijk had ik nog nooit een rijk meisje ontmoet, en ik kon niet terugvallen op ervaringen aan de hand waarvan ik kon bepalen of ze tot de rijken behoorde. Maar ik dacht van niet.

'Heeft je vader miljoenen?'

'Had. Mijn vader leeft niet meer.'

'Is dat degene die je bedoelde toen je zei dat er maar één was die je kon helpen?'

'Ja.' Ze scrolde door de directory op het scherm. 'Mijn vader begreep me helemaal. En hij beschermde me. Maar ik kon hem niet beschermen.'

'Hoe is hij overleden?'

'Zoals er in het sectierapport stond: "Dood door ongeval, veroorzaakt door honing."'

'Honing? Bijenhoning?'

'Mijn opa, de vader van mijn vader, had een bijenstal met honderden kasten. Die verhuurde hij aan boeren, om de honing daarna te verwerken en in potten te doen.'

'Is dat hoe jullie zo rijk zijn geworden?'

Ze lachte zacht. Hoewel ze mijn onwetendheid kennelijk grappig vond, klonk haar lach me als muziek in de oren. Niets leek me heerlijker dan naar haar zitten kijken terwijl ze een grappig boek las, zodat ik haar zo nu en dan zou kunnen zien en horen lachen.

'Omdat mijn vader pas laat is getrouwd, heb ik mijn opa nooit gekend. Maar in mijn familie was het houden van bijen een passie, geen manier om geld te genereren.'

Ik zei: 'Nou, ik weet eigenlijk niet veel van geld af. Ik heb er niet veel van nodig.'

Uit een binnenzak van haar leren jas haalde ze een USB-stick, stak die in de computer en begon documenten te downloaden.

'Mijn vader heeft veel geld verdiend met het kopen en verkopen van huizen, maar hij is met de bijenhouderij opgegroeid en was dol op ambachtelijk geproduceerde honing. Hij had bijenkasten buiten de stad, heel veel. Hij wisselde ook honing uit met imkers uit andere delen van het land, omdat elke honingsoort weer anders smaakt, afhankelijk van de planten waaruit de bijen de nectar halen. Papa hield van alle soorten honing – oranjebloesem uit Florida en Texas, avocado uit Californië, bosbessen uit Michigan, boekweit en tupelo en wilgenroosje… Hij mengde ook wel smaken voor zichzelf en vrienden. Het was zijn hobby.'

'Hoe kan iemand nou doodgaan aan honing?'

'Mijn vader is vermoord.'

'Maar je zei...'

'In het sectierapport stond "dood door ongeval", maar ik weet zeker dat hij vermoord is. Hij at een scone met een dikke laag honing erop. In de honing zaten hartglycosiden – oleandrine en nerioside – omdat de bijen de nectar uit oleanderstruiken hadden gehaald, die zo giftig zijn als wat. Gezien de dosis die hij heeft binnengekregen, zal hij binnen een paar minuten zijn gaan zweten, heeft hij hevig gebraakt en is toen bewusteloos geraakt. Waarschijnlijk is hij aan de gevolgen van respiratoire verlamming overleden.'

Toen ze nog een document vond dat ze op de USB-stick wilde zetten, zei ik: 'Maar dat klinkt toch als een ongeluk? Zo komt het in elk geval wel op mij over.'

'Mijn vader was een ervaren imker en honingmaker, net als de mensen met wie hij honing uitwisselde. Dat het een ongeluk zou zijn, is gewoon niet mogelijk. Daar was hij veel te ervaren voor. Er stond maar één pot met vergiftigde honing tussen alle potten die hij had. Dat moet ooit goede honing zijn geweest; iemand moet er stiekem oleandernectar aan toegevoegd hebben.'

'Wie zou dat nou doen?'

'Een stuk menselijk afval, J. Ryan Telford genaamd.'

'Hoe weet je dat?'

'Dat heeft hij me zelf verteld.'

In het zachte schemerduister straalde het kantoor van de moordenaar nog steeds dezelfde stijlvolle ambiance uit, een sfeer van privileges die genoten konden worden, van macht die uitgeoefend kon worden. Maar de sensuele lijnen van het gelakte meubilair, die voornamelijk zichtbaar waren doordat de sierlijke lijnen van het exotische houtwerk in het vale schijnsel van buiten glommen, hadden nu iets sinisters gekregen.

Het was meer dan achttien jaar geleden dat ik de marionet in de etalage had zien liggen, maar de herinnering eraan kwam nu weer bij me boven. Een stellig en verontrustend gevoel maakte zich meester van me: dat als ik op dat moment het licht had aangedaan, ik de pop met de slungelige ledematen op de bank zou zien zitten, en dat hij naar me zou zitten te kijken zoals ik nu naar Gwyneth keek.

16

Op een eenzame oktoberavond, in de eerste weken van mijn negende levensjaar, toen Moeder de hand aan zichzelf had geslagen en haar ontzielde lichaam misschien nog niet gevonden was, belandde ik op een industrieterrein, verscholen tussen machines waarvan ik niet wist waar ze voor dienden. De chauffeur zette de truck op een omheinde parkeerplaats neer, en nadat ik een halfuur had liggen luisteren en turen om er zeker van te zijn dat de kust veilig was, glipte ik onder het zeildoek uit, klom over de kettingen en stond voor het eerst van mijn leven in een stad.

De imposante afmetingen van alles om me heen wat door mensenhanden was gebouwd en wat ik voordien alleen in tijdschriften en boeken had gezien, maakten zo'n indruk op me dat ik sowieso met gebogen hoofd door de straten zou zijn gelopen, met bonzend hart, ook als ik niet mijn gezicht uit zelfbescherming had hoeven verbergen. Ik wist niet van tevoren waar de truck me naartoe zou brengen. Ik was totaal niet voorbereid op deze metropolis, deze overdonderende manifestatie van de menselijke beschaving.

De industriële gebouwen en loodsen waren reusachtig groot en leken voor het merendeel oud, vies en vervallen. Onverlichte ramen, sommige kapot of dichtgetimmerd, deden vermoeden dat niet alle gebouwen meer in bedrijf waren. Hier en daar deed de straatverlichting het niet, en de lampen die brandden, verspreidden een vaal licht omdat ze smerig waren. Afval hoopte zich in de goten op, uit een rooster in het trottoir stegen onwelriekende dampen op, en toch maakte het geheel een betoverende indruk op me.

Ik was bang en tegelijkertijd verrukt, ik voelde me alleen en verlaten, alsof ik aan de andere kant van het heelal was, en toch zinderde het van binnen. Ik voelde dat hier dingen mogelijk waren die goed konden uitpakken, zelfs voor iemand als ik, die voortdurend in zijn bestaan werd bedreigd. Ergens dacht ik dat het een wonder mocht heten als ik hier een dag wist te overleven, maar aan de andere kant koesterde ik de hoop dat er in de duizenden gebouwen en steegjes een paar vergeten hoekjes en gangetjes zouden zijn waar ik me verborgen kon houden en me kon verplaatsen, en waar ik zelfs tot bloei kon komen.

Op dat moment, in dat jaar, waren er weinig fabrieken die vierentwintig uur per dag draaiden. 's Nachts was het stil. Soms kwam er een vrachtwagen voorbij, maar verder liep ik praktisch alleen door dat onherbergzame district. De praktisch verlaten en spaarzaam verlichte straten boden me meer dekking dan ik had verwacht, hoewel ik wist dat ik uiteindelijk in buurten terecht zou komen waar meer leven op straat was, in essentie levensgevaarlijk voor mij.

Op een gegeven moment kwam ik bij een ijzeren brug waar ook voetgangers overheen konden. In de diepte zag ik de lichtjes van aken en andere boten die over de brede donkere rivier gleden, een fantastisch gezicht. Hoewel ik wist dat het boten waren, leken ze in mijn ogen op lichtgevende waterwezens die dromerig voorbijgleden, niet op het water, maar er net onder, op reizen die nog raadselachtiger waren dan die van mij.

Terwijl ik de brug betrad, hield ik mijn blik zo veel mogelijk op de rivier gericht, want voor me doemden de verlichte torens van het centrum op, een flonkerende fantasmagorie die zowel betoverend als beangstigend was en waar ik steeds alleen maar heel kort naar durfde te kijken. De gebouwen van steen en staal en glas stonden dicht op elkaar gepakt en vormden zo'n overweldigende massa dat het me logisch leek dat de grond eronder omlaag gedrukt zou worden of dat de hele wereld door het gezamenlijke gewicht zou kantelen en de draaiingshoek van de aarde zou veranderen. Toen er onder me geen rivier meer te zien was, alleen de kade, ontkwam ik er niet aan het oogverblindende geheel voor me in ogenschouw te nemen. Terwijl de bochelvormige brug naar beneden liep en ik manhaftig omhoogkeek, werd ik zo overweldigd door de pracht en de rijkdom die voor me lag dat ik totaal overdonderd bleef staan. Ik was een buitenstaander zonder veel kennis, een kind zonder talenten om mee voor de dag te komen. Ik stond bij wat mij voorkwam als de poorten van een stad vol machtige, betoverende wezens, waar schoonheid en speciale vaardigheden vereist waren om binnen te mogen. Mijn soort zou daar niet gedoogd worden.

Bijna was ik teruggegaan, om als een rat te midden van ratten te gaan leven in een van de verlaten fabriekspanden aan de overkant van de rivier. Ik voelde me echter gedwongen verder te gaan. Ik kan me niet herinneren dat ik naar de oever ben gelopen, met het open hekwerk links van me, en rechts een betonnen muur van meer dan een meter hoog, met daarachter zo nu en dan een voorbijzoevende auto. Ook kan ik me niet herinneren dat ik aan het eind van de brug in noordelijke richting ben afgeslagen en een flink eind stroomopwaarts langs de rivier ben gelopen.

Alsof ik plotseling uit een trance ontwaakte, stond ik ineens in een onoverdekt winkelcentrum. De in keperverband gelegde straatstenen werden beschenen door fraai gesmede ijzeren lantaarns. Onder bomen in reusachtige potten stonden bankjes. Aan beide kanten van het winkelcentrum waren winkeltjes en restaurants, die allemaal op dat tijdstip gesloten waren, kwart over drie 's nachts.

Sommige etalages waren donker, maar andere werden gedimd verlicht, zodat de uitgestalde koopwaar te zien was. Ik had nooit eerder iets dergelijks gezien, had er alleen over gelezen en er in tijdschriften prachtige plaatjes van gezien. Het winkelgebied, waar ik op dat moment de enige was, was net zo betoverend als het panorama van de flonkerende stad die ik vanaf de brug had gezien, en ik liep alle winkels langs, verbijsterd en opgewonden door de veelheid aan dingen die er zoal te koop waren.

De winkel met antiek speelgoed had een kunstig gearrangeerde en uitgelichte etalage. Op de belangrijkste spullen stonden spotjes, andere artikelen werden indirect verlicht. Ik stond met open mond te kijken naar poppen uit diverse periodes, mechanische spaarpotten, gietijzeren autootjes en vrachtwagens, een Popeye-ukelele, een prachtig hobbelpaard dat kunstig met de hand was vervaardigd, en diverse andere artikelen.

De marionet die een smoking aanhad, werd indirect beschenen. Zijn gezicht was wit, met uitzondering van de lippen, die zwart waren. Op de onderlip zat één rood kraaltje, als een druppel bloed, en om zijn ogen zaten grote zwarte ruiten. In een van de neusvleugels zat een zilveren ringetje in de vorm van een slang die in zijn eigen staart bijt. Het hoofd van de pop leunde een klein stukje naar voren, en de lippen weken iets, alsof hij een geheim van grote importantie wilde verklappen.

Aanvankelijk vond ik de pop het minst interessante item in de etalage. Maar de etalage was erg groot, en er waren zoveel prachtige spullen te zien dat ik van de ene kant naar de andere liep, en daarna weer helemaal terug. Toen ik weer bij de marionet was, zat die nog steeds op dezelfde plaats, maar nu stond er een spotje op hem gericht, terwijl het licht eerst op het hobbelpaard had geschenen.

Het leek me sterk dat ik het fout had. Eerst stond het spotje op het paard gericht. De ogen in de zwarte ruitjes waren zwart geweest toen ze nog niet vol in het licht stonden, maar nu zag ik dat er ragfijne paarse streepjes in zaten die vanuit de pupil naar de randen van de irissen liepen. De ogen keken recht vooruit, op een vreemde manier en toch met de diepte en helderheid en een zeker verdriet van echte ogen.

Hoe langer ik naar die ogen keek, hoe rustelozer ik werd. Weer schoof ik voor de etalage langs, helemaal naar het eind, terwijl ik fantaseerde hoe leuk het zou zijn om met al dat speelgoed te spelen. Toen ik halverwege achterom keek naar de marionet, zag ik niet alleen dat de spot nog steeds op het gezicht gericht stond, maar ook dat de ogen, die eerst recht naar voren hadden gekeken, nu opzij keken en me volgden.

Er zaten geen touwtjes aan de marionet, dus de pop kon niet door iemand gemanipuleerd worden.

Ik had nu geen oog meer voor de andere spullen in de etalage, maar liep terug naar de marionet. Zijn ogen bleven gericht op de plek waar ik net nog had gestaan.

Ik meende vanuit mijn ooghoek te zien dat zijn linkerhand bewoog. De handpalm wees nu naar boven, terwijl ik er tamelijk zeker van was dat dat eerst niet het geval was geweest. Een tijdje keek ik er strak naar, maar de bleke, nagelloze hand bleef roerloos liggen. De witte vingers scharnierden op twee in plaats van op drie plaatsen, alsof dit een vroeg prototype van de mens was dat uiteindelijk was verworpen omdat het niet levensecht genoeg was.

Toen ik nog eens keek, zag ik dat de zwarte ogen met de fijne rode streepjes, nu bijna zo fel als neonlicht, me recht aankeken.

Ik kreeg het gevoel dat er duizendpoten langs mijn nek omhoogkropen en deinsde achteruit.

Omdat ik niet bekend was met steden en winkelcentra en winkels met antiek speelgoed, wist ik niet of zulke etalages waren uitgerust met een bepaald mechaniek of iets dergelijks om de aandacht van het winkelende publiek te vangen. Maar omdat de marionet van alle uitgestalde artikelen als enige had bewogen, en omdat ik er al een ongemakkelijk gevoel bij had gekregen, ook toen het ding nog niet bewogen had, kwam ik tot de conclusie dat hier meer aan de hand was en dat het gevaarlijk kon zijn als ik nog langer naar de pop zou kijken.

Toen ik bij de winkel wegliep, was het net alsof er iemand tegen de ruit tikte, maar ik hield mezelf voor dat het aan mij lag en dat mijn verbeelding me parten speelde.

In de koele nacht leek het steeds kouder te worden. De vaalgele maan stond laag aan de hemel en zakte traag naar beneden. Op de rivier schalde drie keer een scheepshoorn, uiterst droefgeestig, als ter nagedachtenis aan hen die op het water hun leven hadden gelaten.

Ik ging op zoek naar een plek waar ik me kon verbergen voordat de zon opkwam – maar een ogenblik later kwam ik twee mannen tegen die iemand in brand wilden steken. Toen dat niet lukte bij het slachtoffer dat ze op het oog hadden, vonden ze in mij een acceptabele plaatsvervanger.

17

Op de brede vensterbank van het grote hoekraam in het kantoor van de conservator lag een opgevouwen krant. Omdat het meisje nog niet klaar was met haar zoektocht naar wat het ook maar was dat ze op de computer probeerde te vinden, pakte ik de krant en begon ik bij het licht dat door het raam naar binnen viel de koppen te lezen: pestepidemie in China, oorlog in het Midden-Oosten, revolutie in Zuid-Amerika, corruptie op het hoogste niveau binnen de Amerikaanse regering. Omdat het nieuws was waar ik geen boodschap aan had, legde ik de krant weg.

Gwyneth had blijkbaar gevonden waar het haar om te doen was. Ze deed de USB-stick in haar zak, zette de computer uit en bleef in de stoel van de moordenaar zitten. Omdat ze kennelijk in gedachten verzonken was, wilde ik haar liever niet storen.

Ik keek uit het raam naar de zijstraat die een kruising met de avenue maakte waaraan de bibliotheek stond. Ik kon een heel eind de straat in kijken.

Een politiewagen gleed op de avenue voorbij en sloeg de zijstraat in, met zwaailicht maar zonder sirene. Het geraas van de motor of het gepiep van de banden bereikte me niet, alsof de ramen van gelood glas uitzicht boden op taferelen uit een geluidloze droom. Toen ik achttien jaar eerder in de stad aankwam, brandde er veel meer licht. Maar nu er een energietekort dreigde en de stroomkosten omhooggingen, werden de gebouwen niet meer zo felverlicht. Terwijl de politieauto door de donkere kloof van flatgebouwen reed, moest ik door het schemerduister op straat denken aan een onderzeese stad, waarin de sedan een bathyscaaf was die een diepe trog was binnengevaren en een duister mysterie tegemoet ging.

Hoewel dat beeld maar heel even bleef hangen, verontrustte het me dusdanig dat de angst die ik voelde een huivering veroorzaakte, en mijn handpalmen waren plotseling zo klam dat ik ze aan mijn broek afveegde. Ik kan niet in de toekomst kijken. Ik ben niet in staat voortekenen waar te nemen, laat staan dat ik die zou kunnen duiden. Maar dat beeld van een kille, verdronken stad maakte zo'n verpletterende indruk op me dat ik het niet zonder meer als onbeduidend terzijde kon schuiven. Aan de andere kant had ik er helemaal geen zin in om er langer over na te denken.

Ik hield mezelf voor dat ik alleen door de politiewagen was geschrokken, draaide me om en zei tegen het meisje in het donker: 'We kunnen hier maar beter weggaan. Als je iets gestolen hebt...'

'Ik heb niets gestolen, alleen maar wat bewijsmateriaal gekopieerd.'

'Bewijsmateriaal? Waarvoor?'

'Voor het dossier dat ik bezig ben aan te leggen over die moordzuchtige dief.'

'Heb je wel vaker in zijn computer gekeken?'

'Diverse keren, maar daar weet hij niets van.'

'Maar hij zat achter je aan.'

'Ik ben een uur voor sluitingstijd de bieb binnengegaan en heb me toen in die nis achter het schilderij verstopt. Ik ben in slaap gevallen en werd na middernacht wakker. Ik kwam net de trap aan de zuidkant af, met mijn zaklantaarn in de hand, toen de deur boven aan de trap openging, de lichten aangingen, en daar stond hij. Hij schrok net zo van mij als ik van hem. Het was de eerste keer in vijf jaar dat hij me weer zag. Normaal werkt hij nooit zo lang door. Bovendien werd hij geacht nog twee dagen in Japan te zitten. Ik denk dat hij eerder is teruggekomen.'

'Vijf jaar. Sinds je dertiende.'

'Die avond toen hij een poging deed me te verkrachten. De gruwelijkste avond van mijn leven, en niet alleen daarom.'

Ik wachtte tot ze zich nader zou verklaren, maar toen ze verder zweeg, zei ik: 'Dus hij staat daar boven aan de trap, jij gaat er als een haas vandoor, en op een gegeven moment breng je hem in de waan dat je naar buiten bent gegaan.'

'Zo gemakkelijk ging dat niet. Hij holde achter me aan de trap af, echt heel snel. Op de gang kreeg hij mijn arm te pakken, hij draaide me om en gooide me op de grond. Hij liet zich op een knie zakken en haalde uit om me een knal voor mijn kop te geven.'

'Maar je zit hier nu.'

'Ik zit hier nu omdat ik een taser heb.'

'Je hebt hem getaserd.'

'Als iemand briest van woede, echt door het lint gaat en bol staat van de adrenaline, heeft een taser minder effect dan normaal. Ik had hem nog een paar keer een stroomstoot moeten geven nadat hij onderuit was gegaan en ik overeind was gekrabbeld, maar op dat moment wilde ik alleen maar zo snel mogelijk bij die vent weg, en daarom ben ik gauw weggehold.'

'Als hij zo snel van die stroomstoot herstelde, moet hij je wel heel erg haten.'

'Die haat heeft vijf jaar de tijd gehad om te bezinken en is nu puur en krachtig.'

Ze stond op uit haar stoel, een donkere schim in een duistere kamer.

Ik liep bij het raam weg en zei: 'Waarom haat hij je zo?'

'Dat is een lang verhaal. We kunnen ons beter verstoppen tot de bieb morgen weer opengaat. Hij is niet zo slim als je wel zou verwachten van een conservator in een dergelijke positie. Maar als het tot hem doordringt dat ik hier misschien wel vaker ben geweest en dat ik misschien helemaal niet naar buiten ben gegaan, kan hij elk moment terugkomen.'

In het eerste zwakke schijnsel van haar zaklantaarn leek het geschminkte gezicht van het meisje zowel prachtig als griezelig, alsof ze een personage uit een griezelstrip was, getekend in de mangastijl.

Ik liep achter haar aan naar de secretaressebalie en verwonderde me over het gemak waarmee we met elkaar omgingen. Ik vroeg me af of er een vriendschap tussen ons zou kunnen ontstaan. Maar als mijn eigen moeder me uiteindelijk niet meer om zich heen kon hebben, zou een vriendschappelijke band tussen Gwyneth en mij hoogstwaarschijnlijk onmiddellijk worden afgebroken zo gauw ze per ongeluk mijn gezicht zag. Toch zou ik graag een vriendin hebben gehad. Dolgraag.

Ik zei: 'We hoeven hier niet de hele nacht te blijven.'

'Hij heeft het alarm erop gezet, en als dat afgaat, weet hij dat ik hier nog binnen was toen hij wegging. Ik heb liever dat hij daar voorlopig nog even niet achter komt.'

'Maar ik weet hoe we buiten kunnen komen zonder dat het alarm afgaat.'

Als fantomen van de bibliotheek begaven we ons naar de kelder, en ondertussen legde ik uit hoe ik me ongezien door de stad kon verplaatsen.

Op de onderste verdieping van het gebouw, toen we bij het deksel van het riool stonden, dat nog openstond zoals ik het had achtergelaten, zei Gwyneth: 'Ga je nooit door straten en steegjes?'

'Soms wel, maar meestal niet. Alleen als het niet anders kan. Maak je maar geen zorgen om die tunnels. In de praktijk valt het ontzettend mee.'

'Ik ben niet bang,' zei ze.

'Daar ging ik ook niet van uit.'

Ze ging als eerste. Ik klom achter haar aan door het gat, schoof het deksel terug en draaide het op slot.

Ze leek geen last te hebben van de beperkte afmetingen van de zijtunnel, maar toch legde ik uit dat we zo in een grotere tunnel zouden komen. Met ingetrokken hoofd en in gebogen houding liep ik voor haar uit door het naar beneden aflopende riool, in opgewekte stemming doordat ik haar kon helpen. Het voelde goed om een functie te hebben, ook al was het nog zo onbeduidend wat ik deed.

Het riool kwam uit in de hoofdtunnel, een metertje boven de bodem ervan. Met de zaklantaarn liet ik haar het hoogteverschil zien, hoe de vloer liep en hoe hoog de tunnel was.

Even stonden we daar, twee donkere gedaantes, met onze handen voor de zaklantaarns, als twee schaduwen die waren losgekomen van de mensen waartoe we behoorden.

Gwyneth haalde diep adem en zei toen: 'Het ruikt helemaal niet zoals ik had verwacht.'

'Wat had je dan verwacht?'

'Stank. Allerlei smerige luchtjes.'

'Soms ruik je die, maar niet vaak. Als het flink regent, stroomt alle viezigheid hierdoorheen, en dan stinkt het ontzettend. Zelfs als het noodweer bijna is afgelopen en de stad helemaal is schoongespoeld, wil je nog niet in het water stappen dat hier doorheen stroomt, maar meestal is de stank dan niet zo erg meer. Wanneer het droog is, zoals nu, hangt hier meestal een lichte kalkgeur, of in de oudere tunnels de lucht van silicaten die in de klei zat waarvan de bakstenen zijn gemaakt. Als ze de bezinkbassins niet op tijd schoonmaken of als er iets in ligt te rotten, ruik je wel eens wat, maar meestal is er helemaal geen probleem.' Ik wilde haar zo graag van alles over mijn ondergrondse wereld vertellen dat ik aan een stuk door praatte. Toen ik merkte dat ik haar alles over het riolerings- en afwateringssysteem wilde vertellen, hield ik me in en vroeg ik: 'Wat nu?'

'Ik wil naar huis.'

'Waar is dat?'

'Ik denk dat ik vannacht misschien aan de Upper East Side woon, met uitzicht op de rivier. Het is prachtig om te zien hoe de opkomende zon gouden muntjes over het water uitstrooit.'

'Je dénkt dat je daar vannacht woont?' vroeg ik.

'Ik kan kiezen. Er zijn meer plekken waar ik heen kan.'

Ze gaf me een adres, en nadat ik even had nagedacht, zei ik: 'Ik breng je er wel naartoe.'

We sprongen van de richel, zodat we naast elkaar konden lopen, allebei met een zaklantaarn in de hand. Het duister leek een ingedikte versie van het donker, alsof het zwart zich rond de twee lichtbundels verdichtte en de smalle stralen werden samengeperst.

Terwijl we door de nauwelijks hellende tunnel liepen, keek ik zo nu en dan opzij naar haar, maar Gwyneth deed wat ze had beloofd en keek niet naar mij.

'Waar woon jíj, Addison?'

Ik wees achter me. 'Daarginds. Een heel eind terug. In kamers die iedereen is vergeten, waar niemand me kan vinden. Een beetje als een trol, zou je kunnen zeggen.'

'Jij bent geen trol, dus daar moet je je niet mee vergelijken. Nooit. Maar leef je altijd 's nachts?'

'Ik leef elke dag van zonsopgang tot zonsopgang, maar ik ga er alleen 's nachts op uit, als ik dat al doe.'

Ze zei: 'Overdag is het niet alleen maar gevaarlijk in de stad. Er zijn ook mooie en betoverende en mysterieuze dingen te vinden.'

''s Nachts kom je dat ook allemaal tegen. Ik heb dingen gezien die ik niet begrijp, maar die ik toch prachtig vond om te zien.'

18

Dingen die ik niet begrijp, maar die ik toch prachtig vond om te zien...

Twee weken na mijn aankomst in de stad, toen Vader me van een vuurdood redde en me onder zijn hoede nam, waren we op pad gegaan op een tijdstip waarop de meeste mensen diep in slaap verzonken zijn, en het was toen dat ik voor het eerst een richelloper zag.

Vader instrueerde me in de manieren waarop ons soort in de grote stad te werk moest gaan. Hij leerde me het ondergrondse gangenstelsel kennen, technieken om me ongezien te verplaatsen, bijna alsof ik onzichtbaar was, en hoe ik toegang kon krijgen tot belangrijke plekken, als een geest die door muren kan lopen.

Hij had een sleutel van de voedselbank gekregen – later zal ik uitleggen hoe hij daaraan kwam – die vanuit de katholieke St. Sebastian's Church was opgezet. Omdat de kerk voedsel verstrekte aan hen die dat nodig hadden en Vader de sleutel op legitieme wijze in bezit had gekregen, vonden we niet dat we iets verkeerds deden toen we de voedselbank ver na sluitingstijd betraden om onze voorraden aan te vullen.

In de nacht waarover ik schrijf, verlieten we het gebouw via de achterkant en kwamen in een steegje, waar we een vrachtwagen van het elektriciteitsbedrijf zagen staan. Het voertuig stond boven het putdeksel dat toegang gaf tot onze ondergrondse schuilplaats. Omdat we twee stemmen hoorden die uit het geopende transformatorhuisje achter de vrachtwagen klonken en er licht brandde, namen we aan dat er mensen in aan het werk waren.

Om te voorkomen dat iemand ons zag, liepen we snel door naar de volgende straat, waar nog een ingang tot het rioleringssysteem was. Hiertoe moesten we wel een goed verlichte weg van zes rijstroken over, wat we liever niet deden, ook al lag het grootste deel van de stadsbevolking in bed te dromen.

Vader keek of de kust veilig was, zag dat er geen verkeer aankwam en gebaarde dat ik hem moest volgen. Toen we de vluchtheuvel bereikten, zag ik iets bewegen op een gebouw van vier verdiepingen hoog. Op de rand van het dak liep een man. Ontzet bleef ik staan, want ik dacht dat hij wilde gaan springen.

Ondanks het feit dat het behoorlijk fris was, had hij een blauw operatieschort aan, leek het. De richel was smal, maar toch liep hij erlangs alsof het hem niet uitmaakte wat er zou gebeuren. Hij tuurde naar beneden. Of hij ons zag, wist ik niet, maar hij keek ook schuin omhoog naar de hoger gelegen verdiepingen van de gebouwen aan de overzijde van de straat, alsof hij iets zocht.

Toen Vader achteromkeek en zag dat ik op de vluchtheuvel was blijven staan, zei hij dat ik moest opschieten.

Ik wees naar de man boven op het dak. 'Kijk, kijk!'

Ik kreeg nu de indruk dat de man in het blauw niet zomaar wat deed, wat ik eerst had gedacht, maar dat hij wel degelijk leek te weten waar hij mee bezig was, alsof hij een doorgewinterde koorddanser was. Misschien vormde de smalle richel nauwelijks een uitdaging in vergelijking met de stunts die hij met ware doodsverachting had uitgevoerd, hoog boven de hoofden van het ademloos toekijkende publiek.

Verderop draaide een taxi de straat in. De chauffeur reed met een snelheid die overdag niet mogelijk was. Toen ik de oplichtende koplampen zag, werd ik me bewust van onze heikele positie. Een man en een jongen, allebei met een capuchon over hun hoofd getrokken, een rugzak op, naar een steegje rennend. Als het politie was geweest, zouden de agenten zonder enige twijfel de achtervolging hebben ingezet.

Voor de taxichauffeur waren we niet interessant; de man huldigde ongetwijfeld het standpunt wat-niet-weet-wat-niet-deert. De auto zoefde voorbij zonder vaart te minderen toen we een steegje inschoten.

Weer hield ik mijn pas in, keek omhoog, en zag dat de richelloper bij de hoek van het gebouw was gekomen. Achteloos stapte hij van de richel aan de noordzijde over op die aan de oostzijde. Kennelijk zat hij er niet over in dat hij zijn voet misschien verkeerd neer zou zetten, alsof hij net zo makkelijk in de lucht verder zou kunnen lopen.

Toen hij langs de richel aan de steegkant verder liep, besefte ik dat hij niet wilde gaan springen, maar dat hij een van de Helderen was. Zijn gloed was me niet opgevallen toen hij nog door de straatverlichting beschenen werd, maar nu hij in het donker stond, zag ik dat hij licht uitstraalde.

Ik had Helderen op de meest onwaarschijnlijke plekken gezien, en dan deden ze allerlei onduidelijke dingen, maar ik had nog nooit een Heldere gezien die langs de rand van het dak liep. Natuurlijk was ik toen nog maar pas in de stad.

Hoe kan ik een Heldere het best beschrijven aan iemand die ze niet kan zien? Het schijnsel dat hij van top tot teen uitstraalde, was geen fel licht maar een zachte, gelijkmatige gloed zonder kern. Ik heb het ooit 'innerlijk licht' genoemd, maar dat impliceert eigenlijk dat de Helderen doorschijnend zijn, wat niet het geval is, want ze zijn net zo ondoorzichtig als ieder ander. Bovendien gloeien hun kleren net zo zacht als hun huid en hun haar, alsof ze uit een sciencefictionfilm zijn weggelopen en door een kernramp lichtgevend zijn geworden. Ik noem ze Helderen, niet omdat je dwars door ze heen kunt kijken, maar omdat de eerste onverklaarbare wezens die ik als kind zag de Nevelen waren, en toen ik daarna twee van deze oplichtende mensen samen in een door de maan beschenen veld zag staan, was de naam die bij me opkwam de Helderen, omdat ze de tegenhanger van de Nevelen leken te zijn.

Het waren geen spoken. Als ze gewoon geesten van overlevenden waren geweest, zou Vader ze wel zo genoemd hebben. Hij kon ze ook zien, maar sprak er liever niet over, en als de Helderen of de Nevelen al eens ter sprake kwamen, ging hij er liever niet op door. De man op het dak en zijn soortgenoten waren er niet op uit om te gaan spoken of mensen de stuipen op het lijf te jagen. Ze ratelden niet met kettingen, er ontstond geen koude luchtstroom als ze in de buurt waren, en ze begonnen ook niet met het meubilair te smijten, zoals klopgeesten soms doen. Ze waren niet rusteloos of boos, zoals wel van geesten beweerd wordt. Soms glimlachten ze, en vaak keken ze ernstig, maar altijd straalden ze iets sereens uit. Hoewel bijna niemand ze kon zien, was ik ervan overtuigd dat ze levende wezens waren, net als ik, al kende ik hun bedoelingen niet. Misschien ging hun verschijning het menselijk begrip te boven.

Vader lichtte een putdeksel en schoof dat opzij met een zelfgemaakt instrument. Toen hij riep dat ik met mijn getreuzel onze levens op het spel zette, wendde ik mijn blik met tegenzin af van het spektakel op het dak. Maar toen ik op de treden stapte die naar het riool leidden, keek ik nog een keer omhoog en ving een laatste glimp op van de oplichtende Heldere, die onverschrokken over hoge richels liep, terwijl ik altijd door achterafstraatjes en smalle steegjes moest sluipen.

19

Het adres dat het meisje me had gegeven was vlak bij Riverside Commons. Ze woonde in een buurt met mooie vrijstaande huizen van baksteen of kalksteen, met uitzicht op het park. Ongeveer de helft ervan werd door gezinnen bewoond. Ze woonde op de derde – bovenste – verdieping van een huis dat tot appartementencomplex was verbouwd.

Ondergronds lag Power Station 6, dat ooit boven de grond stond. Tientallen jaren geleden had men pogingen ondernomen om de wijk te verfraaien, en in het kader daarvan hadden ze de elektriciteitscentrale overdekt met een reusachtige koepel en erbovenop een park aangelegd. De ingang voor de werknemers, de luchtschachten en afvoerkanalen waren naar de rivier geleid. Station 6 was net als de kelder van de bibliotheek toegankelijk via een afwateringstunnel die onder het gebouw doorliep, aangelegd voor het geval er een waterleiding zou knappen die naar de stoomgeneratoren in de op gas gestookte centrale liep.

We kwamen het gebouw via een put binnen en waren op onze hoede voor het geval we iemand tegen zouden komen, al waren er weinig mensen die in de nachtploeg zaten, want alleen overdag draaide de elektriciteitscentrale op volle toeren. De tunnel lag aan de westkant van het gebouw, achter rijen boilers, turbines, generatoren en transformatoren. Er kwamen maar weinig mensen in die schemerige ruimte. Drie meter van de put gaf een deur toegang tot een betonnen wenteltrap, een nooduitgang.

Ik had Gwyneth verteld dat ze meteen naar de deur moest gaan, terwijl ik het deksel op zijn plaats terugschoof. Snelheid was de sleutel om je ongezien te verplaatsen. We hoefden ons geen zorgen te maken dat ze ons zouden horen, omdat de ronddraaiende schoepen van de turbines, de rotoren van de generatoren en de zwoegende pompen genoeg lawaai produceerden.

Nadat de geluidswerende deur eenmaal was dichtgedaan, was het lawaai nog maar een kwart van wat het geweest was. Terwijl we de trap op gingen, stierf het geluid steeds meer weg.

Gwyneth liep met een natuurlijke gratie naar boven, niet alsof ze liep maar alsof ze gewichtloos was en werd meegevoerd door een luchtstroom die ik niet kon voelen.

Om te voorkomen dat het licht in het trapportaal op mijn gezicht zou vallen, hield ik mijn hoofd gebogen, voor het geval ze achterom zou kijken. Ik wilde dit onverwachte avontuur nog een tijdje rekken, om zo lang mogelijk van haar gezelschap te kunnen genieten.

De deur boven aan de trap gaf toegang tot een donker gebouw dat dienstdeed als opslagruimte voor grasmaaiers en andere werktuigen waarmee het park in Riverside Commons onderhouden werd. Met behulp van onze zaklantaarns vonden we de uitgang.

Ik liep achter Gwyneth aan naar buiten, maar bleef staan om te voorkomen dat de deur niet dicht zou vallen. Omdat dit een nooduitgang was, kon je de deur altijd van binnenuit opendoen, maar als hij eenmaal dichtzat, kon je er niet zonder meer van buitenaf in. Ik had er geen sleutel van. Sommige daklozen brachten de nacht in het park door, en hoewel de meeste bedeesd waren en zich schuilhielden op een verborgen plekje tussen de struiken, was er zo nu en dan een die ruzie zocht, een gevolg van een geestelijke aandoening of van drugs, of beide.

In deze decembernacht kwam er niemand naar ons toe. Het park lag er rustig bij, en we hoefden niet overhaast de aftocht te blazen.

We liepen over een pad en kwamen langs een grasveld en een vijver, waar je in warmere tijden en bij volle maan soms half-slapende koikarpers kon zien die vlak onder de oppervlakte verschenen. Ze hadden zich zo volgevreten aan het brood dat bezoekers overdag in het water gooiden dat ze 's nachts geen enkele neiging vertoonden om op jacht te gaan naar insecten die zich op het wateroppervlak waagden.

Alsof ze mijn gedachten kon lezen, zei het meisje: 'Ze zullen de karpers inmiddels al wel hebben gevangen en naar binnen hebben gebracht voor de winter.'

Als ik thuis in mijn hangmat lag te slapen, kwamen die vissen soms tot me, bleek en gevlekt, als ijle verschijningen, hun vinnen wiegend in de zachte stromingen. In die dromen zag ik mijn gezicht donker in het water weerspiegeld. De koikarpers die ik dan in het water zag, hadden een plek in de wereld, een plaats waar ze thuishoorden. Als ik uit zo'n droom ontwaakte, voelde ik altijd een sterk verlangen naar zo'n plek in de zon, met een bloeiende, weelderige tuin, zoals het zou moeten zijn.

Nu stonden we bij de ingang van het park aan Kellogg Parkway, onder een reusachtige dennenboom. Gwyneth wees naar een huis aan de overkant van de straat. 'Dat is een van de huizen waar ik woon. Heb je zin in een kop koffie?'

Omdat ik geen vrienden had en niet goed wist wat ik met zo'n aanbod aan moest, zweeg ik een tijdje. Uiteindelijk zei ik: 'Misschien beter van niet. Het wordt al bijna dag.'

Ze zei: 'Dat duurt nog bijna anderhalf uur.'

'Ik moet nog naar de voedselbank om wat spullen te halen voordat ze opengaan.'

'Welke voedselbank?'

'St. Sebastian.'

'Je kunt bij mij wel een ontbijtje krijgen. Dan kun je morgenavond naar de voedselbank.'

'Maar als ik met je meega, zullen ze me zien. Te gevaarlijk.'

Ze zei: 'Er is geen conciërge. Op dit tijdstip zul je verder niemand aantreffen. Heel snel de trap op en klaar.'

Ik schudde mijn hoofd. 'Beter van niet. Dat kan ik gewoonweg niet.'

Ze wees naar een smalle brandgang tussen haar huis en het pand ernaast. 'Ga daardoorheen naar een steegje aan de achterkant van het huis. Daar is een brandtrap.'

'Nee, dat gaat echt niet lukken.'

'Jawel. Kom op nou.' Ze holde naar de overkant nadat er een zwarte limousine met donkergetinte ramen voorbij was gekomen.

Voordat er weer een auto aan zou komen, rende ik achter haar aan. Ze stoof het trapje op naar de voordeur, ik ging langs de zijkant van het huis naar de achterkant.

De brandtrap liep zigzaggend langs de achtergevel omhoog, en eerst was ik bang dat ik veel lawaai zou maken als ik de trap op zou gaan, alsof iemand keihard op een xylofoon hamerde, maar ik bleek heel zachtjes te kunnen doen. Op de eerste verdieping brandde een zacht licht achter een raam, waar het gordijn slechts voor de helft was dichtgetrokken. Voor zover ik kon zien, was er niemand in de kamer. Ik liep door naar de derde verdieping.

Gwyneth had het raam al voor me opengezet, maar ze stond niet te wachten. Achter in de donkere kamer, achter een geopende deur, lag een gang. Een plafonnière van geslepen kristal wierp patronen in allerlei kleuren op de muur.

Ik deed mijn zaklantaarn aan en zag dat er met zwart op de witte vensterbank was geschreven, maar voordat ik tijd had om te kijken wat er stond, verscheen Gwyneth in de gang en zei: 'Addison. Kom maar hierheen naar de keuken.'

Tegen de tijd dat ik naar binnen was geklommen en het raam had dichtgeschoven, was het meisje weer verdwenen. Ik stond in een zeer ruime kamer, die net zo sober was ingericht als een kloostercel: een eenpersoonsbed, een nachtkastje, een lamp en een digitale wekker. Het rook er fris, en de minimale inrichting sprak me wel aan.

Aan de andere kant van de gang lag een kamer van dezelfde afmetingen, waarin een bureau stond, een bureaustoel, een computer, een scanner en twee printers.

Een gedimde lamp verlichtte een woonkamer die waarschijnlijk twee keer zo groot was als mijn drie ondergrondse kamers bij elkaar, maar het voelde er vertrouwd door de boeken die er stonden. Er stond echter maar één fauteuil, alsof háár vader, toen hij nog leefde, hier nooit had gewoond.

Achter een boogvormige doorgang lag een eethoek met een tafel en stoelen, die doorliep in een grote open keuken. Hoewel er alleen maar kaarsen brandden, verspreidden die discrete vlammen in robijnrood glas zoveel licht dat ik bang was dat mijn gezicht te zien zou zijn.

Hoewel we veel gemeen leken te hebben, voelde ik me plotseling niet meer op mijn gemak en kreeg ik de aandrang weg te gaan.

Ze stond met de rug naar me toe en zei: 'Ah, daar ben je. Ik heb roerei en toast met rozijnenboter. Is zo klaar, oké?'

'Ik kan maar beter gaan.'

'Helemaal niet. Zo onbeleefd ben je niet. Pak een stoel. Ga zitten.'

Ondanks het feit dat ik maar één bed had gezien, een smal bed, en maar één gemakkelijke stoel in de woonkamer, zei ik: 'Je bent hier niet alleen, hè?'

Ze brak een ei in een kom. De flakkerende vlammen van de kaarsen wierpen haar schaduw op de muren. Ze zei: 'Er is iemand die regelmatig langskomt, maar daar wil ik het nu niet over hebben. Dat is niet iets waardoor jij gevaar loopt.'

Ik stond naast de tafel en wist niet goed wat ik moest doen.

Ze bleef met haar rug naar me toe staan, maar leek te weten dat ik nog niet was gaan zitten. Ze pakte nog een ei maar brak het nog niet. 'Alles hangt nu af van wederzijds vertrouwen, Addison Goodheart. Je gaat zitten, of je gaat weg. Een andere keuze is er niet.'

20

Achttien jaar daarvoor, tijdens mijn tweede week in de stad, toen ik 's nachts een Heldere in een blauw operatietenue vlak langs de rand van een dak zag lopen...

Later, toen we veilig en wel in onze ondergrondse schuilplaats zaten en we de etenswaren hadden opgeborgen, zette Vader een pot sinaasappelthee, terwijl ik een geglazuurde kokoscake aansneed. We gingen aan onze kleine tafel zitten, Het en de Zoon van Het, en we kletsten wat met elkaar. Op een gegeven moment, toen hij zijn cake ophad en zijn vork neerlegde, bracht hij een onderwerp ter sprake dat hij van meer gewicht achtte dan de koetjes en kalfjes waarover we het tot dan toe gehad hadden: de Nevelen en de Helderen.

Zo noemde hij ze niet. Hij had geen speciale termen om ze aan te duiden en had het er nooit over wat hun verschijning te betekenen had, voor zover hij die al kon verklaren. Maar wel had hij zo zijn ideeën over wat we moesten doen als we ze tegenkwamen.

Net als ik vermoedde hij intuïtief dat de Nevelen niet veel goeds te betekenen hadden, al wilde hij niet zeggen wat voor kwaads ze dan precies uitrichtten. Het begrip 'het kwaad' schoot in dit opzicht tekort, zei hij. Het best kon je de Nevelen maar zo veel mogelijk uit de weg gaan. In elk geval moest je er nooit op afgaan, maar aan de andere kant was het misschien ook verstandig er nooit van weg te rennen, zoals je ook niet bij een valse hond weg moet rennen omdat hij je dan misschien aanvalt. Je kon maar het beste doen alsof de Nevelen je onverschillig lieten, daarmee waren Vader en diens vader altijd goed weggekomen, en hij adviseerde me met klem om altijd precies op dezelfde manier op ze te reageren als hij.

Hij boog zich over de tafel naar me toe en zei fluisterend, alsof iemand hem zo diep onder de grond, omgeven door ondoordringbare muren van beton, kon horen: 'En wat die andere soort betreft, degenen die je de Helderen noemt, die hebben niet zoveel kwaad in de zin als de Nevelen, maar op hun eigen manier zijn ze nog verschrikkelijker. Ook tegenover hen moet je doen alsof je ze niet ziet. Kijk ze niet aan, en als dat dan toch per ongeluk gebeurt, omdat je in het nauw gedreven bent en niet anders kunt, moet je je blik onmiddellijk afwenden.'

Van mijn stuk gebracht door zijn waarschuwende woorden zei ik: 'Maar volgens mij zijn ze helemaal niet zo verschrikkelijk.'

'Dat komt omdat jij nog jong bent.'

'Het lijken me juist wonderbaarlijke wezens.'

'Denk je dat ik je voor de gek wil houden?'

'Nee, Vader. Ik weet dat u dat nooit zou doen.'

'Als je wat ouder bent, zul je het wel begrijpen.'

Meer zei hij er niet over. Hij sneed nog een plak cake af.

21

Bij het licht van een enkel kaarsje dat bij Gwyneths bord stond, ver van mij af, aten we een eenvoudig maar heerlijk ontbijt, bestaand uit roerei en toast met rozijnenboter. Zulke lekkere koffie als zij zette, had ik nog nooit geproefd.

Na zes jaar in afzondering te hebben geleefd, was het buitengewoon plezierig om samen met iemand te ontbijten en te praten. Of eigenlijk was het meer dan plezierig. Haar gastvrijheid en haar gezelschap raakten me wonderlijk diep. Zo nu en dan werd ik zo door emotie overmand dat ik geen woord kon uitbrengen zonder dat ik daarbij liet merken hoezeer ik was aangedaan.

Daartoe aangezet door een enkel woord van mij praatte zij het meest. In een luttel halfuur raakte ik bijzonder gecharmeerd van haar stem – helder, rustig, zachtaardig ondanks haar stoere voorkomen – zoals ik ook gecharmeerd was geraakt van de gracieuze manier waarop ze zich voortbewoog en de vastberadenheid waarmee ze alles wat ze ondernam volbracht.

Ze had zich, zo zei ze, al van jongs af aan van de wereld afgezonderd, maar ze leed niet aan agorafobie, pleinvrees, angst voor de wereld die achter haar kamers begon. Ze hield van de wereld, hield ervan om op ontdekkingstocht te gaan, al deed ze dat voornamelijk onder zeer specifieke voorwaarden. Alleen als het heel laat was en er weinig mensen op straat waren, waagde ze zich op straat. Als het weer zo slecht was dat iedereen binnen bleef, ging ze enthousiast op pad. Vorig jaar had het twee dagen lang zo vreselijk gestormd dat de brede avenues er praktisch verlaten bij lagen, en tijdens dat noodweer was ze urenlang buiten geweest, alsof ze de godin van de bliksem, de donder, de regen en de wind was en zich niets aan de krachten der natuur gelegen liet liggen. Sterker nog: hoewel ze door-nat werd en ze door de harde wind bijna onderuitging, vond ze het ontzettend spannend en voelde ze tot in haar botten dat ze leefde.

Het waren de mensen die haar belemmerden. In de psychologie werd het aangeduid als sociale fobie. Ze kon maar heel kort ande-re mensen om zich heen verdragen, en grote mensenmassa's al he-lemaal niet. Ze raakte niemand aan en wilde door niemand aange-raakt worden. Ze had wel een mobieltje maar nam zelden op. Bijna al haar aankopen deed ze op internet. Boodschappen werden voor haar deur afgeleverd, en pas als de bezorger was vertrokken, haalde ze ze naar binnen. Ze was dol op mensen, zei ze, vooral op men-sen die in boeken voorkwamen, wat haar voornaamste bron van mensenkennis was, maar ze ging liever niet om met personen in het echt.

Ik onderbrak haar toen en zei: 'Ik denk wel eens dat er meer waar-heid te vinden is in boeken dan in het echte leven. Of in elk geval waarheid in zo'n gecomprimeerde vorm dat je het gemakkelijker kunt begrijpen. Maar wat weet ik nou helemaal van echte mensen of de echte wereld als je ziet wat voor een raar bestaan ik leid?'

Ze zei: 'Misschien heb je alles van waarde altijd al geweten, maar heb je er een heel leven voor nodig om uit te vissen wat je al weet.'

Hoewel ik graag wilde dat ze uitlegde wat ze daarmee bedoelde, wilde ik liever nog meer horen over haar verleden, voordat ik door de dageraad weer gedwongen werd ondergronds te gaan. Ik moe-digde haar aan verder te gaan met haar verhaal.

Haar vermogende vader, een weduwnaar, had begrip voor haar situatie en haar wantrouwen jegens psychologen en besloot haar tegemoet te komen in plaats van haar te dwingen zich te laten behandelen. Gwyneth was altijd al een buitenbeentje geweest, een autodidact en emotioneel veel verder dan haar leeftijdsgenoten. Ze woonde bij haar vader in het centrum en had de hele bovenverdieping van het herenhuis voor zich alleen. Haar vader was de enige die een sleutel van haar kamers had. Eten en andere spullen werden bij haar deur neergezet, en als het tijd was voor de schoonmaak, trok ze zich terug in een kamer die ze zelf schoonhield, waar ze wachtte tot de werksters waren geweest. Ze deed haar eigen was, maakte zelf het bed op. Een hele tijd was haar vader de enige die ze zag, met uitzondering van de mensen op straat die ze vanachter de ramen op de derde verdieping gadesloeg.

Vlak voordat ze dertien werd, las ze per toeval een artikel over de gothic look, en de foto's die erbij stonden, fascineerden haar. Ze keek er dagenlang naar. Op internet zocht ze nog meer afbeeldingen van gothic meisjes in opvallende kleding. Uiteindelijk kreeg ze het idee dat ze als ze in een andere Gwyneth veranderde dan ze altijd was geweest, een Gwyneth die zich niet door de wereld liet overweldigen en die anderen met haar voorkomen uitdaagde, ze zich misschien in een zekere mate van vrijheid op straat kon vertonen. Doordat ze nauwelijks buitenkwam, was haar gezicht zo wit als een lelie. Ze smeerde gel in haar haar en deed het in stekels, droeg zwarte mascara en andere make-up, nam piercings, zette een zonnebril op, en versierde de rug van haar handen met tijdelijke tattoos. Haar manier van presenteren was vooral een uiting van lef. Ze ontdekte dat ze te veel aandacht trok als ze de gothic look te sterk aanzette, maar al snel had ze de gulden middenweg te pakken. Ze leidde een tevreden bestaan op de derde verdieping en kwam zelden buiten, begaf zich in geen geval in grote menigten, zocht de rustige straatjes op, en voelde zich buiten het meest op haar gemak als het donker was of het gigantisch stormde.

Haar vader was gezegend met een vooruitziende blik en had voorzieningen getroffen om het zijn dochter in de toekomst gemakkelijk te maken, zodat ze zich staande kon houden als hij eenmaal was overleden. Het was een wijs besluit, want hij overleed toen ze nog geen veertien was. Hij was er altijd van uitgegaan dat Gwyneth tot aan haar tachtigste een afgezonderd bestaan zou leiden en dat het zelfvertrouwen en de vrijheid die ze zich had toegeëigend door zich gotisch te kleden altijd beperkt zouden blijven, en daarom bracht hij zijn vermogen in een aantal trusts onder, zodat ze nooit in financiële moeilijkheden zou komen. Zijn kapitaal was dusdanig ondergebracht dat ze steeds maar met één persoon te maken had, namelijk Teague Hanlon, de beste vriend van haar vader en de enige die hij volledig vertrouwde. Nadat haar vader vermoord was, kreeg Hanlon tot haar achttiende de voogdij over haar, en hij zou de trustee zijn die het totale vermogen beheerde, tot hij of zij zou zijn overleden, wie dan ook maar de eerste zou zijn.

Een van de voorzieningen die haar vader had getroffen, was dat hij acht comfortabele maar niet extravagant luxueuze appartementen voor haar had gekocht die in diverse prettige wijken van de stad gelegen waren, waaronder het appartement waarin we nu samen zaten te ontbijten. Hierdoor kon ze van tijd tot tijd van omgeving veranderen, een niet onbeduidend voordeel als ze een tijdje een zekere weerzin voelde om naar buiten te gaan en dag in dag uit veroordeeld was tot hetzelfde uitzicht. Bovendien had haar vader er rekening mee gehouden dat ze door haar natuurlijke gratie en haar sprookjesachtige schoonheid – die ze zelf ontkende te bezitten – ongewild de aandacht van gevaarlijke mannen op zich zou vestigen. Het was dan handig om zo nu en dan van woonplek te kunnen switchen. Ook zou ze nooit door brand of een andere rampzalige gebeurtenis zonder onderdak komen te zitten, een belangrijke overweging als ze door haar sociale fobie steeds meer vervreemd zou raken van menselijk contact en zich in de loop der jaren steeds meer zou gaan afzonderen. Ook wisselde ze vaak van appartement om te voorkomen dat goedbedoelende buren een poging ondernamen contact te zoeken.

Ze kwam overeind om de koffiekan te pakken.

De nacht trok zich langzamerhand terug, en het eerste daglicht zou zich over nog geen halfuur in de stad laten zien.

Ik zei haar dat ik geen koffie meer hoefde.

Toch schonk ze mijn kop nog eens vol.

Ze ging weer zitten en zei: 'Voordat je gaat, moeten we even een paar dingen afspreken.'

'Wat voor dingen?'

'Wanneer zien we elkaar weer?'

'Wil je dat dan?'

'Heel graag,' zei ze.

Die twee woorden klonken me als muziek in de oren en vormden een wonderschoon lied.

'Dan doen we dat,' zei ik. 'Maar hoe zit het dan met je sociale fobie?'

'Tot nu toe heb ik daar bij jou nog geen last van gehad.'

Ze nam een slokje van haar koffie. Haar neuspiercing, een zilveren ringetje dat net zo fijntjes was als haar neus, flonkerde toen de vlam van de kaars flakkerde, en het leek steeds rond te gaan door het gaatje in haar neusvleugel.

'Ik weet het niet,' zei ze. 'Misschien ren ik de volgende keer wel gillend van je weg en wil ik nooit meer iets met wie dan ook te maken hebben.'

Ze keek mijn kant op, maar ik zat zo ver van de kaars dat ze niet meer kon zien dan een gedaante met een capuchon op en handschoenen aan, net zo'n anoniem figuur als de Dood in eigen persoon.

Ze zei: 'Kom vanavond om zeven uur maar weer. Dan eten we samen. En dan kun je me wat meer over jezelf vertellen.'

'Ik ga nooit voor middernacht naar buiten. Te gevaarlijk.'

Na even gezwegen te hebben, zei Gwyneth: 'Koester je enige hoop?'

'Als dat niet zo was, zou ik allang de hand aan mezelf geslagen hebben.'

'Als geloof en vertrouwen in elkaar vervlochten raken, kan men elk gevaar trotseren. Ben je bang voor de dood, Addison?'

'Ik ben niet bang om zelf dood te gaan. Dus anders dan wat je wel eens leest in boeken. Vroeger was ik bang dat mijn vader dood zou gaan. En toen dat inderdaad gebeurde, was het verdriet erger dan ik me had voorgesteld. De pijn.'

Ze zei: 'Vanavond wil ik alles horen over je vader en over jouw leven.'

Ik had de indruk dat mijn hart was opgezwollen, niet van verdriet, zoals na de dood van Vader, maar door de veelheid aan complexe emoties. En het voelde niet zwaar, maar veerkrachtig. Ik hield me voor dat het hart een buitengewoon onbetrouwbare gids was, al wist ik zeker dat dat nu niet het geval was.

Ik schoof mijn stoel naar achteren en kwam overeind. 'Zet het raam vanavond maar open. Op dat tijdstip moet ik heel snel zijn om van het riool naar de brandtrap te komen.'

Ze ging ook staan en zei: 'De regels blijven van kracht.'

'Dezelfde regels,' zei ik instemmend. 'Jij kijkt niet naar mij, en ik raak je niet aan.'

Glimlachend haalde ze mijn woorden aan: 'We houden elkaar met onze excentrieke regels in gijzeling.'

Ze liep tot aan de donkere slaapkamer met me mee en bleef in de deuropening van de spaarzaam verlichte gang staan. Ik deed mijn zaklantaarn aan, dekte de lichtbundel deels af met een hand en liep naar het raam.

Ik draaide me naar haar om en herhaalde iets wat ze had gezegd: 'Er is iemand die regelmatig langskomt, maar daar wil ik het nu niet over hebben.' Toen ze niet reageerde, vroeg ik: 'Kunnen we het daar onder het eten ook over hebben?'

'Misschien. Maar zoals ik al zei, heb je niets van hem te vrezen. Op geen enkele manier.'

Toen ik het raam openschoof, viel het schijnsel van mijn zaklantaarn op de woorden die met een zwarte viltstift op de vensterbank waren geschreven en die ik vluchtig had gezien toen ik naar binnen was geklommen. Als het woorden waren en geen symbolen, moest het een vreemde taal zijn, en ik meende letters van het Griekse alfabet te herkennen, tekens waarin de namen van studentendisputen geschreven werden.

'Wat is dit?' vroeg ik.

'Denk aan de zon. Je moet gaan, Addison. Je moet gaan, nu het nog donker is.'

Ik deed de zaklantaarn uit, glipte door het raam naar buiten en stapte de brandtrap op. Ik voelde de koele lucht op mijn huid, en om me heen leek de stad uit zijn dromen te ontwaken, als miljoenen cellen die een voor een wakker werden.

Terwijl ik de ijzeren trap afdaalde, hoorde ik dat ze het raam dichtschoof en vergrendelde.

Plotseling kreeg ik de stellige indruk dat ik haar nooit weer zou zien, en die gedachte greep me zo aan, leek zo waar te zijn, dat ik ter plekke op de trap bleef staan, boven het steegje dat achter het huis langs liep.

22

Na een tijdje durfde ik weer verder en liep ik langs de brandtrap naar beneden. Op de eerste verdieping brandde nog steeds een zacht licht achter een van de ramen, en de gordijnen hingen nog steeds deels open. Maar deze keer zag ik iets in de kamer bewegen toen ik er langs kwam.

Ik zou gewoon zijn doorgelopen en niet dichterbij zijn gekomen als ik alleen de man had gezien. Maar bij hem in de kamer was een van de Nevelen.

De man leek in de dertig te zijn, zag er heel gewoon uit, met een aangenaam gezicht en het haar nog nat van de douche. Hij droeg een hemelsblauwe zijden badjas, stond op blote voeten voor een groot televisiescherm en bekeek een stapeltje dvd's.

De Nevel waarde daar rond, zweefde van de ene kant van de kamer naar de andere, van het plafond naar de vloer en weer omhoog, als een paling die traag door een hem maar al te bekend aquarium glijdt. Hij was helemaal wit, had geen ogen of mond, had eigenlijk helemaal geen duidelijke kenmerken, en zou niet dreigender hoeven te zijn geweest dan een blinde worm. Maar hij wekte zoveel weerzin bij me op dat een zurig mengsel van koffie en toast achter in mijn keel omhoogkwam, en hoewel ik mijn best deed om die walgelijke massa weg te slikken, kon ik mijn ogen niet van het ding afhouden. Ik had geen idee wat voor bedoelingen het had, want ik had nog nooit een van zo dichtbij gezien.

Op de salontafel voor de bank stond een koelemmer met daarin een pak sinaasappelsap en een geopende fles champagne. Het lege glas ernaast deed vermoeden dat de man in de badjas een mimosa-cocktail bij zijn ontbijt zou nemen.

Hij koos een dvd uit en deed die in de dvd-speler. Zonder zich bewust te zijn van de om hem heen zwevende Nevel liep hij naar de salontafel en schonk gelijke delen sinaasappelsap en champagne in het hoge glas, nam een slokje, daarna nog een, en zette het glas op een onderzettertje op een bijzettafeltje naast de bank.

Toen de man ging zitten, werd hij door de Nevel aangevallen. Ik had nog nooit zoiets gezien, noch Vader of diens vader, voor zover ik weet. Als het wel vaker voorkwam wat er voor mijn ogen ge-beurde, stelden de Nevelen kennelijk alles in het werk om hun slachtoffers alleen aan te vallen als er geen getuigen bij aanwezig waren, wanneer hun prooi alleen en kwetsbaar was. Hoewel alleen Vader, diens vader en ik deze wezens konden zien, zou ieder ander uit de reactie van het slachtoffer afgeleid kunnen hebben dat er iets vreemds aan de hand was. De slangachtige vorm stortte zich abrupt op zijn prooi en kronkelde om hem heen. De man reageerde alsof hij een stroomstoot kreeg, en zijn hele lijf verstijfde. Hij probeerde zijn omwikkelde armen te bewegen, maar dat lukte hem niet. Hij probeerde uit alle macht overeind te komen, zonder succes, en hij deed zijn mond open alsof hij wilde gaan gillen, maar nog niet het zachtste geluidje kwam over zijn lippen. Hij liep rood aan, en zijn gezicht vertrok in wat het ene moment leek op woede en het vol-gende moment op extase, hij draaide angstig met zijn ogen, die bij-na uit hun kassen leken te rollen, maar zijn kaken ontspanden zich, alsof hij zich overgaf, terwijl de spieren in zijn hals zich als kabels aanspanden. Hoewel zijn belager ogenschijnlijk geen mond had, was ik bang dat de man door de Nevel verzwolgen zou worden, maar in plaats daarvan verzwolg de man de Nevel, al ging dat buiten zijn wil om. De Nevel drong via de geluidloze schreeuw van de man zijn lichaam binnen, gleed soepel en snel zijn mond in. Het beest leek nu niet meer op een sliert mist, maar eerder net zo gespierd, verwrongen en sterk als een python, en het voerde zichzelf aan hem op, overweldigend, zonder genade. Door de binnenstromende Nevel puilden de wangen van de man uit, en zijn keel zwol grotesk op toen de Nevel zijn slokdarm binnendrong. Eerst was de man geheel in de greep van de Nevel, maar naarmate hij steeds meer ervan verorberde, kwam zijn lichaam weer vrij. Toen hij zijn armen weer kon gebruiken, beukte hij met gebalde vuisten op de bank en takelde hij zichzelf toe.

Ik wilde het raam ingooien om het slachtoffer te hulp te schieten, maar intuïtief wachtte ik daar mee. Ik vreesde niet voor mijn leven, maar op de een of andere manier wist ik dat ik niet de strijd kon aangaan met de Nevel, zoals ik ook een rooksliert niet in bedwang zou kunnen houden. Dit was geen gevecht tussen roofdier en prooi, maar iets anders. Hoewel ik geen enkele aanwijzing had dat de man de aanval had uitgelokt of dat hij zich er überhaupt van bewust was geweest dat hij kon worden aangevallen, werden zijn bewegingen niet alleen gekenmerkt door een grote angst en ontsteltenis, maar minstens in gelijke mate door wat een vleselijke acceptatie leek, alsof hij de Nevel met een mengeling van afschuw en genot tot zich nam.

De staart van het ding glibberde als laatste tussen de lippen van de man door naar binnen, zijn keel zwol nog een keer grotesk op, en daarna liet hij zich uitgeput en wit weggetrokken in de bank terugzakken. Na nog geen minuut kreeg hij weer wat kleur op zijn wangen, en zijn ademhaling werd weer normaal. Hij ging rechtop zitten en keek verbijsterd om zich heen, alsof hij niet goed wist wat er zojuist gebeurd was, en óf er überhaupt wat gebeurd was.

Hoewel ik alles met eigen ogen had gezien, wist ik niet goed wat ik ervan moest denken. Ik was er tamelijk zeker van dat de Nevel nog steeds in leven was, dat die nu als een parasiet in het lichaam van de man zat, en dat de man zelf de afzichtelijke penetratie op de een of andere manier vergeten was en zich niet bewust was van de ongenode gast die zich in zijn lijf had genesteld.

De man pakte zijn glas van het bijzettafeltje, dronk een derde ervan op en zette het glas terug op het onderzettertje. Vervolgens pakte hij de afstandsbediening, die op de salontafel lag, zette het grote tv-scherm aan en drukte op de play-toets van de dvd-speler.

Hoewel de tv ten opzichte van het raam gedraaid stond, kon ik zien wat er op het scherm kwam: een knap meisje van tien of elf en een volwassen man. Terwijl hij haar begon uit te kleden, drong het tot me door dat de afzichtelijke aanval van de Nevel niets voorstelde in vergelijking met de afschuwelijke beelden die op het televisiescherm vertoond werden.

De man op de bank boog zich naar het scherm toe. De collectie met obscene dvd's was al in zijn bezit voordat de Nevel zich met hem had vereend, en hij was het, hij alleen, die nu glimlachte en zijn tong over zijn lippen liet gaan, genietend van de gruwelen die op het scherm te zien waren. Het was duidelijk niet de eerste keer dat hij de beelden zag.

Zo voorzichtig mogelijk, wat mijn tweede natuur was geworden, omdat ik anders niet zou overleven, daalde ik de trap af, trillend van afschuw, met tranen in mijn ogen.

Aan de voet van de trap gekomen keek ik omhoog, niet naar het raam op de eerste verdieping maar naar de derde. Zat Gwyneth daar wel veilig, met zo'n vent die in hetzelfde gebouw woonde, ook al had ze haar ramen en deuren vergrendeld? Ik overwoog terug te gaan om haar te waarschuwen, maar de stille stad begon te ontwaken, en ik hoorde de geluiden van de vroegste vogels. Ik besefte dat Gwyneth meer van de inwoners van de stad wist dan ik ooit zou weten, en in elk geval wist ze net als ik wat voor corruptie en onbeschrijflijke wreedheid er achter de maskers van sommigen kon schuilgaan.

In het oosten werd de nacht door vage kleuren verdreven, en het zou niet lang meer duren of de hemel zou ermee doordrongen zijn. Met gehandschoende handen veegde ik de tranen uit mijn ogen, waarna het waas verdween.

Ik verlangde naar licht en naar koele frisse lucht en een uitgestrekte vlakte waar ik net zo lang kon rennen tot ik van vermoeidheid omviel, maar het was mijn lot om het licht te moeten mijden. Als het dag werd, moest ik in duisternis afdalen om te voorkomen dat anderen zich aan mijn bestaan zouden storen. Snel liep ik het steegje door, op zoek naar een ingang naar de onderwereld.

23

De nacht toen ik in de stad aankwam... Het winkelcentrum bij de rivier, waar de marionet in de etalage heimelijk in de gaten hield wie er voorbijkwamen...

De bollen boven op de fraai versierde ijzeren lantaarnpalen gloeiden als oplichtende parels, en de stukjes mica die in de bakstenen waren verwerkt, fonkelden in het schijnsel. Ik liep van de winkel met antiek speelgoed in noordelijke richting en kwam langs nog meer winkels. De artikelen die daar uitgestald lagen, bleven gelukkig roerloos liggen.

Ik hoorde de man al voordat ik hem zag. Een schreeuw, nog een, een angstkreet die door merg en been ging, en daarna zijn dreunende passen.

Ik zal nooit weten wie hij was, al had ik zo'n idee dat hij een zwerver was, een dakloze die een geheim, beschut plekje op het winkelcentrum had waar hij de nacht doorbracht. Hij kwam tevoorschijn vanuit een smal steegje tussen twee gebouwen, een ervan een restaurant. Hij had rubberen sneeuwlaarzen aan die een zompig, zuigend geluid maakten, en hij rende onhandig voort over de kale keien. Hij droeg een verstelde kaki broek, een geblokt hemd onder een vaalgrijze trui, een vlekkerige corduroy sportjas met rafelige mouwen, en een hoed met brede rand van een soort die ik niet kende en daarna ook nooit meer heb gezien.

Vlammen wiegden als veren op zijn hoed, maar hij leek zich drukker te maken om de twee mannen die hem achtervolgden. Toen hij naderbij kwam, wees ik op zijn hoofd en riep: 'Brand, brand!'

Hoogstwaarschijnlijk was hij zo'n man die door drank of drugs ouder oogt dan hij in werkelijkheid is, want hij leek tachtig, maar bewoog zich rap voort. Met zijn tranende ogen, zijn verlopen kop, zijn grauwe, pokdalige, uitgezakte gezicht, zijn lange en magere postuur, zijn lange vingers die deden denken aan een hark, leek hij op een vogelverschrikker die op het land tot leven was gekomen en nu verzeild was geraakt in een stad waar hij niets te zoeken had.

Misschien kwam het doordat ik hem erop wees, of misschien voelde hij de hitte van de vlammen ineens, maar plotseling pakte hij zijn hoed met duim en wijsvinger beet en gooide hij het ding in een soepele, vloeiende beweging van zich af, alsof het een frisbee was. Terwijl het vuur zich naar de rand toe verspreidde, zeilde de brandende hoed rakelings langs mijn hoofd. Toen de zwerver voorbij rende, zag ik een paar rooksllierten uit zijn onverzorgde baard kringelen, alsof het vuur aanvankelijk in die heksenbezem van gezichtsbeharing was aangestoken – en al snel was gesmoord – en later naar de hoed was overgesprongen.

Achter hem verschenen twee jongemannen, die opgewonden lachten. Hun ogen waren zo helder als die van wolven in de maneschijn. Ze hadden allebei een kleine butaanbrander bij zich, zo'n apparaat dat koks gebruiken om crème brûlée te maken. Misschien werkten ze als keukenhulp in het restaurant, dat een uurtje geleden was dichtgegaan, maar misschien kwamen ze ook heel ergens anders vandaan, waren het gewoon twee criminelen die door de nacht zwalkten met het oogmerk daklozen levend te verbranden.

Toen ze mij zagen, stond ik net onder een lantaarnpaal. Ik had nog steeds mijn capuchon op, maar doordat ik opkeek, was mijn gezicht voor een deel zichtbaar. Hoewel ik nog maar acht was en zij volwassenen waren, zei de ene: 'O, shit, de fik erin met hem, de fik erin', en tegelijkertijd zei de ander: 'Wat is dat voor figuur, wat is dat verdomme voor figuur?'

Omdat ze langere benen hadden dan ik, had het voor mij geen zin om weg te rennen. Het enige wat ik kon bedenken, was dat ik tussen de bankjes en potten met boompjes en lantaarnpalen door kon zigzaggen, in een poging steeds iets tussen hen en mij in te houden, in de hoop dat er op een gegeven moment een nachtwaker of een agent aan zou komen en mijn belagers weg zouden rennen, en ik ook, om te voorkomen dat ik in handen van mijn bevrijder zou vallen.

De twee waren snel en behendig, dreven me in een hoek, en al gauw kon ik geen kant meer op. Ik stond tussen twee plantenpotten achter een bank. *Klik-klik, klik-klik.* Sissend kwamen er blauwgele vlammen uit hun branders. De mannen bespuwden me, vloekten heftig, staken hun branders als zwaarden in mijn richting, probeerden me vanaf een armlengte afstand in brand te steken, alsof ze niet alleen van me walgden maar ook bang voor me waren. In hun ogen zag ik de vlammen weerspiegeld, zodat het net leek of er binnen in hen hetzelfde vuur brandde dat door de uiteinden van hun wapens mijn kant op spoot.

Een eind verderop langs de promenade ging een etalageruit aan diggelen. Het glas viel rinkelend op het trottoir, en een inbraakalarm begon te loeien. Geschrokken keken mijn belagers wat er aan de hand was. Een tweede etalageruit knalde kapot, en de scherven belandden met een ijl getinkel op de straatstenen. Vervolgens sprong een derde ruit. Drie alarmsirenes loeiden door elkaar heen.

Mijn belagers renden in zuidelijke richting; ik holde de andere kant op. Ze ontkwamen in de nacht; ik ontkwam niet.

24

Toen ik van Gwyneth terugkwam en weer in mijn drie raamloze kamers was, verkeerde ik niet in de stemming om te gaan slapen. Ik had natuurlijk gewoon kunnen gaan slapen. Dit was mijn tijd om te gaan slapen. Maar ik kon gewoon niet gaan liggen en blijven liggen. Het voelde niet goed. Als ik in mijn hangmat ging liggen en mijn ogen dichtdeed, voelde dat alsof ik mezelf opsloot. Ik zinderde van leven, meer dan ooit, meer nog dan toen ik nog jong was en overdag – en soms 's nachts – in de bossen rondstruinde, vastberaden mijn gekwelde moeder in haar huisje niet tot last te zijn.

Ik ging in de leunstoel van Vader zitten en probeerde in de boeken te vluchten, maar dat lukte ook niet. Ik nam drie verschillende boeken ter hand, maar de verhalen boeiden me niet. Ik kon me niet concentreren op de betekenis van de zinnen, en soms kwamen de woorden me vreemd voor, alsof ze in dezelfde symbolen waren geschreven als de tekens die ik op de vensterbank bij Gwyneth had zien staan.

Volgens mij kwam het niet door de liefde dat ik zo rusteloos was, hoewel ik in zekere zin al wel van haar hield. Ik wist wat het was om lief te hebben, want ik had van Vader gehouden, en in mindere mate van mijn moeder. Liefde is een alomvattende emotie, vergelijkbaar met genegenheid maar dan sterker. Je bent vol bewondering voor de ander, die je graag ziet. Kenmerkend voor liefde is dat je de ander altijd ter wille wilt zijn, graag dingen voor hem of haar wilt doen, het dagelijkse pad door de rauwe werkelijkheid voor hem of haar wilt effenen en alles in het werk wilt stellen om ervoor te zorgen dat de ander zich geliefd voelt. Dat had ik allemaal al eens ervaren, en dit was al die dingen bij elkaar maar nu ook met een nieuw en krachtig verlangen van mijn ziel naar de uitmuntendheid waar dit meisje voor stond, niet alleen haar fysieke schoonheid, eigenlijk juist helemaal niet. Wat ze belichaamde was juist veel kostbaarder dan dat, al kon ik het niet goed onder woorden brengen.

Ik dacht ook na over de man bij wie de Nevel was binnengedrongen, en ik wist dat ik eigenlijk iets moest doen om de politie ervan op de hoogte te stellen. Misschien had hij nooit de misdrijven gepleegd die hij met zoveel pervers genoegen op zijn tv-scherm bekeek, maar door het aanschaffen van die dvd's en het bekijken ervan moedigde hij degenen aan die de misdrijven hadden gepleegd en misschien nog wel ergere dingen hadden gedaan. Wat hij graag wilde zien, was wat hij graag wilde doen, en als hij maar genoeg van zulke dvd's keek, zou hij zichzelf misschien ooit toestaan op een dergelijke wijze het leven van een kind te verwoesten.

Na een tijdje werd ik door vermoeidheid overvallen, en hoewel ik me in mijn leunstoel tegen de slaap verzette, dommelde ik toch in. Ik droomde. Ik weet niet wat voor andere dromen ik had voordat ik in mijn nachtmerrie belandde, maar op een gegeven moment bevond ik me in het onoverdekte winkelcentrum waar ik na aankomst in de stad verzeild was geraakt.

In deze herbeleefde ervaring was ik kennelijk zesentwintig, geen kleine jongen meer, maar de zwerver was niets veranderd. Ook nu gooide hij zijn brandende hoed weg en vluchtte hij de nacht in. Hij werd niet door twee mannen achtervolgd, maar door twee levensgrote marionetten, de ene de pop uit de antiekwinkel en de andere een evenbeeld van Ryan Telford, de conservator van de bibliotheek en de moordenaar van Gwyneths vader. Hun ledematen zaten met grote scharnieren aan hun lijf, en hoewel er geen touwtjes aan hen zaten, liepen ze niet gewoon maar kwamen ze grotesk dansend op me af. Toch waren ze zo snel dat ik niet kon wegkomen, en ze hadden allebei butaanbranders bij zich. Toen ze me in een hoek hadden gedreven, begonnen ze te spreken, met klepperende houten kaken. Ryan Telford zei wat ik eerder in de krant had zien staan: 'Pestepidemie in China', en de naamloze marionet met het witgeverfde gezicht en de zwarte ogen met de paarse radiairen zei: 'Oorlog in het Midden-Oosten', met een donkere, dreigende stem. Ze deden geen poging me in brand te steken, maar duwden me omver. Ze schreeuwden het allebei uit van woede, zonder woorden te gebruiken, en denderden langs me heen, omdat ze iemand anders achternazaten. Toen ik overeind krabbelde en me omdraaide, zag ik tegen wie hun haat gericht was: Gwyneth. De vlammen dansten al over haar heen, en toen ik naar haar toe rende om haar te redden en de verterende vlammen met mijn eigen lichaam te lijf te gaan, werd ik zwetend wakker en stond ik uit de leunstoel op.

Ik had het laatste deel van de ochtend geslapen, tot in de middag. Ik zag dat het 14.55 uur was.

Ik moest nog meer dan vier uur wachten voordat ik Gwyneth weer zou zien, maar in de eerste minuten nadat ik wakker was geworden, had ik het gevoel dat ik een voorspellende droom had gehad, een waarschuwing dat ze nú in gevaar was.

Ik had geen mobieltje waarmee ik haar kon bellen. Nooit eerder had ik een telefoon nodig gehad. Bovendien had ik haar nummer niet.

IJsberend probeerde ik de onrust te verdrijven. Ik wist dat het veel te gevaarlijk was om nu naar haar toe te gaan. Het duurde nog zeker twee uur voordat de zon zou ondergaan. Ik had me overdag nog nooit bovengronds in de drukke stad gewaagd.

In de twaalf jaar dat ik in het gezegende gezelschap van Vader had verkeerd, had hij me voortdurend en op kundige wijze geschoold in de kunst van het overleven en het onzichtbaar verplaatsen. Wij die ons verborgen moeten houden worden zo intens gehaat dat we ons geen enkel foutje kunnen veroorloven, en de erg-ste fouten maak je als je door onvoorziene omstandigheden de re-gels aanpast die er steeds voor gezorgd hebben dat je al die tijd hebt overleefd.

In crisissituaties kon ik misschien weinig voor Gwyneth beteke-nen, maar als ik dood was, had ze al helemaal niks aan me.

Langzaam kwam weer bij me boven wat Vader zoal in zijn wijs-heid tegen me had gezegd en zakte de paniek af.

Nadat ik perzikthee had ingeschonken en dat in de magnetron warm had gemaakt, nam ik een bad in de oude badkuip en nipte ik van de thee. Ik hield mezelf voor dat ik geduld moest betrachten. Het meisje mocht dan weliswaar een sociale fobie hebben, maar ze wist beter dan ik hoe ze zich in de wereld staande moest houden. Ze wist hoe ze zichzelf kon beschermen. Bovendien kon ze terug-vallen op het fonds dat haar rijke vader voor haar had opgericht, en daardoor werd ze verschoond van heel wat naars dat deze wereld te bieden had.

Tegen de tijd dat ik me had afgedroogd en me had aangekleed, begon ik te merken dat ik de lunch had overgeslagen. Ik maakte een broodje klaar en schonk nog een kop thee in.

Toen ik bijna klaar was met eten, realiseerde ik me iets vreemds dat steeds merkwaardiger werd naarmate ik er langer over nadacht. De zwarte ruitvormen op haar gezicht en haar opvallende ogen daar middenin leken griezelig veel op die van de marionet, en toch had ik het met haar niet over die pop gehad. Ook waren me die merk-waardige overeenkomsten nog niet eerder opgevallen.

Een paar minuten later, toen ik mijn bordje en mijn kop in de badkamer afwaste, bij de enige wastafel die ik had, hield de mario-net me nog steeds bezig. Ik moest denken aan iets wat op die ene avond in oktober was gebeurd, nadat de winkelruiten aan diggelen waren gegaan en de twee jonge criminelen met hun butaanbranders op de vlucht waren geslagen.

25

Mijn eerste nacht in de stad, en overal waar ik liep, lag glas...

Omdat mijn belagers in zuidelijke richting waren gerend, holde ik naar het noorden, maar bijna onmiddellijk botste ik tegen een man op die me wilde tegenhouden. Ongezien had hij mijn ontmoeting met de zwerver en diens achtervolgers gadegeslagen. Met stenen had hij de etalages ingegooid, waardoor het alarm was afgegaan, en dat had hij gedaan om me te helpen, al begreep ik aanvankelijk niet wat zijn bedoeling was.

Hij was lang en sterk, en ik was klein, maar hoewel het misschien geen zin had om me te verzetten, probeerde ik me uit zijn greep te ontworstelen. Hij droeg een lange zwarte regenjas die wel iets van een cape weg had. Met zijn rechterhand hield hij me vast, en met links trok hij zijn capuchon af. Toen ik zag dat hij net als ik was, staakte ik mijn verzet en keek ik hijgend naar hem op, totaal overdonderd.

Tot dat moment had ik altijd gedacht dat ik de enige op de wereld was die er zo uitzag, het gedrocht dat ik volgens de vroedvrouw en haar dochter was, een monsterlijk wezen, veroordeeld tot een eenzaam bestaan, tot iemand me uit mijn lijden zou verlossen. Nu bleek er nog iemand als ik te zijn, en als er twee van ons waren, zouden er misschien ook wel meer zijn. Ik had altijd gedacht dat ik jong zou sterven, maar hier stond iemand voor me die net als ik was, die in de twintig was en de beschikking had over al zijn ledematen.

'Ben je alleen?' vroeg hij.

Ik was zo overdonderd dat ik geen woord kon uitbrengen.

Hij verhief zijn stem om boven de loeiende sirenes uit te komen. 'Ben je alleen, knul?'

'Ja. Ja, meneer.'

'Waar is je schuilplek?'

'Het bos.'

'In de stad is geen bos.'

'Ik moest daar weg.'

'Hoe ben je hier dan verzeild geraakt?'

'Onder een doek. Op een truck.'

'Waarom ben je naar de stad gegaan?'

'Dat wist ik niet.'

'Wát wist je niet?'

'Waar de truck me naartoe zou brengen.'

'De truck heeft je bij mij gebracht, zodat je misschien een kans hebt om te overleven. Kom, we gaan. Opschieten nu.'

We deden onze capuchon op, en terwijl het glas onder onze voeten knarste en tingelde, liepen we snel weg, langs de smeulende resten van de verbrande hoed. Toen we langs de winkel met antiek speelgoed kwamen, waar het raam was ingegooid, lagen alle spullen nog net zo in de etalage, met uitzondering van de marionet, die was verdwenen. Bijna was ik blijven staan omdat ik mijn ogen niet kon geloven. Maar soms wist ik dingen diep vanbinnen waar ik met mijn hoofd niet bij kon, en op dat moment voelde ik een drang om door te gaan zonder om te kijken en zonder me af te vragen waar de marionet was gebleven, omdat die vraag vanzelf zou worden beantwoord.

Tegen de tijd dat we de politiesirenes hoorden, waren we al een paar straten van het winkelcentrum vandaan, in een achterafstraatje dat geplaveid was met keien en waar het zo donker was als een wildpad in het bos bij halve maan. Een plotselinge bries verdreef de stilte van de nacht toen de man die ik uiteindelijk Vader zou gaan noemen een ijzeren putdeksel vasthaakte, optilde en opzijschoof. De wind blies over het vrijgekomen gat, waardoor een hoboachtige klank ontstond. Ik liet me in het gat zakken en betrad een wereld die ik niet voor mogelijk had gehouden, een plek waar ik een beter bestaan voor mezelf zou opbouwen.

Drie jaren zouden verstrijken voordat ik mijn vader over de marionet vertelde, op de avond dat hij me waarschuwde voor de muziekdoos die meer was dan je op het eerste gezicht zou denken.

26

Het kostte me enige moeite om niet eerder dan afgesproken naar Gwyneth toe te gaan. Per slot van rekening kende ik haar nog niet eens een dag. Hoewel onze relatie zich opmerkelijk gemakkelijk had ontwikkeld, zou het misschien van weinig respect getuigen als ik al bij het vallen van de avond bij haar zou aankloppen, onaangekondigd, twee uur te vroeg, nog los van de vraag met welke smoes ik dan zou moeten komen aanzetten. Sterker nog: een meisje dat zo gebukt ging onder een sociale fobie dat ze het niet kon verdragen aangeraakt te worden, zou dan helemaal afknappen.

Ik begreep – dat dacht ik althans – waarom ze zich in mijn gezelschap op haar gemak voelde terwijl ze zich verre hield van het merendeel van de mensheid, zo niet van iedereen. Door de extreme afkeer waarmee mensen op me reageerden, door het feit dat ik in hun ogen een gedrocht was, zag Gwyneth me als een buitenstaander, iemand die niet echt bij de menselijke soort hoorde, zodat haar fobie in mijn geval eigenlijk geen opgang deed. Tegelijkertijd had ik me net als zij van alle anderen afgezonderd, waardoor onze levens op het emotionele vlak overeenkomsten vertoonden, en die gedeelde ervaring verklaarde ten dele haar affiniteit met me.

Ik hoopte dat ze uiteindelijk net zulke liefdevolle gevoelens voor me zou opvatten als ze misschien ooit voor haar vader had gekoesterd. Meer verwachtte ik niet, en misschien was er ook niet meer mogelijk tussen iemand die niet door anderen gezien wilde worden en iemand die niet door anderen aangeraakt wilde worden. Na zes jaar eenzaamheid was een vriendschap het mooiste geschenk dat ik kon bedenken. Meer kon ik niet wensen.

Om het risico te verkleinen dat het meisje toevallig mijn gezicht te zien zou krijgen en zich dan kapot zou schrikken, en om ervoor te zorgen dat het niet steeds zo donker hoefde te zijn als we bij elkaar waren, én om te voorkomen dat anderen me zagen tijdens die drukke uren in de stad, trok ik niet alleen mijn capuchon over mijn hoofd maar deed ik ook een bivakmuts op, met alleen gaten voor mijn ogen en mijn mond. Ik kon met gemak door de wol ademen, en ik ging ervan uit dat zelfs de meest wantrouwende passant snapte waarom ik me op deze koude decemberavond zo uitdoste.

Terwijl ik onder de stad door liep, op weg naar haar woning bij Riverside Commons, besloot ik dat ik vanwege Gwyneths aandoening niets zou zeggen over de dingen die alleen zichtbaar waren voor degenen die zich verborgen moesten houden. Zij had zo ook haar mysteries, die ze erkende maar voor zichzelf hield. Om niet dusdanig exotisch over te komen dat ik helemaal van haar vervreemdde, zou ik mijn geheimen net zo geleidelijk prijsgeven als zij.

Deze keer vermeed ik Power Station 6 onder het park, omdat er op dit tijdstip meer mensen aan het werk waren dan 's nachts. Om het wegpompen van het overtollige hemelwater tijdens hevige regenval te vergemakkelijken, zijn de tunnels van het afvalwatersysteem op strategische punten met elkaar verbonden. Ik daalde in een ervan af en zette mijn voeten van de ene ijzeren ring op de andere. Het was een schacht van bijna tien meter lang, meer dan een meter in doorsnee, niet ver van de Commons af. Toen ik bijna onderaan was, denderde de metro langs in de duisternis onder me, wat betekende dat ik minstens drie minuten had voordat de volgende met een hels kabaal voorbijkwam. Ik hoefde maar honderd meter door de metrotunnel te lopen, paste ervoor op niet op de derde rail te stappen, want die stond onder hoogspanning, en kwam bij een nooduitgang die naar binnen openging en uitkwam op een stelsel van brede trappen die naar boven voerden.

Sommige van dergelijke uitgangen kwamen uit in openbare ruimtes, vaak metrostations, waar ik dus niets aan had. Maar deze trappen liepen ooit naar de begane grond van de 57th Street Armory, een gebouw dat al negen jaar eerder was gesloopt als gevolg van de zoveelste stadsrenovatie. Terwijl er ambitieuze plannen werden ontwikkeld om op die plek goedkope huurwoningen neer te zetten, was er zolang een schuurtje geplaatst om de nooduitgang af te sluiten. Het waren moeilijke tijden en de stad had de financiering van het project nog niet rond. Het schuurtje stond er nog steeds, en de deur kon vanbinnen altijd worden geopend.

Ik hoefde maar één klein straatje over te steken, daarna een kort stuk langs een aantal steegjes, vervolgens een avenue over waar regelmatig mensen kwamen, en dan door een smalle brandgang tussen twee oude gebouwen door om bij de achterkant van Gwyneths huis uit te komen. Ik zag alleen op tegen het oversteken van de avenue, vanwege het licht van de lantaarnpalen en de koplampen van het tegemoetkomende verkeer. Maar met mijn bivakmuts en mijn capuchon op, mijn jas en handschoenen aan, was het getoeter van een verstoorde automobilist het enige wat ik op mijn weg tegenkwam.

Aan de achterkant van het gebouw waar Gwyneth woonde, brandde warm licht in de appartementen op de begane grond en de tweede verdieping. Ik liep de brandtrap op en merkte tot mijn opluchting dat de gordijnen op de eerste verdieping, waar ik had gezien hoe de Nevel bezit nam van de in een zijden badjas gestoken man, dichtzaten.

Boven aangekomen zag ik dat het slaapkamerraam al openstond; binnen brandde geen licht. De deur achter in de kamer stond open, en een plafonnière van geslepen kristal wierp puntige patronen in kleurige vlekken op de muur van de gang: lichtblauw, donkerblauw en rood.

Toen ik over de vensterbank gleed en de kamer in stapte, voelde ik onmiddellijk dat er iets niet in de haak was.

27

Ik was elf, al drie jaar bij Vader, en raakte er elke dag meer van doordrongen dat de city een soort woud was waarin ons soort zich net zo steels kon verplaatsen als een vos in een veld met varens.

Om twee uur 's nachts, met de sleutel die hij had gekregen van een man die hem vreesde, maar die hem niet haatte – daarover later – verschafte Vader ons toegang tot de voedselbank die door St. Sebastian's Church was opgezet. Als de bedoening gesloten was, werden er inbraakwerende rolluiken neergelaten die uit stalen stroken bestonden, waardoor we met een gerust hart het licht konden aandoen zonder dat patrouillerende agenten onmiddellijk doorhadden dat er iemand binnen was.

Naast een voedselbank zat er in het gebouw ook een kringloopwinkel; ze werden door een boogvormige doorgang met elkaar verbonden. Vader had toestemming een keuze uit de tweedehands kleren te maken om zichzelf te kleden, en mij nu ook. Voordat we naar de voedselbank gingen, wilden we eerst een nieuwe broek en trui voor mij uitzoeken, omdat ik snel uit mijn kleren groeide.

In de kringloopwinkel waren niet alleen kleren te koop, maar ook tweedehands meubelen, boeken, cd's en dvd's, speelgoed en sieraden. Keukengerei. Decoratieve artikelen.

Die nacht ontdekte ik een speeldoos die ik betoverend vond. Het ding was van gelakt hout, met een ingewikkeld patroon erop geverfd, maar wat me nog het meest bekoorde, waren de vier kleine dansers bovenop. Ze waren ongeveer acht centimeter hoog, kunstig uitgesneden en geverfd, prachtig gedetailleerd. Er was een prinses in een lange jurk en met een tiara op, en een prins die staatsiekleding en een kroon droeg. Ondanks de kunstige manier waarop de poppetjes waren vervaardigd, had het geheel ook iets komisch. De prins en prinses dansten niet met elkaar maar met twee fantasiefiguren. De prins had zijn rechterarm om een kikker met grote ogen geslagen, en met zijn linkerhand hield hij de rechterpoot van die grijnzende amfibie vast, alsof ze een walsje dansten. De knappe prinses stond in een vergelijkbare houding, maar zij werd vastgehouden door een wezen dat het hoofd, het bovenlijf en de armen van een man had, maar de poten, oren en hoorns van een bok. Hij zag er lachwekkend uit, met name doordat hij een groene bladerkrans op zijn hoofd droeg.

Nadat ik het doosje met de sleutel had opgewonden en de schakelaar had ingedrukt, begonnen de twee bizarre stellen op de muziek te dansen, ronddraaiend en tegelijkertijd een acht beschrijvend. Ik begon te lachen, maar Vader keek toe zonder dat er ook maar het minste lachje op zijn gezicht verscheen. Zo ernstig had ik hem zelden meegemaakt.

'Ze danst met de Griekse god Pan,' zei hij, 'en de prins danst met een nog veel erger wezen.'

'Ik vind ze grappig.'

'Ik niet.'

'Vindt u ze niet grappig?'

'Dat is geen wals,' zei Vader.

'O nee?'

'Ze hebben er een wals van gemaakt.'

'Wat was het dan eerst?'

De figuurtjes dansten steeds maar in het rond.

Vader zei: 'Ze hebben het veranderd om er de spot mee te drijven.'

In het doosje draaide een cilinder rond, waarvan de pinnetjes de gestemde spijlen van een klankkast in trilling brachten. Ondanks het feit dat de speeldoos mechanisch werd aangedreven, kwam de muziek aanvankelijk sprankelend en uitbundig op me over. Nu kregen de klanken onmiskenbaar iets verontrustends. De stalen spijlen brachten verbeten klanken voort, alsof de muziek vol agressie en haat zat. Terwijl het tempo werd opgevoerd, draaiden het vorstelijk paar en hun danspartners steeds sneller in het rond, tot ze niet meer leken te dansen maar in een uitzinnig tempo rondtolden.

Vader zette het speeldoosje uit. Hij pakte het stalen sleuteltje waarmee het mechaniek kon worden opgewonden en stopte dat in een van zijn broekzakken.

Ik vroeg: 'Neemt u dat sleuteltje mee? Waarom?'

'Ik wil niet meer dat het ding gaat spelen.'

'Maar dan kan het niet meer worden verkocht.'

'Des te beter.'

'Maar dat is toch stelen?'

'Ik zal het sleuteltje aan onze vriend geven.'

'Vriend? Wat voor vriend?'

'Degene van wie we hier mogen komen.'

'Is hij onze vriend?'

'Nee. Maar een vijand is hij ook niet.'

'Waarom wilt u dat sleuteltje aan hem geven?'

'Dan kan hij een beslissing over die speeldoos nemen.'

'Wat moet hij dan beslissen?'

'Wat ermee moet gebeuren.'

'De winkel heeft geld nodig. Zal hij het ding niet willen verkopen?'

'Dat hoop ik niet,' zei Vader.

'Wat hoopt u dan dat hij met die speeldoos zal doen?'

'Ik hoop dat hij hem kapotgooit. Kom, laten we eens naar een broek en een trui voor jou gaan kijken.'

We kozen een donkere kaki broek uit, een blauwe spijkerbroek en een paar sweaters. Vader rolde de kleren op en deed ze in een jutezak die hij voor dat doel had meegebracht.

In de voedselbank deed ik wat hij me opdroeg. Nadat hij een paar pakken pasta en crackers in mijn rugzak had gedaan, en ik zijn rugzak met ingeblikte groenten en een paar stukken kaas had gevuld, zei hij: 'Je zit nog aan die speeldoos te denken.'

'Ik snap niet waarom die kapot moet.'

'Je kent toch die dingen die wij wel kunnen zien maar anderen niet?'

'U bedoelt de Helderen en de Nevelen.'

'Als je ze zo wilt noemen, prima. Ik heb je verteld dat je niet naar ze moet kijken als je het idee hebt dat ze naar jou kijken.'

'Dat weet ik nog.'

'En ik heb je ook verteld dat het niet verstandig is om de hele tijd aan ze te denken.'

'Maar u hebt er niet bij gezegd waarom dat niet verstandig is.'

'Dat moet je te zijner tijd zelf maar uitvogelen. Wat je op dit moment goed moet begrijpen, is dat de Nevelen, zoals jij ze noemt, zich soms verstoppen in dingen als die speeldoos.'

'Verstoppen ze zich in speeldozen?'

'Niet alleen daarin,' zei Vader. 'In alles wat door mensenhanden gemaakt is, overal waar ze maar willen.'

'Alleen in dingen die door mensen gemaakt zijn?'

'Volgens mij wel. Misschien is het afhankelijk van wie het voorwerp gemaakt heeft, diens karakter. Als het voorwerp is gemaakt door een persoon die door woede of afgunst verteerd is, of door wellust of wat dan ook, voelt de Nevel zich tot dat voorwerp aangetrokken, voelt hij zich erin thuis.'

'Waarom verstopt hij zich daar dan in?' vroeg ik.

'Nou, ik weet niet of verstoppen wel het juiste woord is. Misschien dringen ze die dingen binnen om een tijdje te gaan dromen of te overwinteren, of weet ik veel. Ze blijven daar dan weken, maanden, jaren, tientallen jaren zitten, maar tijd heeft totaal geen betekenis voor ze, dus dat maakt niet uit.'

'Dus er zit nu een Nevel in de speeldoos te slapen?'

'Die slaapt en wacht, ja. Ja, dat kan ik voelen. Later zul jij ook leren hoe je dat kunt voelen.'

'Waar wacht hij dan op?'

'Op iemand die de speeldoos en dus ook de Nevel mee naar huis neemt.'

'Wat gebeurt er dan?'

'Niets dan ellende,' zei Vader. 'Maar we hebben het er ondertussen al veel te lang over. Als de Nevel slaapt, kan hij wakker worden als er te veel over hem wordt gepraat.'

We gingen weer naar buiten, waar de door mensenhanden gebouwde stad voortraasde en sliep, lachte en weende, danste en droomde, en wachtte.

Toen we veilig ondergronds waren en door de tunnels liepen waar het water talloze malen had gestroomd en nog zou stromen, galmden fluisterende echo's van onze stemmen door de betonnen doolhof. Ik vertelde Vader over de marionet die ik drie jaar geleden in een etalage zag en die plotseling was verdwenen. Hij zei dat dat precies was wat hij bedoelde toen hij me over de speeldoos vertelde, en ik zei dat niemand die pop had meegenomen, en hij zei dat een van de criminelen met de butaanbranders het ding misschien had weggegrist toen hij wegrende, of dat de marionet misschien op eigen houtje ergens naartoe was gegaan. Hij zei dat we er maar beter het zwijgen toe konden doen, want als de marionet nu al drie jaar ergens in de stad aan het slapen was, moesten we voorkomen dat we het ding wakker praatten.

28

Wat er onder meer mis was in de donkere slaapkamer, was de geur die er hing. Eerst had het er nog fris en schoon geroken, maar nu hing er een scherpe parfumlucht. Het gothic meisje had geen parfum opgehad. Het was de geur die ik herkende van de afgelopen nacht in de bibliotheek.

Wat me verder opviel, was hoe stil het was. Uit de keuken kwam geen enkel geluid, er klonken geen voetstappen, er werd niets gezegd ter begroeting, hoewel ik precies op tijd was. Zelfs buiten bleef het op een merkwaardige manier stil, zonder het geraas van verkeer of muziek in de verte of stemmen die door het open raam naar binnen zweefden.

Ik verroerde me niet, omhuld door de duisternis en de doodse stilte, als met een lijkwade omwikkeld. Ik luisterde of ik haar kon horen, of de man die haar appartement was binnengedrongen. Ik kreeg het gevoel dat ik alleen was. Als expert op het gebied van eenzaamheid trok ik mijn oordeel niet in twijfel.

Omdat ik bang was dat ik haar toegetakeld en levenloos op de grond zou aantreffen, durfde ik mijn zaklantaarn eerst niet aan te doen, maar natuurlijk deed ik dat uiteindelijk toch. De matras was van de boxspring getrokken, alsof hij had gedacht dat er iets onder verborgen lag. De la van het nachtkastje stond open, net als de deur van de inloopkast. De kast was doorzocht. Alle kleren en schoenen waren op de grond gegooid.

Als ik haar nu al zou kwijtraken, zou dit wellicht het equivalent zijn van de vuurdood die ik steeds al verwachtte. Verlies kan net zo verzengend zijn als vlammen.

Snel liep ik door de gang naar haar werkkamer. De laatjes van het bureau waren leeggehaald, en de inhoud ervan lag verspreid door het vertrek. Haar computer stond aan, en ik stelde me voor dat hij had gekeken wat erop stond, zoals ze dat ook bij zijn computer had gedaan.

In de woonkamer waren boeken van de planken gegooid en lagen op een stapel, alsof ze verbrand zouden worden.

In de keuken lagen borden en glazen in scherven op de grond. Ik schrok toen de wandtelefoon ging, stapte tussen de brokstukken door en pakte de hoorn van de haak.

Omdat ik met mijn zesentwintig jaar nog nooit een telefoon had opgenomen, kwam het niet in me op om iets te zeggen.

Gwyneth zei: 'Addison?'

'Ja. Ik. Ik ben hier. Ik ben blij dat jij het bent. Dat je ongedeerd bent.'

'Ik dacht al dat je daar zou zijn. Je zou me nooit laten stikken.'

'Hij heeft er hier een puinhoop van gemaakt.'

'Om vijf uur. Ik stond bij het raam, te wachten tot de storm zou losbarsten. Dat vind ik altijd een mooi moment om te zien.'

'Wat voor storm?'

'De sneeuwstorm. Het zou om vijf uur gaan sneeuwen, maar dat is niet gebeurd. Nog steeds niet. Ik zag dat hij zijn auto voor het huis neerzette en uitstapte. Hij kende dat adres niet, en die zeven andere ook niet. Iemand moet me hebben verraden.'

Ik dacht aan de man die haar vader had aangesteld als beheerder van het trustfonds, en zei: 'Teague Hanlon?'

'Als hij hierachter zit, kan ik het hoe dan ook wel schudden. Maar hij is het niet. Er is nog een andere mogelijkheid. Maar goed, toen ik Telford zag uitstappen en snapte dat hij wist waar ik zat, ging ik ervan uit dat hij ook een sleutel had. Ik ben toen door het slaapkamerraam naar buiten geglipt en langs de brandtrap naar beneden gegaan. Addison, wil je me helpen?'

'Ja, natuurlijk. Wat kan ik voor je doen? Zeg het maar.'

'Laten we het zekere voor het onzekere nemen,' zei ze. 'Misschien luistert er iemand mee. Ik ga je een paar vragen stellen, waarop je alleen met ja of nee moet antwoorden. Snap je dat?'

'Ja.'

'Weet je die vissen nog?'

'Nee.'

'Afgelopen nacht. De vissen die er niet waren.'

'Nee. Jawel! Oké,' zei ik. Ons bezoekje aan de vijver in Riverside Commons schoot me te binnen, de plek waar de koikarpers eerst waren geweest maar nu voor de winter waren binnengehaald.

'Kunnen we daar over een uur afspreken?'

'Jawel. Eerder kan ook.'

'Over een uur. Kijk uit naar een Land Rover.'

'Wat is een Land Rover?'

'Een soort auto. Een suv.'

'Kom jij daarin aanrijden?'

'Ik ben niet van plan dat ding te gaan duwen. Je hoeft er niet bang voor te zijn.'

'Jij moet ook niet bang zijn. Ik heb nu een bivakmuts op.' Ik legde uit waarom ik niets had gezegd toen ik de telefoon had opgenomen. 'Dit is de eerste keer dat ik een telefoon in handen heb.'

'Dat meen je niet.'

'Jawel, hoor. Ik ken niemand die ik zou willen bellen.'

'Hoe bevalt het?'

'De telefoon? Prima. Maar toch vind ik het fijner als we elkaar kunnen zien.'

'Nog achtenvijftig minuten wachten.'

'Ik zal er zijn,' beloofde ik.

Ze hing op, en na een half minuutje gewacht te hebben, hing ik ook op.

29

Op mijn veertiende kreeg ik een horloge van een dode man. Vader verzekerde me toen dat het geen diefstal was, maar dat idee was nog niet eens bij me opgekomen. Toen de man op sterven lag, wilde hij de Rolex aan Vader geven, en gezien de omstandigheden zou het ronduit bot zijn geweest om het geschenk niet te aanvaarden.

Het was een novemberavond. We waren de straat op gegaan zonder dat we bang hoefden te zijn ontmaskerd en aangevallen te worden, want het hoosde. De inwoners van de stad gingen er prat op dat ze hun mannetje stonden, dat ze doorgewinterde onderhandelaars waren, nuchtere types die geen onzin duldden, die door de realiteit van het harde bestaan alle illusies waren kwijtgeraakt en geen last hadden van sentimentele gevoelens. Ze waren geen ruziezoekers, maar aan de andere kant deinsden ze er niet voor terug de strijd aan te gaan. Ik weet niet of een aanzienlijk deel van de bevolking al die kwaliteiten in zich verenigde, of dat er überhaupt iemand te vinden was die een van die kwaliteiten bezat. Wat ik wel weet, is dat het stadsbestuur haar bewoners in de watten legde, hun allerlei voorzieningen en gemakken bood, en los van de vraag hoe meedogenloos en intolerant ze zich tegenover buitenstaanders en elkaar opstelden, dropen ze op slag af als de natuur zich van haar ruigste kant liet zien. Dan zochten ze hun toevlucht in warme, knusse kamers waarin zoveel vertier te vinden was dat ze de natte, winderige wereld buiten urenlang konden vergeten.

Die avond regende het zo hard dat de stad wel een drumstel leek. Elk oppervlak produceerde een ritme; trottoirs en ramen en afdakjes, verkeersborden en geparkeerde auto's en afvalcontainers dreunden als tamtams, deksels van vuilnisbakken ruisten doordat regenvlagen er door de wind langs geblazen werden, zodat ze klonken als de brushes van een slagwerker op een snaredrum.

Vader en ik hadden rubberlaarzen aan, handschoenen en een zwarte gevoerde regenjas met capuchon, die we met klittenband onder onze kin hadden vastgemaakt. Ook hadden we allebei een bivakmuts op, al liep er nauwelijks iemand op straat, en wie zich wel op straat waagde, liep voorovergebogen en gehaast, weggedoken onder een paraplu die met beide handen tegen de wind in vastgehouden moest worden omdat hij anders omklapte.

Door de storm die achteraf de zwaarste van de afgelopen tien jaar bleek te zijn, was er weinig verkeer op de weg. In dit nachtelijk noodweer reden er nauwelijks taxichauffeurs rond die op zoek waren naar klanten. De paar taxi's die klanten vervoerden, kregen te maken met ondergelopen kruisingen en zulke zware regenval dat de ruitenwissers het niet aankonden, zodat de chauffeurs geen kans kregen zich met ons bezig te houden. Ook waren er bijna geen politiewagens op straat, misschien omdat uit de statistieken bleek dat criminelen bij lelijk weer liever thuisbleven, lekker warm en knus, net als de gezagsgetrouwe burgers.

Niet alle criminelen lagen lekker op één oor of waren videospelletjes aan het doen, want op onze tocht door de stad liepen we er vier tegen het lijf.

We hadden geen boodschappen die nodig gedaan moesten worden, er was niets wat we direct nodig hadden. We waren op pad gegaan om de stad te verkennen.

Bij goed weer, ook al was het nacht, moesten we alle goed verlichte plekken in de stad zien te vermijden. We verplaatsten ons van schaduw naar schaduw, als twee kakkerlakken die bevreesd waren onder een stampende zool geplet te worden. Daarom gingen we meestal gericht op pad om alleen die taken te verrichten die we ons hadden gesteld.

Als de wind door de canyons van de hoogbouw jakkerde, als de storm die monolieten vervaagde alsof ze in één nacht met de rest van de menselijke beschaving zouden worden uitgewist, een beschaving die anders over een periode van duizend jaar tot stof zou vergaan, dán hadden Vader en ik vrij spel in de stad. We konden overal naartoe waar we maar heen wilden en ons onbevreesd vergapen aan de verlichte etalages van de mooiste winkels en galeries in de duurste straten. Terwijl we van de ene naar de andere etalage gingen, genoten we van de kunst en de sprankelende luxe die we ons nooit konden veroorloven en die we, mocht ons een fortuin in de schoot geworpen worden, nooit zouden kunnen aanschaffen zonder oog in oog komen te staan met een verkoper die ons alleen al bij de aanblik van onze ogen zou ontmaskeren als wanstaltige monsters.

In zulke nachten was de vrijheid om naar plekken te gaan die we normaal gesproken moesten zien te vermijden net zo heerlijk als het weer zelf, dat we koesterden. Ondergronds merkten we niets van het weer, behalve van het afgevoerde hemelwater tijdens een storm. We verlangden net zo zeer naar daglicht als naar frisse lucht en de strelende wind en de zon op onze huid. We vonden het heerlijk wanneer het zulk noodweer was dat andere mensen hun heil binnenshuis zochten, omdat we ons alleen dan rustig en onbevreesd konden verplaatsen.

We waren een paar straten van de mooiste winkels af, in een andere buurt, toen we de schoten hoorden.

De jakkerende wind en de ziedende regen voelden en klonken als miljoenen vogels die constant om ons heen opvlogen en die met hun vleugels tegen ons aankwamen. We liepen door een straat met lage winkelpanden en bewonderden de architectuur die uit het begin van de twintigste eeuw stamde. Sommige panden waren gerestaureerd, maar andere waren in verval geraakt, en in een van die slecht onderhouden gebouwen brandde licht.

Toen we dichterbij kwamen, klonken er schoten boven het geruis van de regen uit, en op de begane grond vloog een raampje aan diggelen. Een deur zwaaide open, en een man liep naar buiten, maar voordat zijn haar goed en wel nat was geworden, werd hij in zijn rug geschoten en zakte hij op het trottoir in elkaar, alsof hij eerst alleen overeind was gehouden door het pak dat hij aanhad.

Vanuit het gebouw ratelden minstens twee wapens enkele tientallen seconden door, en na het laatste schot viel er binnen net zo'n definitieve stilte als in een kist anderhalve meter onder de grond. De deur stond open, maar niemand kwam erdoor naar buiten om hulp te bieden aan de man die in zijn rug was geschoten, of om hem uit zijn lijden te verlossen. Hij lag op zijn zij en huilde.

Er kwam geen verkeer langs. Er ging geen licht aan achter de ramen van de omliggende gebouwen. Niets bewoog, behalve de plenzende regen en de wind die het hemelwater voortjoeg.

We droegen een bivakmuts en hadden onze capuchon opgedaan, maar alleen al onze ogen zouden ons kunnen verraden. Hoewel we wisten dat er slechts met angst en walging op onze welgemeende bezorgdheid gereageerd zou worden, voelden we ons verplicht het huilende slachtoffer bij te staan.

Vader liep eerst naar de openstaande deur, waagde het een blik naar binnen te werpen, ging naar binnen, maar kwam al snel weer terug. Toen hij samen met mij bij de gewonde neerknielde, zei hij: 'Vijf man daarbinnen, allemaal dood.'

We bevonden ons in het schemergebied tussen twee lantaarnpalen in, maar ook als we volop door de straatverlichting beschenen waren, zou de man onze ogen niet hebben gezien, en misschien zou hij zelfs niets gezien hebben als we onze gezichten aan hem hadden getoond. In zijn delirium zag hij niet wat er werkelijk om hem heen was, maar wat hij graag wilde zien. Hij stond toe dat mijn vader zijn linkerhand beetpakte om zijn pols te voelen, maar het drong niet tot hem door dat hij in het gezelschap van volslagen vreemden verkeerde.

Tegen mijn vader zei hij: 'Papa Gino, waar kom jij ineens vandaan? Ik heb je al in geen eeuwigheid meer gezien.' Hij klonk vermoeid en in de war. De dood zou hem spoedig komen halen. Vader vroeg hem hoe hij heette, zodat hij een gebed voor hem zou kunnen opzeggen. 'Herken je me dan niet meer, Papa Gino? Ik ben het, je eigen Jimmy. Wat ben ik groot geworden, hè? Ik heb het goed voor elkaar.' Jimmy begon te rochelen, en tussen zijn lippen verscheen wat bloed, zwart in het schemerduister. Misschien omdat mijn vader Jimmy's linkerpols vasthield, zei de stervende man: 'Zie je dat horloge van mij, Papa? Een echte Rolex, puur goud. Neem jij hem maar. Ik heb je nooit wat gegeven. Ik wou dat ik dat wel had gedaan. Nu kan ik het eindelijk doen. Neem hem maar, Papa.' Toen mijn vader niet onmiddellijk op het aanbod inging, begon Jimmy erbarmelijk te snikken, en hij vroeg hem om vergiffenis, waarvoor wisten we niet, en zijn rusteloosheid leek hem meer parten te spelen dan zijn fysieke pijn. Twee keer gaf hij bloed op toen hij zei: 'Neem dat horloge alsjeblieft, Papa Gino, het is in elk geval íéts wat ik kan doen, al is het niet veel.' Mijn vader haalde het horloge van de pols en gaf het aan mij, omdat een week geleden mijn tweedehands horloge uit de kringloopwinkel kapot was gegaan. Vader bedankte Jimmy voor het geschenk en noemde hem 'zoon' en zei dat het veel voor hem betekende dat hij het horloge had gekregen. Hij hield Jimmy's hand met beide handen vast en zei een gebed voor hem op. Ik bad ook, in stilte.

Toen Jimmy op sterven lag, had hij harde gelaatstrekken, maar toen hij eenmaal het leven had gelaten, kreeg zijn gezicht bijna iets zachtmoedigs en vriendelijks. Zijn starende ogen betrokken en werden glazig, en de regen spoelde de tranen eruit.

Het moet afschuwelijk zijn geweest toen de dood voor het eerst de wereld betrad, en ook nu, als onderdeel van de gang der natuur, was het zo afschuwelijk dat er geen woorden voor zijn. Als iemand in je nabijheid overlijdt, is dat een deprimerende ervaring, of het nu om je moeder gaat die de hand aan zichzelf slaat, of om een onbekende die alleen maar ter verdediging kan aanvoeren dat zijn horloge van puur goud is.

We lieten de lijken achter zodat anderen ze zouden vinden en begraven, en liepen verder de storm in. De wind joeg de regen tot in de kleinste hoekjes, de lucht was als een zee die boven de aarde hing, en de hele wereld leek erdoor weggespoeld te worden. We gingen terug naar huis, naar onze drie raamloze kamers, en wat Jimmy betreft deden we er het zwijgen toe, alsof het gouden horloge om mijn pols vanuit het niets was verschenen, enkel doordat ik met mijn hand over een toverlamp had gewreven.

Die nacht deed ik geen oog dicht, in tegenstelling tot Vader, of misschien deed hij alsof hij sliep. Ik was bang dat hij misschien dood zou gaan, en ik vroeg me af hoe ik ooit nog zonder hem verder zou kunnen. Ik hoopte dat ik als eerste zou komen te overlijden, al was dat misschien egoïstisch gedacht van mij, maar zoals je weet, ging het in werkelijkheid anders.

30

Van Gwyneths huis naar de vijver in Riverside Commons was maar een paar minuten lopen, maar blijkbaar had zij een uur nodig om daar te komen. De tijd die ik overhad, kon ik gebruiken om me nuttig te maken. Nadat ik het licht had aangedaan en het slaapkamerraam had dichtgeschoven, ging ik naar de woonkamer en raapte daar de boeken op die Ryan Telford op de grond had gegooid. Ik streek verkreukelde boekomslagen glad en zette de boeken terug op de planken, alfabetisch gerangschikt op auteursnaam.

Toen dat klaar was, wilde ik de scherven in de keuken gaan opruimen, maar eerst liep ik naar het raam, waar Gwyneth waarschijnlijk stond toen ze Telford zag uitstappen.

Het sneeuwde nog niet. Vanachter het raam leek Riverside Commons aan de overkant van de straat donkerder dan toen ik nog buiten stond; de verlichting van het pad ging nu achter bomen schuil. Het was bij lange na niet het grootste park van de stad, maar op dat moment leek het een oord waar je gemakkelijk zou kunnen verdwalen, vol plekken waar menig bezoeker nog nooit was geweest, waar vergroeide bomen stonden en het gras zo grijs was als het haar van een oude man.

Tweeënhalf jaar geleden was er op een zomerochtend in de vijver een vrouw aangetroffen, die naakt, bleek en met het gezicht naar beneden tussen de koikarpers dobberde. Haar kleren lagen in een wanordelijk hoopje op de oever, alsof ze uit een of andere goddeloze impuls naakt was gaan zwemmen. Ze bleek een verpleegster te zijn, een echtgenote en moeder van twee kinderen, en ze was vroeg in de avond van haar werk op weg naar huis gegaan. Al snel werden er drie mannen opgepakt – Orcott, Clerkman en Sabbateau – die haar als een speeltje hadden gebruikt, haar hadden gebroken en haar gehaast in de vijver hadden gedumpt, in een poging het te doen lijken alsof ze per ongeluk verdronken was. Orcott had een oom, Benton Orcott, die drie bloemenzaken had en van wie ze een bestelbusje hadden geleend. Ze hadden een oud matras achterin gelegd en noemden het hun wipkar. De misdrijven waren in de rijdende auto gepleegd; per toerbeurt gingen ze voorin zitten, waarbij de derde zich dan met de vrouw bezighield. De echtgenote van Benton Orcott, Verbina, had een hekel aan haar neef, die in haar ogen een ellendige klaploper en een junk was. In de stellige overtuiging dat de neef het busje niet in goede staat had teruggebracht, besloot ze de volgende ochtend het voertuig te inspecteren. Verbina kon geen enkel krasje of deukje ontdekken, maar wel vond ze onder de passagiersstoel een verpleegsterskapje, met daarin een slipje, dat een van de verkrachters als souvenir had willen houden maar per ongeluk in de auto had achtergelaten. Ze belde de politie. Twee dagen later werd de matras gevonden, die voor toekomstig gebruik was opgeslagen in een leegstaand gebouw tegenover het huis waar de neef woonde. De drie mannen kenden elkaar van school en hadden na hun eindexamen geen werk kunnen vinden als gevolg van de slechte economie. Hun raadsman voerde aan dat de maatschappij hen in de steek had gelaten. De verpleegster heette Claire, een naam die van het Latijnse woord 'clarus' komt, wat 'helder, oplichtend, stralend' betekent. In de verklaring die Sabbateau aflegde, zei hij dat ze haar hadden uitgekozen 'omdat ze zo knap was dat ze leek te stralen'.

Ik was niet bij het raam gaan staan om te wachten tot het zou gaan sneeuwen of om deprimerende momenten in de geschiedenis van het park op te halen. Ik ontgrendelde het raam, schoof het omhoog en ontdekte dat er op de vensterbank dezelfde op het Grieks lijkende letters stonden die ook met een viltstift op de vensterbank van de slaapkamer waren geschreven. Ongetwijfeld waren ze op elke vensterbank van het appartement te vinden. Toen er een kil briesje over mijn handen gleed, deed ik het raam dicht en deed ik de grendel er weer op.

Bij de voordeur tuurde ik door het kijkgat om er zeker van te zijn dat er niemand op de derde verdieping in het trapportaal stond. Toen ik de deur opendeed, zag ik dat er ook op de drempel met een viltstift was geschreven. Ik deed de deur dicht, draaide de sleutel om en bleef peinzend staan.

Die symbolen – of waarschijnlijk waren het woorden – leken bedoeld om een of andere vijand af te schrikken. Ryan Telford had zich er niet door laten weerhouden, en ook zouden ze niets hebben uitgericht tegen de types die de verpleegster hadden vermoord. Wat Gwyneth vreesde, was waarschijnlijk geen wezen dat uit een man en een vrouw was voortgekomen.

31

Mijn vader had gezegd dat de Nevelen net zo gevaarlijk waren als de Helderen, en dat de Helderen op hun eigen manier net zo afschuwelijk waren als de Nevelen, en dat we steeds op onze hoede moesten zijn en ze niet aan mochten kijken als ze in de buurt waren. Hoewel ik nooit tegen de wil van mijn vader inging en ik nooit een Heldere heb aangekeken of zijn aandacht heb getrokken, was ik er niet bang voor. Eigenlijk stemde hun aanwezigheid me altijd gelukkig.

In meer of mindere mate ben ik gedurende het grootste gedeelte van mijn leven altijd gelukkig geweest, deels omdat de wereld oneindig veel schoonheid in zich bergt voor wie er oog voor heeft. Ook raak ik niet uitgekeken op de vele mysteries die de wereld te bieden heeft en waaruit ik veel hoop put. Als ik dat serieus en uitgebreid uiteen zou zetten in een boekwerk dat filosofischer van aard is dan dit manuscript, zouden alle weldenkende personen, degenen die overdag vrij kunnen rondlopen, van mening zijn dat de schrijver een naïeve optimist moest zijn, en het geschrift zou zonder pardon worden weggehoond.

Natuurlijk ben ik ook wel eens droeviger gestemd, want verdriet is ingebakken in de klei en het steen waarvan deze wereld is gemaakt. Ik was het verdrietigst in het jaar na de dood van Vader, toen ik het moeilijk vond om alleen te zijn na zoveel jaren in zijn gezelschap te hebben vertoefd.

Toen ik me die nacht op straat waagde, iets meer dan vijf jaar voordat ik Gwyneth zou tegenkomen, zag ik een spektakel dat me dusdanig in vervoering bracht dat mijn zwaarmoedigheid op slag verdween. Ik beschouwde het als een Convocatie. Het woord kwam zomaar bij me op, al had ik destijds geen idee waarom.

Het was in een augustusnacht, al na enen. Het was killer dan normaal voor de tijd van het jaar, en toen ik bovengronds kwam, zag ik overal Helderen, waar ik ook keek. Ze droegen wat ze altijd droegen: witte schoenen met zachte zolen, een ruimzittende broek met een elastieken broekband, en een overhemd met driekwart mouwen. Sommigen waren in het wit, anderen in pastelblauw, weer anderen in lichtgroen, alsof ze op eerstehulpafdelingen en operatiekamers werkten. Er waren mannen en vrouwen van diverse etnische achtergronden, maar ze leken allen ongeveer van dezelfde leeftijd, begin dertig. Ze liepen over richels, bij elk gebouw wel acht of tien of zelfs meer. Met hun gloeiende lijven stonden ze boven op daken, liepen over het trottoir, staken doelgericht de straat over, bleven midden op kruispunten staan. In de glazen torenflats zonder richels zag ik Helderen binnen staan, oplichtend, naar buiten turend. Ze waren in parken te zien, en ik zag ze de trappen van een metrostation afdalen.

Ik had nog nooit meer dan drie of vier Helderen in één nacht gezien en vond het prachtig dat er nu zoveel bij elkaar waren.

Ze praatten niet met elkaar, leken geen gezamenlijk doel te hebben en gingen ieder voor zich rustig hun gang. Sommigen keken ernstig, anderen glimlachten. Ik kreeg de indruk dat ze allemaal luisterden naar iets wat ik niet kon horen, wat misschien betekende dat ze over telepathische krachten beschikten en met elkaar in contact stonden, al kon ik dat natuurlijk met geen mogelijkheid weten.

De weinige automobilisten die op dat tijdstip rondreden, leken zich niet bewust van de oplichtende menigte. Ze reden dwars door sommigen heen, en het was alsof zowel de Helderen als de auto's luchtspiegelingen waren waartussen geen contact mogelijk was, alsof ze in verschillende dimensies verkeerden en alleen ik ze tegelijkertijd kon waarnemen.

Gefascineerd liep ik door de straten. Soms keken een paar Helderen mijn kant op, en dan wendde ik steeds onmiddellijk mijn ogen af. Maar steeds in de fractie van een seconde waarin onze blikken elkaar kruisten, kreeg ik het gevoel dat er een blokje droogijs langs mijn ruggengraat gleed. De kille huivering was zo heftig dat ik er niet van zou hebben opgekeken als er tussen de bovenste wervel en mijn stuitbeentje blaren waren ontstaan.

Ik werd toen ontegenzeglijk bang, heel even maar, en al snel vond ik het weer fantastisch mooi om ze te zien. Die nacht heb ik duizenden Helderen gezien, en nooit heb ik meer zo'n prachtig schouwspel mogen aanschouwen.

Dagen nadien had ik het gevoel dat er iets nieuws stond te gebeuren, een evenement dat nooit eerder in de stad had plaatsgevonden en dat niemand zou verwachten. Maar naarmate de tijd verstreek, gebeurde er niets wat de inwoners van de stad al niet dagelijks meemaakten. Ik was lichtelijk teleurgesteld, tot ik bedacht dat de Convocatie misschien had plaatsgevonden ter voorbereiding van een onvoorstelbare gebeurtenis.

En toen ik dat bedacht, voelde ik weer het droogijs langs mijn ruggenwervel glijden, al was er deze keer geen enkele Heldere te zien.

32

Ik wachtte op het pad bij de vijver. Het was koud, en het werd met de minuut frisser. Als het zo doorging, zou ik er misschien getuige van zijn hoe de eerste ijskristallen zich op het ondiepe donkere water langs de oever afzetten.

Gwyneth was niet te laat; ik was een paar minuten te vroeg. Nog voordat ik in de keuken alle scherven glas- en aardewerk had opgeruimd, had ik een sterke aandrang gekregen om zo snel mogelijk weg te gaan. Ik weet niet waarom dat zo was. Ik kreeg het idee dat ik het slaapkamerraam niet goed afgesloten had en dat iemand of iets met slechte bedoelingen op dat moment langs de brandtrap naar boven kwam en elk moment het appartement zou kunnen binnensluipen.

Dat gevoel werd zo sterk dat ik alle omzichtigheid liet varen en de woning via de voordeur verliet. Ik rende met twee treden tegelijk de trap af, waarbij ik de kans liep een van de buren tegen te komen, en ik stormde naar buiten alsof ik door een explosie de straat op werd geblazen. Er was verkeer op straat, maar ik had mijn capuchon op, droeg bovendien een bivakmuts en handschoenen, en dook tussen de auto's door op de klanken van een Gershwin-achtige compositie voor claxons en gierende remmen.

Nadat ik het park had betreden, bleef ik even uithijgen onder de grote dennenboom, waar ik de vorige nacht met Gwyneth had gestaan, en ik keek achterom naar het huis, in de verwachting iets achter het raam van haar woonkamer te zien, maar het raam was gewoon een rechthoek vol ononderbroken licht. In de hoop dat niemand me had zien wegvluchten, liep ik door naar de vijver, waar ik nu stond te wachten op de eerste ijsafzetting.

Omdat ik had teruggedacht aan de vermoorde verpleegster die in de vijver was aangetroffen en nu bij de plek stond waar ze door de lijkschouwer op het droge was getrokken, kwam er een gevoel van medelijden in me op, niet alleen voor het overleden slachtoffer en haar gezin, maar ook voor de stad, hoewel die mijn medelijden absoluut niet nodig had. Dit gevoel was zo overweldigend dat ik wist dat ik mezelf nu niet helemaal meer in de hand had, terwijl ik elke minuut dat ik bovengronds was, mijn zelfbeheersing nodig had.

Toen ik probeerde aan iets anders te denken, kwam het beeld van de marionet bij me op. Ik vroeg me af of die pop hier op die bewuste avond bij de vijver had gezeten en had gezien hoe het witte lijk in het water dobberde en de karpers ertegenaan stootten in de onjuiste veronderstelling dat het een reusachtige homp brood was die aan ze werd opgevoerd. Het was een absoluut onlogische associatie, maar toch zette het beeld zich in mijn geest vast, en ik voelde diep vanbinnen dat het waar was. Ik vond het jammer dat ik hier zo vroeg naartoe was gegaan.

Ineens dwarrelden de eerste sneeuwvlokken door de lucht, als rozenblaadjes zo groot. Ze gleden door het grauwe duister en lichtten op in het schijnsel van de lantaarnpalen langs het pad. In het donkere water verdwenen ze, maar op het stugge bruine gras en op het pad bleven ze liggen. Na de grote vlokken volgden er kleine, zo'n grote hoeveelheid dat ik wist dat dit een hevige sneeuwbui zou worden, een die de stad zich nog lang zou heugen. Het briesje zwol aan tot een echte wind.

Toen ik op het horloge van de dode man keek dat ik om mijn pols had, zag ik dat het tijdstip van onze afspraak was aangebroken.

De Land Rover verscheen precies op tijd en kwam over een geasfalteerd eenrichtingsweggetje aanrijden, maar op een gegeven moment verliet Gwyneth het pad en reed ze over de picknickweide naar de vijver, waarbij ze de koplampen op het parkeerlicht zette.

Het voertuig kwam me reusachtig voor, misschien omdat ik wist dat Gwyneth klein van stuk was en ik niet kon geloven dat een meisje van nog geen vijfenveertig kilo zo'n monsterlijke wagen in bedwang kon houden. Ook was ik een beetje bang omdat ik nog nooit in een gemotoriseerd voertuig had gezeten, alleen onder het zeildoek van een dieplader, slechts één keer.

Soms neemt het leven je in vliegende vaart mee, als een grote kei die de helling af dendert, zoals gebeurde toen mijn moeder me het huis uit zette, en niets is daarna nog hetzelfde. Ik wist dat mijn stabiele leventje weer in beweging zou komen, op deze plek, toen de Rover naast me stopte, en hoewel zo'n wilde tocht goed kan uitpakken en je soms in een beter leven terechtkomt, is dat lang niet zeker.

Als ik op dat moment duizend manieren had moeten opsommen waarop mijn leven een wending zou kunnen nemen, wat ik na de afgelopen achttien jaar zoal moest loslaten en wat ik zou winnen, zou ik de plank volledig hebben misgeslagen, zowel met betrekking tot wat ik zou verliezen als wat ik zou winnen.

DEEL 2

De mot wordt net zo lang door het vuur aangetrokken tot zijn vleugels vlam vatten

33

Ik wist wat een autogordel was, en ik wist dat het verplicht was om die om te doen. Nooit eerder echter had ik mijn leven eraan toevertrouwd, en hoewel het simpel genoeg klonk als ik in een boek las dat iemand zijn gordel omdeed, duurde het zo lang voordat ik doorhad hoe het moest dat Gwyneth op een gegeven moment zei dat ze wou dat ze me kon helpen. Dat zei ze met veel begrip, absoluut niet ongeduldig of spottend. Als ze me zou proberen te helpen, zouden we bijna onvermijdelijk tegen elkaar aan komen, en dat was iets wat ze niet kon verdragen.

Uiteindelijk kreeg ik het voor elkaar, hoewel ik me met die riem om niet veiliger voelde dan zonder, integendeel: ik voelde me ernstig in mijn bewegingsvrijheid belemmerd. Ik vroeg me af wat gevaarlijker was: dat je door de voorruit vloog als je geen gordel om had, of dat je in een brandende auto vast kwam te zitten omdat je je riem niet loskreeg.

'Zitten er ook airbags in?' vroeg ik.

'Ja, natuurlijk.'

'Wat moet ik daarmee doen?'

'Niets,' zei ze. 'Airbags gaan helemaal automatisch.'

'Nou, dat zal dan wel oké zijn.'

'Het is in elk geval handig. Ik ben trouwens niet van plan om ergens tegenaan te rijden.'

'Is dat ooit gebeurd?'

'Nee. Maar ik zit niet vaak achter het stuur, eigenlijk zelden.'

Ze zette de koplampen weer vol aan, deed de handrem eraf en stuurde die monsterlijk grote suv over de picknickweide naar het pad, met net zoveel gemak alsof het een karretje in een pretpark was dat over rails voortzoefde en het stuur alleen maar voor de show was.

Ik kan je wel vertellen dat het een machtig gevoel was. Daar zat ik in een warme capsule, die soepel door de koude nacht gleed, over het gras en daarna over het asfalt, met ramen rondom zodat je goed uitzicht had en goed kon zien wat er maar te zien was. In heel wat boeken staan spannende passages met auto's, maar ik had nooit gedacht dat het zo leuk zou zijn. Alsof ik een tochtje op een vliegend tapijt maakte.

Toen Gwyneth het park uit reed en de avenue op draaide, vroeg ik: 'Hoe heb je ondanks je sociale fobie toch leren autorijden?'

'Dat heb ik van mijn vader geleerd. Toen ik dertien werd, zijn we een paar keer de stad uit gereden, alleen hij en ik. Hij was bang dat er na zijn dood misschien iets zou gebeuren waardoor ik snel de stad uit moest.'

'Wat bijvoorbeeld?'

'Dat kan van alles zijn. Er kan altijd van alles gebeuren.'

'Maar als je de stad uit ging, waar zou je dan naartoe gaan?'

'Dan was er wel een plek waar ik heen kon. Maar dat is op dit moment niet van belang.'

Het was druk op straat, overal om ons heen waren auto's. Bestelbusjes. Grote bussen. Op het trottoir liepen grote mensenmassa's gehaast door de koude winternacht.

Ik zei: 'Toen je je rijbewijs haalde, moet je toch wel met een examinator in contact zijn gekomen?'

'Ik heb geen rijbewijs.'

Ik wil nu niet meteen beweren dat ik compleet ondersteboven was, maar wel moet ik toegeven dat ik een beetje schrok. 'Het is toch verboden om zonder rijbewijs achter het stuur te zitten?'

'Het mag officieel niet,' zei ze, 'maar ik zou het niet immoreel willen noemen.'

'Stel nou dat je een ongeluk krijgt en iemand aanrijdt?'

'Je kunt zomaar een ongeluk krijgen, of je nu wel of niet een rijbewijs hebt. Daar ligt het dan niet aan. Het ligt er dan aan dat je niet goed hebt opgelet of roekeloos hebt gereden, of dronken achter het stuur zat.'

'Jij gaat toch niet dronken achter het stuur zitten, wel?'

'Nee. En ik probeer altijd goed op te letten en geen roekeloze dingen te doen.'

Ik liet haar woorden even op me inwerken, en ik denk dat ze zich afvroeg wat mijn stilzwijgen te betekenen had.

'En?' vroeg ze.

'Nou, dan hoef ik me geen zorgen te maken, denk ik.'

'Je hoeft je echt geen zorgen te maken,' verzekerde ze me.

'Goed dan. Oké. Zie je wat de sneeuw doet?'

'Die sneeuwt.'

'Nee, ik bedoel de manier waarop de sneeuw over de voorkant van de auto glijdt en dan omhoog en over het dak zonder tegen het glas aan te komen.'

'Als we rijden, ontstaat er een slipstream, waardoor de sneeuw over ons heen gaat.' Toen ze voor rood stopte, viel de sneeuw onmiddellijk op de voorruit en smolt. 'Zie je wel?'

'Cool,' zei ik.

Een Heldere in ziekenhuiskleding doemde uit de dwarrelende sneeuw op en liep de straat op, zich niets van het slechte weer aantrekkend. Midden op de kruising bleef hij staan en keek om zich heen, zoals ze vaak doen. Misschien zocht hij ergens naar, maar ik kreeg de indruk dat hij vooral luisterde.

Toen het licht op groen sprong, reed Gwyneth dwars door de Heldere heen. Ik zag hem door de suv gaan, tussen onze stoelen door, maar ik draaide me niet om om hem door de achterklep weer te zien verdwijnen.

Ik zei er niets over tegen haar. Wat had ik kunnen zeggen? Ze gedoogde mijn capuchon en bivakmuts en handschoenen, mijn gebrek aan ervaring en wat op haar moest zijn overgekomen als mijn ronduit paranoïde overtuiging dat de meeste mensen, zo niet alle, zich walgend van me af zouden keren of me te lijf zouden gaan als ze me zagen. Als ik haar ook nog over de Helderen en de Nevelen vertelde, zou ze me misschien net iets te gestoord vinden, zou ze de Rover aan de kant van de weg stilzetten en me verzoeken de auto te verlaten.

We hadden een broze band opgebouwd, die misschien net zo kwetsbaar was als de grote sneeuwkristallen die ik in het park uit de lucht had zien komen. We hadden elkaar onmiddellijk geaccepteerd zoals we waren, omdat we niemand anders accepteerden. Ik bewonderde haar dappere pogingen om met haar fobie om te gaan, en misschien bewonderde ze mij om de manier waarop ik omging met wat zij mogelijk beschouwde als mijn ongegronde paranoia. We waren outcasts, zij uit eigen vrije wil, ik door de fysieke staat waarin ik was geboren, maar dat was geen garantie voor onze vriendschap. Zij bliefde de wereld niet, en de wereld bliefde mij niet, en als je daarover nadacht, werd het duidelijk dat we minder met elkaar gemeen hadden dan op het eerste gezicht leek. Er konden gemakkelijk spanningen ontstaan die tot mogelijk onverzoenlijke verschillen leidden.

Ik hield nu al van haar. Ik zou er vrede mee hebben gehad om mijn hele verdere leven van haar te houden zonder haar aan te mogen raken, maar ik had geen enkele aanwijzing dat ze op dezelfde manier van mij hield, als ze dat überhaupt al deed. Gezien haar sociale fobie zou ze zich misschien van me afkeren als ze wist wat ik voor haar voelde, en dan zou ze zich terugtrekken en me niet meer willen zien. Misschien was ze niet in staat van me te houden zoals ik van haar hield, laat staan dat ze iets diepers voor me zou gaan voelen, gevoelens die ik in de loop der tijd ongetwijfeld voor haar zou opvatten. Ik putte hoop uit het feit dat ze overduidelijk wel van haar vader had gehouden, en aan dat idee klampte ik me vast, omdat ik in mijn leven het ene na het andere verlies te verwerken had gehad en bang was dat ik het niet zou overleven als ze me afwees.

Ik had er nog niet eerder bij stilgestaan om het te vragen, maar nu deed ik het dan toch: 'Waar gaan we heen?'

'We gaan bij iemand langs.'

'Bij wie dan?'

Tot nu toe had ik de gothic look van het meisje exotisch en creatief gevonden, zonder dat ik vond dat er een dreiging van haar uitging. Maar nu verhardde haar gezicht zich, haar mond werd een barst in steen, ze klemde haar tanden op elkaar alsof ze zich ergens in had vastgebeten en dat wilde verscheuren, en het donkerrode kraaltje op haar lip glinsterde en trilde als een echte druppel bloed.

In antwoord op mijn vraag zei ze: 'Niemand weet hoe ze heet. Ze zeggen dat ze dood is, maar dat gaat er bij mij niet in. Dat gaat er bij mij gewoon niet in.'

34

De straat lag in een mooie wijk waar veel esdoorns stonden. Hun kale takken vormden een indrukwekkende architectuur, zeer gracieus als ze groen waren, en vuurrood in de herfst. Het huis was opgetrokken uit geel baksteen, en er lag een kleine tuin voor. De veranda was met kerstverlichting versierd. Aan de voordeur hing een krans.

Toen Gwyneth de auto voor het huis neerzette, dacht ik dat ik in de auto zou blijven wachten, maar ze zei: 'Ik wil graag dat je met me meegaat. Het is veilig, hoor.'

'Het enige huis waar ik ooit geweest ben, is jouw appartement. Dat is echt het enige huis dat ik van binnen gezien heb. Een huis is een valstrik, een plek die ik niet ken en waar te weinig vluchtwegen zijn.'

'Dit huis niet.'

'Dat lukt me niet.'

'Dat lukt je wel, Addison.'

Ik liet me in mijn stoel onderuitzakken.

'Ze zullen je niets doen,' zei ze.

'Wie wonen daar dan?'

'Mensen die voor haar zorgen.'

'Voor het meisje zonder naam?'

'Ja. Kom nou maar. Ik wil graag samen met jou naar haar toe.'

'Waarom?'

Ze deed haar mond open om iets te zeggen – en vond de juiste woorden niet. Even staarde ze naar de zwarte stammen van de esdoorns, waar de wind een wit kleed tegenaan hing. Ze zei: 'Ik weet het niet. Ik weet niet waarom ik graag wil dat je meekomt. Maar ik weet wel dat je dat gewoon moet doen. Het is belangrijk dat je meekomt. Dat weet ik gewoon.'

Ik haalde diep adem en liet de lucht uit mijn longen ontsnappen alsof ik daarmee mijn twijfels kon wegblazen.

Ze zei: 'Ik heb ze al gebeld. Ze weten dat we komen. Ik heb gezegd dat je... bepaalde problemen hebt. Ernstige problemen. Mij begrijpen ze, hoe ik in elkaar steek. Ze zullen je met respect behandelen, Addison.'

'Als jij niet bang voor ze bent, hoef ik dat misschien ook niet te zijn.'

Ik zei dat wel, maar eigenlijk was ik doodsbang om met haar mee naar binnen te gaan. Desondanks stapte ik uit, deed het portier dicht en wachtte tot ze om de Land Rover heen was gelopen.

Onmiddellijk bleven er sneeuwvlokken als diamanten in haar haar hangen, en de droge sneeuw op het trottoir stoof rond haar zilverkleurige schoenen op.

Er schoot me nog een overeenkomst tussen haar en de marionet te binnen, los van haar ogen en de zwarte ruitvormige figuren daaromheen. De pop droeg een zwarte smoking met een zwart shirt en een wit dasje, en ook Gwyneth was helemaal in het zwart gekleed, haar schoenen uitgezonderd.

Bijna was ik teruggegaan, maar omdat ik van haar hield, liep ik achter haar aan door het poortje in het ijzeren hek.

'Hij heet Walter,' zei Gwyneth. 'Hij is weduwnaar en heeft twee jonge kinderen. Hij is legerarts geweest, en nu werkt hij als doktersassistent.'

Ze schreed voort, haast schaatsend, en ik kreeg de indruk dat ze nooit op ijs of een gladde ondergrond onderuit zou gaan, zo waardig was haar tred.

Toen ze de veranda betrad, zei ze: 'Zijn zus, Janet, woont hier ook. En ook een wat oudere vrouw, Cora. Janet en Cora zijn verpleegsters. De patiënt wordt nooit meer dan een paar minuten alleen gelaten.'

'Zijn dat niet te veel mensen voor jou?' vroeg ik.

'Ze hebben alle begrip voor mijn aandoening. Ze houden afstand en zorgen dat er nooit meer dan twee mensen bij me in de kamer zijn. Je hebt niets te vrezen.'

'Dat weet ik nog zo net niet.'

'Ik wel,' zei ze. 'Je hebt niets te vrezen.'

Toen we op de met kerstlichtjes versierde veranda stonden, drukte ze op de bel, die we binnen in huis konden horen.

Bijna onmiddellijk werd er opengedaan, en een man zei: 'Gwyn, wat hebben we je lang niet gezien.'

Ik kon hem niet zien, want ik hield mijn hoofd gebogen, bang dat mijn bivakmuts onvoldoende bescherming bood en dat hij mijn ogen zou zien.

Ze zei: 'Ik ben nog net zo als eerst, Walter, dus meestal blijf ik binnen. Maar vanavond is een… speciaal geval.'

Zeer op mijn hoede liep ik achter haar aan een gang in met een houten vloer en een rond bloemetjeskleed erop. In een nabijgelegen kamer klonk een ernstige stem die uit een televisie kwam.

Toen Walter zei: 'Jij bent vast Addison', zei ik: 'Sorry dat mijn schoenen zo nat zijn', en Walter zei: 'Dat stelt niks voor, dat is alleen maar wat sneeuw.'

Ik vond dat hij een aangename stem had. Hij klonk vriendelijk. Ik was benieuwd hoe hij eruitzag, maar durfde mijn hoofd niet omhoog te doen om te kijken.

Gwyneth vroeg: 'Weet je nog welke regels je bij Addison in acht moet nemen?' Walter zei dat hij dat nog wist, waarop ze vroeg: 'Waar zijn de kinderen?'

'In de keuken. Ze weten dat ze daar moeten blijven.'

'Ik zou dolgraag naar ze toe, echt, maar met Addison gaat dat wat moeilijk.'

Ik vroeg me af hoe neurotisch Walter dacht dat ik was. Waarschijnlijk had hij de indruk dat ik compleet gestoord was.

Hij zei: 'Janet is in de keuken. Ze zou net gaan eten toen je belde, en nu eet ze wat later.'

'Sorry dat ik zo kort van tevoren belde.'

'We zien je als familie, Gwyn, dus je bent altijd welkom. Ik zal eens gaan kijken of ze wat hulp kan gebruiken.'

Toen we met z'n tweeën in de hal waren achtergebleven, zei Gwyneth: 'Gaat het een beetje?'

'Ja, prima. En jij?'

'Kon beter,' antwoordde ze.

Ik deed mijn hoofd omhoog en keek om me heen. Rechts leidde een boogvormige doorgang naar de woonkamer. Alles zag er schoon en keurig netjes uit, heel mooi, een harmonieuze plek zonder conflicten. Het scheen me toe dat de bewoners van dit huis zich hier veilig zouden voelen, en dat vond ik fijn voor ze, of sterker nog: ik was heel blij dat ze zo'n leven konden leiden, en met hen vele anderen.

De televisiestem vertelde dat de pestepidemie zich naar Noord-Korea had verspreid.

Toen er een vrouw uit de keuken kwam, boog ik mijn hoofd weer. Ze begroette Gwyneth en stelde zich aan me voor – ze was Janet – en ik zei dat het me een genoegen was om kennis met haar te maken, al hield ik mijn blik gericht op het ronde gebloemde kleed.

Janet liep voor ons uit naar boven. Boven aan de trap bleven we staan terwijl zij naar een kamer aan het eind van de gang liep, waar Cora, een oudere verpleegster, zich over het anonieme meisje ontfermde.

Omdat ik het gevoel kreeg dat een kwaadwillend persoon ons stiekem achterna was gekomen en nu op de trap stond om ons de terugtocht te beletten, keek ik achterom, maar er was niemand te bekennen.

Janet en Cora kwamen uit de kamer van de patiënt, gingen de kamer ertegenover binnen en deden de deur achter zich dicht.

'Dit is belangrijk,' zei Gwyneth.

'Dat geloof ik graag.'

'Ik weet nu waarom ik wilde dat je meeging.'

'Waarom?'

Ze gaf me geen antwoord, maar liep naar de openstaande deur, en ik liep achter haar aan. Aarzelend bleef ze in de deuropening staan. Ze bracht haar handen naar haar gezicht, alsof ze die voor haar ogen wilde slaan, maar toen balde ze haar vuisten, en op de hand die het dichtst bij me was, zag ik de tijdelijke tattoo van een blauwe hagedis bewegen alsof het dier tot leven kwam en elk moment van haar huid kon springen. Met gefronste wenkbrauwen, haar ogen stijf dicht, opeengeklemde kaken, haar hartslag zichtbaar op haar slapen, was het of ze pijn had of bijna overmand werd door laaiende woede. Maar toen dacht ik – ik weet niet waarom – dat dit misschien de houding was waarin ze bad, als ze dat überhaupt al deed.

Ze deed haar ogen open, liet haar vuisten zakken en ging de kamer binnen. Om mij ter wille te zijn, deed ze het grote licht in de kamer uit en dimde ze het schijnsel van een leeslamp, zodat mijn ogen niet zo makkelijk zichtbaar waren.

Ik keek naar de dichte deur waarachter Janet en Cora zich hadden teruggetrokken, en keek ook achterom naar de trap.

Toen ik de kamer betrad, zag ik op de drempel dezelfde cryptische tekens die ik ook in het appartement van Gwyneth had zien staan.

In het grote vertrek stonden twee fauteuils, bijzettafels, een dressoir en nachtkastjes. Ook stonden er twee bedden, het ene netjes opgemaakt, met sierkussens erop, en het dichtstbijzijnde een ziekenhuisbed.

De bovenste helft van het elektrisch verstelbare bed was omhooggezet; een ongeveer zes jaar oud meisje lag verzonken in een diepe slaap. Als ze een avatar was geweest, geen incarnatie van een godin maar van een principe, zou ze het perfecte gezicht hebben gehad voor de avatar van vrede of liefdadigheid, of hoop, en als ze haar gezichtsspieren had kunnen gebruiken, zou een glimlach een miraculeus effect hebben gesorteerd.

Gwyneth ging bij haar bed staan, keek naar haar maar zei tegen mij: 'Als ik door Ryan Telford wordt vermoord, of door wie dan ook, moet je voor haar zorgen. Je moet haar beschermen. Hoe dan ook. Koste wat kost.'

35

De dakloze was midden in de nacht door zijn drank heen geraakt, en daarna was hij herhaaldelijk uit nare dromen ontwaakt waarin iedereen opdook die hij tijdens zijn leven had teleurgesteld en die hem steeds beletten aan nog wat van het gedestilleerde vocht te komen. Daarom was hij bij het krieken van de dag op weg gegaan, wat ongebruikelijk voor hem was, om in zijn territorium de steegjes achter de winkels af te schuimen, op zoek naar flessen met statiegeld en andere bescheiden schatten tussen het vuilnis, zijn beproefde methode om weer aan wat geld te komen.

In een vuilniscontainer vond hij toen het ernstig toegetakelde, naakte lichaam van een ongeveer driejarig meisje. Hij dacht dat ze dood was, tot hij haar een miserabel geluidje hoorde maken, nauwelijks waarneembaar, een gepiep dat hem deed denken aan dat van een aangereden jong poesje dat hij eens had gevonden en dat nog maar een paar minuten te leven had. Het grootste gedeelte van zijn leven was hij alle verantwoordelijkheid uit de weg gegaan. Maar diep van binnen zat nog een restant van de goede mens die hij ooit gehoopt had te worden, en het zwakke gepiep van het meisje sprak dat restje in hem aan. Hij ontdekte dat hij nog steeds tot barmhartigheid in staat was.

In zijn afgedragen, verstelde en vettige kleren, zijn haar vol klitten, een vlekkerige en half in elkaar gedrukte bruine gleufhoed op die al tientallen jaren uit de mode was, bloeddoorlopen ogen, zijn paarse neus vol zichtbare adertjes, schopte hij de deur van een populaire donuttent open, in de buurt van de container. Met het mishandelde kind in zijn lange, knokige armen liep hij de zaak binnen, bitter wenend, roepend om een ambulance. De klanten die stonden te wachten om hun bestelling te plaatsen, keken verschrikt op. Onder hen bevonden zich twee agenten.

Heel even werd hij ervan verdacht het meisje te hebben mishandeld. Maar dat hij haar tussen het stinkende afval had gevonden, was op de een of andere manier van invloed geweest op zijn fragiele gestel, en toen hij het meisje aan de agenten had overgedragen, kon hij niet meer op zijn benen blijven staan, en ook verloor hij de controle over zijn trillende handen. Nadat hij in elkaar was gezakt, graaide hij in doelloze bewegingen met zijn handen over de grond of plukte hij aan zijn gezicht en borst, alsof er iets aan hem kleefde wat hij van zich af wilde halen. Die ochtend belandde hij niet in de cel, maar werd hij opgenomen in hetzelfde ziekenhuis als waar het meisje in allerijl naartoe was gebracht.

De artsen concludeerden dat ze niet alleen geslagen maar ook gemarteld was, en niet eenmalig maar vaak, mogelijk gedurende de afgelopen anderhalf jaar of een nog langere periode van haar naar schatting driejarig leven. De politie slaagde er niet in de ouders op te sporen. Er werd een tekening van haar verspreid, maar dat leverde geen bruikbare tips op, en ook een foto van haar, die genomen was nadat de blauwe plekken op haar gezicht waren weggetrokken, bracht het onderzoek niet verder. Men kwam tot de conclusie dat ze het grootste deel van haar leven in gevangenschap had doorgebracht, weggestopt, en in zulke gevallen was het slachtoffer bijna zonder uitzondering mishandeld door de moeder of de vader, of beiden.

Het meisje werd aan justitie overgedragen. Binnen een maand was ze van haar verwondingen hersteld, maar ze kwam niet bij kennis. Zestig dagen nadat ze in de container was gevonden, waren de vooruitzichten op ontwaken uit haar coma minimaal. Een medische adviescommissie verklaarde unaniem dat het meisje strikt genomen misschien niet hersendood was, maar dat ze niet meer uit haar vegetatieve staat zou ontwaken. Bij de huidige stand van de medische wetenschap werd aangenomen dat iemand die in een dergelijke staat verkeerde, er niets van zou merken als de kunstmatige voeding werd stopgezet. Op last van justitie moest een eind worden gemaakt aan alle kunstmatige behandelingen om haar in leven te houden, ingaande na vijftien dagen, om idealistische groeperingen de tijd te geven dit besluit aan te vechten.

Dit vertelde Gwyneth me allemaal terwijl we aan weerszijden van het bed stonden waarin het naamloze meisje lag, in het huis met de gele bakstenen, terwijl een koude wind de sneeuw door de straten van de stad blies, een stille herinnering aan de inwoners dat de natuur de kracht had alles weg te vagen wat door mensenhanden was opgebouwd, al waren er weinigen die dat zo zagen. Gwyneth verraste me toen ze halverwege haar verhaal naar voren boog en met beide handen een hand van het meisje pakte. Vroeger kon ze alleen de aanraking van haar vader velen; tegenwoordig was het meisje de enige die ze durfde aan te raken.

Walter werkte in het ziekenhuis waarnaar het meisje destijds was overgebracht. Hij had Gwyneth gebeld om haar te vertellen dat de artsen die in de adviescommissie zaten ervan overtuigd waren dat de rechter, die hun vooroordeel jegens extra zorg voor comapatiënten deelde, alle pogingen om beroep aan te tekenen naast zich neer zou leggen, ongeacht de argumenten die werden aangevoerd, en dat het meisje door uitdroging ernstig zou verzwakken of zou komen te overlijden voordat een van de idealistische groeperingen een rechter van een hoger hof had gevonden die niet onwelwillend tegenover hun zaak stond.

'Hoe kende je Walter?' vroeg ik.

'Mijn vader heeft ooit vijf dagen met een maagzweer in het ziekenhuis gelegen, en Walters vrouw werkte toen als verpleegster op die afdeling. Ze was heel aardig voor hem. Ik heb toen contact met haar gehouden nadat hij uit het ziekenhuis was ontslagen. Toen ze al zo jong aan haar eind kwam, twee jaar na de dood van papa, heb ik de beheerder van mijn trustfonds ertoe overgehaald een deel van mijn erfenis te gebruiken om de opleiding van hun kinderen te bekostigen.'

'En Walter hoopte dat je ook de kosten voor de verpleging van dit meisje voor je rekening zou nemen?'

Ze schudde haar hoofd. 'Hij wist niet goed wat hij wilde toen hij me belde. Hij zei alleen dat hij niet geloofde dat ze in een vegetatieve staat verkeerde.'

'Hij is geen arts.'

'Nee. Hij is doktersassistent. Maar hij zei ook dat dit meisje een speciaal geval was, al kon hij niet precies uitleggen wat hij daarmee bedoelde maar was het meer een gevoel. Hij wilde graag dat ik naar haar toe zou gaan en smokkelde me na middernacht haar kamer binnen, omdat er op dat tijdstip zo weinig mensen in het ziekenhuis rondliepen dat ik niet meteen zou flippen.'

'Jij flipt niet.'

'Soms wel, hoor,' verzekerde ze me.

Ik wees naar de hand die Gwyneth vasthield en zei: 'Heb je haar toen ook aangeraakt?'

'Ja. Ik weet niet waar ik de moed vandaan haalde, maar dat heb ik inderdaad gedaan.'

'Denk je dat ze een speciaal geval is?'

'Ja.'

'Waarom?'

Ze bukte zich om de hand van het meisje te kussen. 'Ik weet niet goed wat ik van haar vind. Maar ik weet zeker dat ik haar moet beschermen tot ze ontwaakt en ons vertelt hoe ze heet.'

'Dus je bent er heilig van overtuigd dat ze uit haar coma zal ontwaken?'

'Dat weet ik zeker, inderdaad. Zelfs ondanks dit...' Voorzichtig streek ze het vlasblonde haar aan de linkerkant van het gezicht van het meisje opzij. Op de grens van haar slaap en haar wenkbrauw was haar hoofd ingedeukt. Een onmens had haar daar met een keihard, stomp voorwerp geslagen.

'Hoe is ze hier terechtgekomen?'

'Dat zal ik je onder het eten wel vertellen. Ik wil Walter en zijn gezin nu verder liever niet langer tot last zijn. Ga jij maar alvast naar de veranda, dan ga ik nog even met Janet en Cora praten.'

Ik liep naar beneden. Iemand had de televisie uitgedaan. In mijn eentje stond ik in de warme stilte, onder de brede boog naar de woonkamer, nog steeds enigszins nerveus omdat ik nog binnen was, maar toch iets van de huiselijke charme ervarend.

Links van de boog stond een tafeltje, met daarop een kaars in een pot van doorzichtig glas en een gat aan de bovenkant, zodat het vuur zich niet zou verspreiden als de kaars per ongeluk zou omvallen. De kaars stond bij een huisaltaar en verlichtte een porseleinen beeld van Maria.

Ik liep de woonkamer in om de twee ingelijste foto's naast het beeld te bekijken. Het waren portretten van een vrouw. De fotograaf had niet alleen haar schoonheid, maar ook haar intelligentie en vriendelijke uitstraling vastgelegd. De vlam die ter ere van haar brandde, werd weerspiegeld in de lijstjes van gedreven zilver, waarin een patroon van roosjes was aangebracht.

Ik ging naar buiten en bleef bij het trapje van de veranda op Gwyneth wachten. Ondertussen keek ik naar de grillige vormen die de wind en de sneeuw hadden gevormd en die steeds veranderden naarmate de lichtval en schaduwen wisselden. De kale zwarte takken van de esdoorns produceerden een wild ritme en kraakten als de traptreden van een gebrekkig geconstrueerd huis.

Na een minuutje verscheen Gwyneth. Ze deed de deur achter zich dicht en kwam bij me staan. 'Het ging goed daarbinnen. Zo erg was het niet, wel?'

'Het was erg, erger dan ik had gedacht, maar niet op de manier die ik had verwacht.'

'Kom, we gaan. Ik verwacht nog een paar telefoontjes, maar ondertussen kunnen we wel een hapje gaan eten.'

In de Rover, toen ze de auto startte, zei ik: 'De vrouw van Walter was aardig voor je vader.'

'Van wat ik over haar gehoord heb, was ze aardig voor iedereen.'

Ik zei: 'Ze is niet gewoon overleden, maar ze is vermoord, hè?'

'Ja.'

'Heette ze Claire?'

'Je weet er dus vanaf.'

'Ze waren met z'n drieën en hebben haar in de vijver van de Commons gedumpt. Ze hebben haar als een stuk vuilnis weggegooid.'

Warme lucht stroomde de auto in, en al snel was de kou verdwenen. We zaten zwijgend naast elkaar in de auto. We keken niet naar elkaar. We raakten elkaar niet aan. Maar we waren dicht bij elkaar.

Toen zei ze: 'Ryan Telford heeft een degelijke reputatie: respectabel, een goede opleiding, een prestigieuze positie, maar achter die façade schuilt iemand die net zo is als die drie criminelen. Hij is overal toe in staat. Uiteindelijk gaat het dat soort lieden alleen maar om één ding: macht. Ze willen je in hun macht hebben, ze willen je kunnen commanderen, ze pakken je spullen af, willen je naar believen kunnen gebruiken, ze vernederen je en maken je kapot, zodat je doet wat ze zeggen, en uiteindelijk proberen ze je zover te krijgen dat je niet meer in de waarheid gelooft, zodat je wanhopig wordt en denkt dat er geen redding meer mogelijk is. Gisteravond is hij erachter gekomen dat ik een bedreiging voor hem ben. Dat kan hij niet over zich heen laten gaan. Hij is op oorlogspad. Hij laat zich door niets of niemand tegenhouden.'

'Is het mogelijk dat hij weet waar je nu zit?'

'Volgens mij niet. En hij weet ook niet waar ik vanavond naartoe ga. Maar hij heeft zoveel connecties dat ik nergens meer op kan rekenen. Ik had je niet moeten vragen om dat meisje te beschermen. Met jouw beperkingen is dat te veel van het goede.'

'Het is jou wel gelukt, en jij hebt toch ook zo je beperkingen? Als het echt zover komt, vind ik er wel wat op. Maar zo ver zal het niet komen. Kun je bewijzen dat Telford dingen achterover heeft gedrukt?'

'Het heeft me een hele tijd gekost om het bewijs bij elkaar te krijgen, maar het is me gelukt. Dat bewijs was niet het moeilijkste. Wie je ermee kunt vertrouwen is een puzzel waarvan de helft van de stukjes ontbreekt.'

'De politie,' zei ik.

'De politie, justitie, het openbaar ministerie: overal zitten goede mensen, Addison. Maar er heerst ook veel corruptie. Dit is niet de stad die het ooit is geweest. Iedereen heeft het over gerechtigheid, maar gerechtigheid kan het niet stellen zonder de waarheid, en we leven in een tijd waarin men slechts zelden de waarheid zoekt en er vaak op neerkijkt. Het is een zwijnenstal, geld is de modder, veel van het geld is op oneigenlijke manier verkregen of verkeerd besteed belastinggeld, en er zijn meer mensen die zich erin wentelen dan je misschien denkt. Als het bewijsmateriaal bij de verkeerde mensen terechtkomt, wordt er net zo lang aan geknoeid tot er niets meer van over is, en dan zal blijken dat ik ineens veel meer vijanden heb dan één.'

Ze trok op. De sneeuw dwarrelde als as uit een uitgebrande hemel naar beneden. Ondanks de gloed van de stad waren de huizen om ons heen tamelijk donker, en we konden er niet op vertrouwen dat er tussen de miljoenen woningen een veilig toevluchtsoord bestond.

36

Vader overleed op een nacht, toen er een hevige sneeuwstorm woedde. De straten waren praktisch onbegaanbaar vanwege een staking van gemeentewerkers, waartegen de laffe burgemeester niet durfde optreden. Er waren geen sneeuwschuivers op pad om de straten begaanbaar te maken, en er werd geen zout gestrooid. Omdat er veel sneeuw viel maar het windstil was, kwam er op alle horizontale vlakken een egale witte deken te liggen. De kleppen boven de verkeerslichten droegen witte mutsen, met daaronder cyclopenogen, die rood of groen of oranje oplichtten voor zover ze niet blind en uitgedoofd waren. De enige voertuigen die rondreden – een paar zwart-witte fourwheeldrives, voorzien van het politielogo, en een suv in ambulancekleuren – negeerden de stoplichten en reden kruisingen op zonder te stoppen.

Toen we ver na sluitingstijd naar de bibliotheek waren gegaan, lazen we in de krant dat er zware sneeuwval werd voorspeld, en we verheugden ons op een nachtelijke sightseeingtour die nog mooier zou zijn doordat de stad onder een dikke sneeuwlaag zou liggen. Vol verwachting kwamen we boven de grond, lekker warm in onze gevoerde regenjas, sneeuwlaarzen aan en bivakmuts op, de capuchon over ons hoofd getrokken en onder de kin vastgemaakt.

Het eerste uur van onze tocht zagen we tal van prachtige dingen, waarvan met name één memorabel was toen we de straat inliepen waar de grote kathedraal van de heilige Saturninus van Toulouse aan stond. De kerk en bijgebouwen besloegen een volledig blok op de grote vlakke top van Cathedral Hill. Trappen leidden naar de drie ingangen, die elk bestonden uit een dubbele bronzen deur onder een vijfpasboog. De twee gotische torens reikten zo hoog dat hun spitsen in de dichte sneeuwval nauwelijks te zien waren.

Er kwam een arrenslee aan, voortgetrokken door een fors paard. Doordat ik het door de sneeuw gedempte hoefgetrappel en het geklingel van de belletjes op het paardentuig hoorde, wist ik dat ik niet droomde, zo fantastisch was het om het paard en de slee te zien. Een stel zat voorin, nog een stel achterin, en ze waren gekleed alsof ze zo uit een boek van Dickens waren weggelopen: de vrouwen een muts op en een volumineuze jurk aan, met daarover een cape, hun handen in een mof van bont gestoken, de mannen met een zware overjas aan, een hoge hoed op, een felgekleurde sjaal om. We dachten dat ze dit al ver van tevoren gepland moesten hebben, bij wijze van grap, en het sprak zeer tot onze verbeelding dat mensen al die moeite namen om zoiets frivools te doen. Toen we zwaaiden, zwaaiden ze terug. Ze sloegen rechts af en reden over de top van Cathedral Hill verder.

Geïnspireerd door dat schouwspel begonnen Vader en ik midden op straat een sneeuwballengevecht, een eindje van de kerk. Wolkjes van gelach ontsnapten uit onze mond en losten in de koude lucht op, tot er een politiewagen de straat in reed en onze kant op kwam.

Misschien wilden de twee agenten ons ervoor waarschuwen dat het gevaarlijk was om midden op straat sneeuwballen te gaan gooien, hoewel er nauwelijks verkeer was. Of misschien waren ze bang dat een van de geparkeerde auto's door een sneeuwbal beschadigd zou worden doordat er onbedoeld een steentje in de sneeuwbal kon zijn gekomen, zodat er een voorruit zou kunnen sneuvelen.

We zwaaiden naar ze om aan te geven dat we hun bezorgdheid

begrepen, stapten tussen de geparkeerde auto's door op het trottoir en liepen weg. Maar dat we ons hadden gevoegd naar hun gezag, was hun blijkbaar niet genoeg. Ze draaiden de auto en kwamen achter ons aan. Gevangen in een zoeklicht werden we het middelpunt van het geheel.

Door een megafoon riep een van hen: 'Allebei staan blijven.'

Toen mijn moeder me wegstuurde, was mijn leven langs de helling der verandering omlaag gedenderd, maar uiteindelijk had ik een beter en stabieler leven gekregen in de twaalf jaren nadat Vader me had gered. Wat er in de volgende minuten gebeurde, leek niet op een helling der verandering maar op een steile klif, waar ik vanaf werd geduwd zodat ik in het duister stortte. Ik zal dit voorval nooit kunnen vertellen zonder innerlijk verscheurd te worden.

37

Toen ik met Gwyneth door de stad reed, vond ik dat de sneeuwstorm dreigende vormen begon aan te nemen, alsof het dezelfde
storm was waarin Vader aan zijn eind was gekomen, en alsof de
wind in die zes jaar ontelbare malen rond de aarde was gegaan en
nu speciaal voor mij was teruggekomen.

Terwijl we op weg waren naar een andere veilige plek omdat
Gwyneth niet meer terug wilde naar haar appartement bij de Commons, zei ze: 'Toen Walter Claire was kwijtgeraakt, veranderde hij.
Door de beestachtige manier waarop ze om het leven was gekomen
en doordat de verdachten werden vrijgesproken, begon hij te radi-
caliseren.'

Van de drie verkrachters – Orcott, Sabbateau en Clerkman – was
de laatste de zoon van de vakbondsleider van de agenten en brand-
weermannen. De pers en alle verantwoordelijke autoriteiten waren
het er unaniem over eens dat de familiebanden van Clerkman op
geen enkele wijze de manier mochten beïnvloeden waarop de openbare aanklager de zaak aanhangig zou maken.

In de rechtszaal bleek uit de politieregistratie van het bewijsmateriaal dat het verpleegsterskapje en het slipje samen met haar andere kleren bij de vijver waren aangetroffen. De agent die de spul-

len destijds had gelabeld en ze in het depot had gestopt, was inmiddels met pensioen, was verhuisd naar een andere staat en was te ziek om als getuige te worden opgeroepen. Om redenen die verder niet uit de doeken werden gedaan, was het OM ervan overtuigd dat er niet met de registratie van bewijsmateriaal was geknoeid, dat de verpleegsterskap en het slipje die in het bestelbusje waren aangetroffen niet van de verpleegster waren geweest. De advocaat van de verdachten voerde vervolgens aan dat de tante van Orcott, Verbina Orcott, die beweerde de kleren te hebben gevonden, ze zelf wellicht in een vlaag van verstandsverbijstering in het busje had neergelegd, om haar neef te belasten, aan wie ze een grote hekel had en op wie ze neerkeek omdat hij zwaar aan de drugs was. Was het niet zo dat ze vond dat haar man naïef was en hun neef financieel veel te veel tegemoetkwam? Was het niet zo dat ze daar vaak ruzie om hadden? Was het niet zo dat haar man een scheiding had aangevraagd nadat ze haar zogenaamde vondst met veel tamtam bij de politie had gemeld? Verbina had onder ede verklaard dat de verpleegsterskap en het slipje die ze in de rechtszaal te zien kreeg, niet de kleren waren die ze onder de stoel voor in het busje had gevonden, maar toen ze werd onderworpen aan een uitputtend kruisverhoor, begon ze aan zichzelf te twijfelen.

Hoewel de woordvoerder van de politie aanvankelijk had verklaard dat er op de matras DNA was aangetroffen dat overeenkwam met het DNA van de drie verdachten en het slachtoffer, voerde het OM aan dat er geen DNA van het slachtoffer noch van Orcott was gevonden, en dat het aangetroffen DNA van Clerkman en Sabbateau geen doorslaggevend bewijs vormde. Omdat de verpleegster urenlang in de vijver had rondgedobberd, was er in al haar lichaamsopeningen water doorgedrongen. De plaatsvervangende lijkschouwer verklaarde dat hij geen DNA van de verdachten op het lichaam van het slachtoffer had aangetroffen. Om onduidelijke redenen was de lijkschouwer zelf niet als getuige-deskundige opgeroepen.

Het bewijsmateriaal was kortom dusdanig mager dat de zaak nooit zou zijn voorgekomen als Sabbateau niet had bekend. In de rechtszaal voerde zijn advocaat aan dat hij een valse verklaring had afgelegd omdat twee rechercheurs hem tijdens zijn verhoor hadden bedreigd en hem psychologisch op de pijnbank hadden gelegd, zodat hij voor zijn leven had gevreesd. En hij had van hen geen advocaat mogen bellen. Twee psychologen verklaarden dat Sabbateau een laag IQ had, dat hij last had van een minderwaardigheidscomplex en dat hij daarom zo bedeesd was en ook in gewone situaties snel bang werd. Ze beweerden niet met zoveel woorden dat Orcott en Clerkman alleen maar met die zielige Sabbateau omgingen omdat ze zulke nobele geesten waren, maar dat werd wel gesuggereerd.

De twee betrokken rechercheurs, Hines en Corzo, elkaars beste vrienden, slaagden er in de rechtszaal niet in hun kant van de zaak overtuigend te belichten. Nadat de jury de verdachten niet schuldig had bevonden, werden de rechercheurs voor een jaar geschorst, met inhouding van hun loon. Ondanks het feit dat Hines en Corzo gedurende die tijd geen inkomen hadden, viel er bij hen geen teruggang in levensstandaard waar te nemen. Ze huurden zelfs een vrijgezellenflatje in Las Vegas en brachten daar het grootste deel van het jaar door, waarbij ze met volle teugen genoten van alles wat de stad te bieden had. Na dat jaar keerden ze terug op hun post, gelouterd en vol berouw.

Het begon steeds harder te sneeuwen, en het kostte Gwyneth moeite om de Land Rover op de weg te houden. Ze zei: 'Toen het meisje dat in de afvalcontainer was gevonden niet langer onder de bescherming van justitie viel en rechter Gallagher het proces in werking zette om haar kunstmatige voeding te stoppen, kreeg Walter het idee dat het systeem haar liet stikken, zoals dat ook bij Claire het geval was geweest. Zonder dat mijn naam ooit genoemd werd, werd de rechter ervan overtuigd zijn toestemming te verlenen aan de oprichting van een trustfonds waarmee de zorg voor het meisje geregeld werd. De voogdij werd stilzwijgend aan Walter en zijn zus Janet toegekend, zodat ze voor haar konden zorgen in het huis dat via dat trustfonds werd aangeschaft.'

Gezien haar sociale fobie en de beperkingen die daarmee gepaard gingen, vond ik het wonderbaarlijk dat Gwyneth dit alles mogelijk had gemaakt. Ik nam aan dat ze al haar vaardigheden en moed van haar vader had, de man over wie ze zo hoog opgaf, zoals ik trots op míjn vader was geweest.

'Maar hoe kon de rechter daar toestemming voor geven zonder dat hij wist wie dat trustfonds oprichtte?'

'De moeder van rechter Gallagher, Rose, heeft veel invloed op hem, omdat hij na haar dood heel wat erft. Degene die Rose het meest vertrouwt, is niet haar zoon, die het vaak niet met haar eens is, maar Teague Hanlon.'

'De beheerder van jouw trustfonds.'

'Hij heeft haar verteld wat er voor het meisje mogelijk was als de rechter bereid was zijn toestemming te verlenen. Rose vreesde dat ze het meisje een hongerdood zouden laten sterven. Zonder hem te vertellen wiens advies ze had ingewonnen, zei ze tegen haar zoon dat Walter en Janet de voogdij over het meisje moesten krijgen, om- dat ze anders een nieuw testament zou laten opmaken en dat slechts een kwart van de erfenis dan naar hem zou gaan. Het hof begreep dat de rechter vanuit zijn betrokkenheid een wijs besluit had geno- men, en de raderen van justitie draaiden op volle snelheid.'

Ik zei: 'Wat een geld en moeite voor een meisje dat je niet eens kende.'

'Waar moet je geld anders voor gebruiken? Bovendien heb je haar nu zelf gezien. Ze is een speciaal geval.'

Ik dacht aan het beeld dat bij me boven was gekomen over vre- de, liefdadigheid en hoop. 'Een speciaal geval, dat vind ik ook. Maar hoe precies?'

'De tijd zal het ons leren. Misschien binnenkort al.'

De wind joeg de fijne droge sneeuw door de straten, en doordat er nu veel meer verkeer op de weg was, kwamen we in een beschei- den tempo in een lange straat vol theaters en restaurants. Tussen de voortgeblazen sneeuwvlokken door las ik de titels van de toneelstuk- ken en de namen van de acteurs op de aankondigingsborden.

Ik vroeg me af hoe het zou zijn om in zo'n theater te zitten, met het publiek in het donker, de hele wereld tijdelijk teruggebracht tot een toneel dat levensecht werd uitgelicht. Hoe zou het zijn om zonder angst tussen honderden mensen te zitten en een verhaal aan te horen, om met ze te lachen, om het net als zij spannend te vinden, en op een gegeven moment samen met hen te huilen.

Weer moest ik denken aan het meisje dat in coma lag, op het bed, als een prinses in een toneelstuk, een betoverde prinses, die nog jaren moet wachten en groeien tot ze oud genoeg is om door een kus gewekt te worden en dan met de prins te trouwen. Als in een sprookje zou de zoen ook haar verbrijzelde slaap helen, zodat het lelijke litteken op haar schedel niet meer zichtbaar was als haar vlasblonde haar naar achteren werd gestreken.

Misschien was het logisch dat ik moest denken aan het toegetakelde gezicht van Vader, en aan al het bloed dat als een stralenkrans rond zijn hoofd in de sneeuw lag.

'Wat is er?' vroeg ze.

'Niks.'

'Er is iets.'

'Nee. Niks aan de hand.'

Ik vermoedde dat ze dacht dat mijn gezicht vanwege brandwonden onder de littekens zat. Ik wilde haar liever niet vertellen dat er anderen als ik waren geweest – Vader en diens vader – en dat er misschien nog wel meer van zulke wezens bestonden die zich verborgen hielden. Ze dacht zonder twijfel dat mijn vader iemand was geweest als haar vader, een man met een gewoon uiterlijk die zich overal kon vertonen, zowel 's nachts als overdag, die kon gaan en staan waar en wanneer hij wilde. Ik hoopte dat ze nog wat langer in die veronderstelling zou blijven verkeren. Onze prille vriendschap zou misschien abrupt worden afgebroken als ze er uiteindelijk achter zou komen dat hetgene wat zo afschrikwekkend aan ons was, niet de door vlammen verteerde huid was, of een of andere gezichtsaandoening, maar dat we zo afschrikwekkend waren dat zelfs zij, ondanks haar tolerantie en barmhartigheid, zich doodsbang en walgend van ons af zou keren.

'Niks aan de hand,' zei ik nog eens, met afgewend gezicht. 'Ik heb gewoon honger.'

'We zijn er bijna. We kunnen zo een hapje gaan eten.'

'Mooi. Dat zou fijn zijn.'

Ik wist dat ik het lot tartte toen ik in de bibliotheek naar haar geheime schuilplek ging. Als ik hier in de sneeuw zou moeten sterven, zoals Vader zes jaar geleden in de witte nacht aan zijn einde was gekomen, zou deze storm door mijn eigen toedoen zijn opgewekt en zou ik sterven als gevolg van het feit dat ik tegen mijn eenzaamheid in opstand was gekomen.

38

'Allebei staan blijven.'

In het zoeklicht gevangen bleven Vader en ik op het trottoir staan, als op een toneel, twee acteurs van een gezelschap van vier; de twee andere spelers zouden al snel links opkomen. Het straatdecor was zo levensecht uitgevoerd, de sneeuw was zo nagebootst dat ik moest toegeven dat dit toneel in feite de wereld was. Toch wilde ik er eerst niet aan en stond ik als aan de grond genageld, in de overtuiging dat dit een droom moest zijn waaruit ik elk moment kon ontwaken.

We hadden noodplannen voor verschillende bovengrondse situaties gemaakt, en het meest rampzalige scenario betrof een confrontatie met de politie. Omdat we niets hadden misdaan, hadden ze geen reden om ons staande te houden, maar aan de andere kant vertegenwoordigden ze de wet en moest iedereen hun bevelen opvolgen. In ons geval zou een correcte respons op hun verzoek ons beider dood betekenen.

Onze tactiek in dezen verschilde niet van die van mannen in prehistorische tijden die zich tegenover een roedel leeuwen geplaatst zagen: *wegwezen.* Maar ongelukkigerwijs stonden we boven op Cathedral Hill, in een gebied waar weinig vluchtroutes voorhanden waren. Achter ons bevond zich het natuurhistorisch museum, dat zich over een heel blok uitstrekte zonder door steegjes onderbroken te worden. Het instituut was op dat tijdstip dicht en was afgesloten. Daartegenover, zich ook uitstrekkend over een compleet blok, stond het Ruthaford Center for the Performing Arts, donker en vergrendeld. We konden alleen via Cathedral Avenue wegkomen, in noordelijke richting, of terug naar het zuiden.

In zo'n situatie, waarin we nooit eerder verzeild waren geraakt maar die we wel besproken hadden, was het ons plan om er pas vandoor te gaan nadat de agenten waren uitgestapt en naar ons toe kwamen, zodat we een paar seconden voorsprong zouden hebben doordat zij naar de auto terug zouden gaan om de achtervolging in te zetten. We durfden ze niet te dichtbij te laten komen, omdat ze ons anders te voet achterna zouden komen. We zouden allebei een andere kant op gaan, zodat zij ook uit elkaar moesten gaan. Omdat we geen misdrijf hadden begaan, zouden ze zich moeten houden aan de regels waaraan ze volgens het officiële protocol waren gebonden: ze mochten wel de achtervolging inzetten, maar mochten ons daarbij niet in de rug schieten.

'Ga naar het zuiden,' raadde Vader me aan toen de portiers van de politieauto opengingen en de agenten uitstapten.

Het waren allebei lange, stevige mannen, die nog forser leken door hun donkerblauwe, gevoerde winteruniformen. De korte jassen waren vlak boven hun wapenriem ingesnoerd, en hun pistool zat onder handbereik in een holster op hun rechterheup.

Vader zei uiterst vriendelijk tegen hen: 'We zijn misschien wat aan de oude kant voor een sneeuwballengevecht, maar het is ook zo'n bijzondere nacht.'

'Woont u hier in de buurt?' vroeg een van hen.

'Jazeker, agent. Inderdaad.'

'Inderdaad' was het codewoord dat we voor dit soort situaties hadden afgesproken. Het betekende: *wegwezen.*

Toen ik me naar het zuiden omdraaide, zag ik uit een ooghoek dat Vader in de sneeuw weggleed. Hij struikelde, gleed nog verder weg en kwam ten val.

Wij die ons verborgen houden, zijn misschien mutanten, maar wie of wat we ook zijn, we hebben geen superkracht zoals mutanten in films. We zijn menselijker dan we lijken, zijn onderhevig aan natuurkundige wetten, aan de zwaartekracht, krijgen net als iedereen te maken met de gevolgen van onze daden. Dat we ons midden op straat hadden overgegeven aan een frivool sneeuwballengevecht had de aandacht getrokken, en aandacht trekken was voor ons als het trekken van de pin uit een handgranaat.

Ik schrok zo toen Vader onderuitging dat ik ons noodplan op slag vergat. Ik draaide me naar hem om, vreesde voor zijn leven en dacht er geen moment aan dat ik zelf ook gevaar liep.

In de ogen van de agenten was de poging om ervandoor te gaan net zo verdacht als de vlucht zelf. Ze trokken hun pistolen, de een richtte zijn wapen op mij, de ander nam Vader onder schot, en ze riepen dingen die ze in dat soort situaties nu eenmaal roepen, blaften bevelen. Ik durfde me niet te verroeren, en Vader kwam overeind toen ze hem sommeerden dat te doen. Hij moest zijn armen gestrekt houden en mocht zijn handen niet naar zijn zakken brengen, voor het geval hij daar een wapen had verborgen.

Hij bezat geen wapen, maar dat maakte niet uit. Wat volgde, lag eigenlijk al vast, zoals het ook zeker is dat alle rivieren naar beneden stromen.

Voordat de agenten de kans kregen verder iets te zeggen, voordat we allebei geboeid zouden worden, wat onze dood zou betekenen, zei Vader: 'Heren, ik zal u moeten laten zien wie ik ben. Ik doe nu mijn capuchon en mijn bivakmuts af.' Hij werd gemaand geen onverwachte bewegingen te maken, en hij zei: 'Heren, het is niet mijn bedoeling een onverwachte beweging te maken.'

Terwijl hij het touwtje van zijn capuchon losmaakte, riep ik: 'Nee.' Ik was bang dat er iets vreselijks zou gebeuren en had een beklemmend gevoel op mijn borst. Ik kreeg bijna geen lucht, en het lukte me niet dat ene woordje te herhalen. Het enige waar ik toe in staat was, was in stilte smeken: *Nee, nee, nee, nee.*

Hij deed zijn capuchon af en trok de bivakmuts van zijn hoofd.

De twee mannen hielden van schrik hun adem in en keken ontzet naar hem zonder zich te verroeren. Eerst, heel kort maar, keken ze met een vertrokken gezicht als weerloze kinderen die belaagd werden door iets wat hen in hun ergste nachtmerries achtervolgde, een monster dat in dromenland nooit echt duidelijk te zien was, maar dat nu een gezicht had gekregen dat angstaanjagender was dan in hun ergste fantasie.

Vader keek me aan en zei: 'Hou vol.'

Alsof de agenten op die opmerking reageerden, veranderde hun gelaatsuitdrukking op slag. Ze straalden nu vooral walging uit, hoewel de angst nog zichtbaar was in hun ogen en hun trillende kaak, en de walging sloeg om in haat, zonder dat de angst en de walging geheel verdwenen. Hun gelaatsuitdrukking was grotesk en gekweld, een mengeling van allerlei ellendige emoties.

De agent tot wie Vader zich gericht had, schoot twee keer op hem. De knallen werden gedempt door de sneeuw, galmden kort tussen het museum en het concertgebouw heen en weer en verdwenen over de verlaten top van Cathedral Hill. Ze klonken helemaal niet als schoten, maar als het gebonk van vuisten op een deur, geluiden waarvan je wakker schrikt en die zich dan niet herhalen, zodat je niet weet of ze echt waren of dat je ze gedroomd had.

Vader viel achterover in de zachte sneeuw, die omhoogdwarrelde en op zijn zwarte regenjas neerdaalde. Hij hijgde zwaar en maaide met zijn stuiptrekkende handen door de sneeuw, als een vogel met gebroken vleugels.

Op dat moment hield ik even op te bestaan wat de twee agenten betrof. Hun wereld versmalde zich tot Vaders gezicht en zijn zieltogende ogen, en hoewel het duidelijk te zien was dat hij dodelijk gewond was geraakt en geen enkele bedreiging vormde, liepen ze met getrokken wapenstokken op hem af en beukten wild op hem in, zonder dat hij zich kon verweren. Dat is het effect dat we met ons uiterlijk veroorzaken: als ze een van ons vermoord hebben, escaleert hun agressie, alsof ze het gevoel hebben dat we nog leven nadat we zijn gestorven en dat we twee keer vermoord moeten worden.

Niet langer was ik het jongetje dat door Vader van de vuurdood was gered. Ik was twintig, ik was een volwassen man, en toch was ik niet in staat hem te helpen. Ik kon hem gewoon niet helpen.

Hij wist dat de twee agenten zich volledig op zijn gezicht en ogen richtten, en hij gaf zijn leven voor dat van mij. Toen hij 'Hou vol' zei, bedoelde hij vele dingen, allereerst dat ik moest maken dat ik wegkwam. Ik kon hem niet helpen, maar ook kon ik er niet vandoor gaan en hem achterlaten zonder dat iemand getuige was van het laatste stuk van zijn dodelijke beproeving.

Ik trok me terug, sloop naar de auto's die in de straat geparkeerd stonden, glipte tussen twee door, drukte me tegen de grond en kroop onder een suv. Ik schoof iets naar voren tot ik met mijn hoofd onder de voorbumper lag zonder dat het straatlicht op me viel. Ik zag hoe ze probeerden hun wapenstokken op zijn botten kapot te slaan.

Ik huilde niet, anders zou ik mijn schuilplek verraden, en aan hem had ik het te danken dat ik nog leefde, want daar had hij alles voor opgeofferd. Vanuit mijn lage schuilplaats kon ik hun gezicht niet zien, en dat was misschien maar goed ook. De blinde woede waarmee ze de man te lijf gingen die op sterven lag of misschien al de geest had gegeven, het verbitterde gevloek en de woordloze uitingen van haat en angst, alles ging met zo'n felheid gepaard dat ik misschien versteend zou zijn geraakt als ik hun gezichten had gezien.

Toen ze waren uitgeraasd, bleven ze een ogenblik staan, de stilte slechts onderbroken door hun gejaagde ademhaling. Vervolgens begonnen ze elkaar vragen te stellen. *Verdomme, wat was dat nou, wat is dit, jezus.* Een van hen gaf over. Zijn collega begon hoorbaar te snikken, en hoewel ze misschien berouw hadden, waren er ook andere emoties die een rol speelden.

Ik bad dat ze mijn voetsporen in de sneeuw niet zouden opmerken, en dat ze me niet onder de auto vandaan zouden sleuren.

Toen ze merkten dat ik was verdwenen, reageerden ze met gemengde gevoelens en bespraken snel wat ze moesten doen. Ze waren bang dat ik van hetzelfde soort was als de man die ze net hadden doodgeknuppeld, en als er twee waren, waren er mogelijk nog wel meer, en misschien verzamelden die zich op dit moment wel ergens. Daarnaast waren ze overdonderd doordat ze beseften dat ze de greep op zichzelf helemaal kwijt waren geweest. Los van wat we precies voor wezens waren, hadden ze totaal niet professioneel gehandeld, en dat namen ze zichzelf kwalijk. Bovendien waren ze misschien bang dat het consequenties voor hen zou hebben.

Omdat mijn vader me had verteld hoe zíjn vader aan zijn eind was gekomen, keek ik er niet van op toen ze in hun auto stapten en er snel vandoor gingen. Toen het gerammel van de sneeuwkettingen en het geraas van de motor langzaam wegstierven, krabbelde ik onder de auto vandaan. Als de angst en verwarring bij de agenten waren afgezakt, als de twijfel opkwam en hun schuldgevoel groter werd, zouden ze terugkomen. Voor die tijd, en voordat er iemand anders zou langskomen, stond me een afschuwelijke taak te wachten.

39

Op een gewone avond zou de stad zich 's avonds tegen negenen in het derde deel van de dag bevinden, de straten en restaurants en cultuurpaleizen zouden miljoenen mensen herbergen die stuk voor stuk bezig waren hun levensverhaal vorm te geven. Maar vanavond vormde de storm een tegenwicht tegen al het culinaire, muzikale, theatrale en anderszins opwindende, en de meeste mensen waren naar huis gevlucht, alsof ze met behulp van een trekkeninstallatie van het toneel waren gehaald.

Gwyneth legde uit dat het in deze buurt verboden was te parkeren, maar dat de straten meestal vol stonden met auto's van mensen die drugs kochten. Nu was er echter geen auto te bekennen. Ook zag je nu geen drugskoeriers, jonge jongens die hoopten uit handen van de politie te blijven tot ze niet meer dit risicovolle werk hoefden te doen. Sommigen waren op rollerblades, zodat ze snel weg konden komen als de politie kwam opdagen, of in elk geval tijd genoeg hadden om hun handelswaar ergens in een put te dumpen voordat ze werden opgepakt.

Ook uit het straatbeeld verdwenen waren de prostituees, die parka's en regenjassen van Gore-Tex zouden moeten dragen om zich tegen de kou te wapenen en op die manier zo weinig erotiek zouden uitstralen dat ze geen enkele interesse bij de klant opwekten.

De sneeuwvorst was krap een uur aan de macht, en nu al waren de openbare uitingen van onzedelijkheid verboden, zij het tijdelijk.

Ik dacht aan de Nevel die het lichaam van de man was binnengedrongen die twee verdiepingen onder Gwyneth woonde, en ik vroeg me af hoeveel mensen er waren die zulke wezens in zich hadden. Gezien het feit dat ik altijd veel meer Helderen dan Nevelen zag, concludeerde ik dat er veel minder Nevelen dan Helderen bestonden. Ook dacht ik dat Helderen niet zomaar het lichaam van willekeurig wie konden binnendringen. De meeste mensen rekten hun normen en waarden op naarmate de verleiding toenam en de kans op ontdekking afnam, zonder dat ze een Ander in zich hadden zitten die hen stuurde in hun gedrag. Wat ik vermoedde, was dat als je in je verdorvenheid op een gegeven moment heel diep was gezonken, de Nevelen dat als een speurhond konden ruiken en ze het spoor van moordenaars volgden en de perverselingen door bos, veld en moeras achternazaten.

Omdat ik had gezien hoe bezeten Ryan Telford achter Gwyneth aan had gezeten en wat voor puinhoop hij in haar appartement had achtergelaten, vermoedde ik dat een Nevel al jaren geleden zijn lijf was binnengedrongen en nu tot zijn genoegen met hem meeliftte.

Terwijl het hard sneeuwde, reden we een zijstraat in waar appartementencomplexen van vijf en zes verdiepingen stonden, die nu nog maar zeer ten dele bewoond waren. De rest van de gebouwen was verbouwd tot goedkope kantoorruimtes voor beginnende bedrijfjes of ondernemingen die op sterven na dood waren. Ze deden me denken aan de panden in films noirs waarin privédetectives zich gevestigd hadden, met op de begane grond dranklokalen, tattooshops en winkeltjes die zich hadden gespecialiseerd in specifieke niches zoals lp's, spullen uit de psychedelische tijd, en opgezette dieren.

Toen we bij een smal gebouw van vier verdiepingen kwamen, opgetrokken uit bruin baksteen, met op de begane grond een garagebox, zei Gwyneth: 'We zijn er.'

Met een afstandsbediening schakelde ze het alarm uit en deed ze het rolluik omhoog. Zo gauw de Land Rover naar binnen was gereden, liet ze het grote luik zakken, waarbij ze net zo lang in het achteruitkijkspiegeltje en de zijspiegels bleef kijken tot de garage dicht was, misschien omdat ze bang was dat er iemand naar binnen zou glippen.

Toen ik uitstapte, gleed er poedersneeuw van het portier op de grond. Het was koud in de garage, die spaarzaam verlicht werd door een enkele lamp aan het plafond. Het enige wat ik rook, was de lichte geur van uitlaatgassen.

Gwyneth wees naar een gesloten stalen deur, en ze vertelde dat die toegang gaf tot een trapportaal. Ze liep met me naar de lift, die je niet naar beneden kon laten komen door op een knop te drukken, maar waar je een sleutel voor nodig had.

Op de grond van de liftcabine, vlak achter de gleuven waarin de deuren open- en dichtgingen, stonden woorden in hetzelfde onbekende schrift waarin ze ook op andere drempels en vensterbanken had geschreven. Ik had er al eerder naar gevraagd, en steeds had ze een ontwijkend antwoord gegeven. Ik besloot er nu niet weer over te beginnen.

Terwijl de cabine omhoogging, waarschijnlijk met behulp van een hydraulisch systeem, keek ik naar de grond, om te voorkomen dat mijn gezicht beschenen zou worden door het tl-licht uit het rooster in het plafond.

Ze zei: 'Zelfs Teague Hanlon weet hier niets vanaf. Papa heeft een trust op de Kaaimaneilanden opgezet om dit te kopen. Via die trust worden alle vaste lasten betaald. Het is mijn noodschuilplaats.'

'In wat voor soort gevallen?'

'Dat maakt niet uit. Nu in het geval van Ryan Telford. Als hij achter een van mijn andere acht adressen is gekomen, zal hij ze op een gegeven moment allemaal ontdekken, omdat ze allemaal zijn ondergebracht in hetzelfde trustfonds.'

'Heeft je vader dit allemaal geregeld toen je dertien was?'

'Ik denk dat hij een soort voorgevoel had of zo, dat hem geen lang leven beschoren was, bedoel ik. Al denk ik niet dat hij had voorzien dat hij vermoord zou worden – door het eten van honing of hoe dan ook.'

We gingen naar de hoogste verdieping van het gebouw, de vierde.

'Wat is er op de eerste, tweede en derde verdieping?' vroeg ik.

'Niks. Misschien was het je nog niet opgevallen, maar de ramen op de andere verdiepingen zijn allemaal dichtgemetseld. Officieel is dit gebouw een magazijn, maar er ligt niets opgeslagen.'

De liftdeuren gingen open en gaven toegang tot een halletje. De indrukwekkende stalen deur die toegang gaf tot de rest van het appartement kon alleen worden geopend als je op een paneel een code van vier cijfers intoetste en afsloot met een sterretje.

'Wat een strenge beveiliging,' zei ik.

'Ik durf het je bijna niet te zeggen, maar mijn vader noemde me een onbetaalbare schat. Dit is mijn kluis.'

In de woonkamer deed ze een lamp aan, en vervolgens zette ze overal kaarsen neer, omdat ik me bij kunstlicht niet zo op mijn gemak zou voelen. Het vertrek was bijna net zo minimaal ingericht als het appartement waar we hadden ontbeten, met dit verschil dat hier een vleugelpiano stond.

Toen ik bij de glaswand ging staan, ontdekte ik drie Helderen, die op het dak van de gebouwen aan de overkant van de straat stonden, een vrouw en twee mannen, die een zachte gloed verspreidden. De sneeuw die uit de lucht kwam en vaag het omgevingslicht van de stad weerkaatste, was helderder om hen heen, maar leek dwars door hen heen te vallen en bleef niet als een kanten sluier in hun haar hangen. Een van de mannen tuurde naar de lucht, de andere twee keken over de rand van het dak naar de straat.

De hemel was één grote zee van sneeuw. Op het trottoir aan de overkant van de straat liep een man met gebogen hoofd tegen de wind in. Zijn lange sjaal wapperde achter hem aan, alsof hij een wandelend weervaantje was. Hij liet een hond uit, een Duitse herder, met de kenmerkende diepe borst en de rechte rug die naar achteren toe iets afliep.

Toen de man en de hond onder een lantaarnpaal door liepen, stak de hond zijn gebogen kop omhoog en keek achterom, alsof hij plotseling in de gaten had dat ik naar hem keek. Zijn ogen lichtten in het schijnsel op. Ik ging niet bij het raam weg. De Nevelen mogen dan misschien geïnteresseerd zijn in slechte mensen en zich in bepaalde voorwerpen verscholen houden, maar het is mijn ervaring dat honden te vertrouwen zijn.

Achter me had Gwyneth op strategische plekken kaarsen in robijnrode glaasjes neergezet. Ze deed het licht uit.

Ze zei: 'Ik heb een glas pinot grigio op de piano gezet. Drink je wel wijn?'

Ik draaide me om en zei: 'Vader en ik dronken wel eens een glas, soms zelfs wel twee.'

'Ik wil alles over je vader horen.'

Ik was er nog niet aan toe om dat hoofdstuk open te slaan en zei: 'En ik wil alles over jou horen.'

'Zoveel valt er niet over me te vertellen.'

Het enige van haar wat ik in het zachte robijnrode licht van de kaarsjes goed kon zien, was haar rechterhand, waarin ze een glas hield. In de wijn werd een kaarsje weerspiegeld.

'Voor alle kleine dingetjes die ik over je te weten ben gekomen,' zei ik, 'zijn er vast duizenden dingen die veel belangrijker zijn.'

'Je bent een onverbeterlijke romanticus.'

'Bijvoorbeeld: speel je piano?'

'Ik speel piano en ik componeer.'

'Zou je iets voor me willen spelen?'

'Na het eten. Muziek valt beter na het eten dan ervoor.'

Haar mobieltje ging. Ze haalde het toestel uit een zak van haar jas.

De ringtone bestond uit twee maten prachtige muziek, maar op de een of andere manier wist ik dat het telefoontje niets dan slechts voorspelde.

40

Zes jaar daarvoor, in een andere nacht waarin het hevig sneeuw-de...

De ramen van het concertgebouw en het museum waren onver-licht, en in zuidelijke richting staken de contouren van de St. Sa-turninus-kerk hoog tegen de lucht af. Er hing een gotische sfeer, passend bij de pinakels, ornamenten, torenspitsen en klokkentorens.

Ik knielde naast mijn vader neer, keek naar zijn kapotgeslagen gezicht, opdat ik nooit zou vergeten dat hij als martelaar was ge-storven en daardoor mijn leven had gered. Een van zijn ogen lag verzonken in een plas bloed; de oogkas vormde een beker, en in het licht van de lantaarn was het bloed zo donker als cabernet.

Ik zou bijna verwachten dat de klokken van de kathedraal ter na-gedachtenis aan hem zouden beginnen te luiden; met het vrolijke gebeier zou een boodschap worden uitgedragen: *Iemand is eindelijk bevrijd.* Tegelijkertijd zouden er dan zware klokken moeten klin-ken, ijzeren klokken, net zo stemmig als bij de dood van helden en politici, om iedereen te laten weten: *Hij is gestorven die zo geliefd was.* Maar er klonk geen klokgelui. Voor ons soort werden geen klokken geluid, bestonden er geen begrafenissen, verzamelde zich geen rouwende menigte rond ons graf.

De radeloze agenten konden elk moment terugkomen. Hoewel ze ten dele spijt van hun daden hadden, was de kans groot dat ze mij net zo agressief tegemoet zouden treden als ze bij mijn vader hadden gedaan.

Nadat ik de bivakmuts had gepakt die hij had afgedaan, trok ik de wollen sjaal om zijn hals weg en wikkelde die om zijn hoofd, zodat zijn gezicht bedekt was. Daarna trok ik de bivakmuts eroverheen en maakte die onder zijn kin vast, zodat zijn losse, kapotgeslagen onderkaak niet steeds omlaag zou zakken.

Het sneeuwde nu heel hard, en er stond geen zuchtje wind, zodat ik het einde van de straat niet kon zien. Doordat de gemeentewerkers in staking waren gegaan, lagen de lanen en straten er verlaten bij, de reden dat we ons onbezorgd bovengronds hadden gewaagd. Dezelfde staking was er de reden van dat niemand hier de komende minuten boven op een van de meest verraderlijke hellingen van de stad zou verschijnen, ver na middernacht.

Cathedral Hill vormde het hoogste punt van de stad, wat betekende dat de rioolbuizen er een heel kleine diameter hadden, omdat er geen hoger gelegen buizen op uitkwamen. Ik kon het lichaam van Vader niet rechtstreeks onder de grond brengen, omdat de toegangsputten naar het riool hier niet groot genoeg waren om doorheen te kunnen.

Slechts twee opties stonden voor me open, maar een ervan wees ik al bij voorbaat af. Ik kon het lichaam door een van de lange, steile straten slepen of dragen die vanaf dit hooggelegen punt omlaag liepen, de ene straat na de andere, tot ik op minder steil terrein was, waar putten waren die toegang gaven tot rioolbuizen die hoog genoeg waren om rechtop doorheen te kunnen. Ondanks de hevige sneeuwval en het beperkte zicht wilde ik zo snel mogelijk ondergronds gaan, om te voorkomen dat ik gezien zou worden door de terugkerende agenten of anderen. Bovendien kon ik Vader niet over zo'n afstand dragen, want de sneeuw kwam tot halverwege mijn knieën. Ik wilde hem liever niet achter me aan slepen, zoals een jager met een buitgemaakt hert zou doen.

Mijn tweede optie was de St. Saturninus. Het kathedraalcomplex besloeg een volledig blok en omvatte niet alleen het woonverblijf van de aartsbisschop en de kantoren van het bisdom, maar ook een klooster met kapittelhuis, refter en een kloostergang die om een tuin heen liep. Ik kende een geheime passage op de heuvel, maar om daar te komen, moest ik eerst de St. Saturninus zien binnen te komen.

In die tijd was het al heel wat jaren gebruikelijk om kerken na de vesper of na de laatste lekenactiviteit af te sluiten. Voorheen waren ze dag en nacht open en kon iedereen er binnenlopen om na te denken of te bidden. Maar onafgesloten kerken waren nu al tientallen jaren een prooi voor vandalen geworden, die de boel vernielden en het altaar ontheiligden. Zo ging het er in de moderne tijd aan toe.

De verschillende ingangen van het kathedraalcomplex werden aan het begin van de dag geopend, en ik wist een plek waar ik veilig zou zijn voor blikken van voorbijgangers. Daar kon ik wachten tot ik naar binnen kon. Ik was twintig en tamelijk sterk, maar desondanks kostte het me al mijn kracht om het lichaam van Vader op mijn schouders te hijsen en ermee naar de St. Saturninus te lopen.

Om mijn vader naar zijn laatste rustplaats te brengen, zodra de zon opkwam, moest ik hem naar het dodenrijk brengen, en van daaruit naar nog dieper gelegen plekken.

41

Het robijnrode glaasje op de piano had een dikke transparante voet en was ongeveer zo groot als een theekopje. Op het glanzend gelakte ebbenhout van de Steinway viel een cirkel van rood licht, donkerder dan bloed, alsof het een zwak vuur was dat onder water brandde.

Kennelijk deelde Gwyneth mijn voorgevoel dat het telefoontje weinig goeds te betekenen had, want ze zette het apparaat op de luidsprekerstand voordat ze opnam, zodat ik het gesprek kon volgen.

Toen ik er de vorige avond in de bibliotheek getuige van was geweest dat Ryan Telford Gwyneth probeerde te pakken te krijgen, had ik hem niet meer dan een paar woorden horen schreeuwen. Hoewel ik zijn stem nu niet herkende, wist ik dat hij het was die belde vanwege hetgeen hij zei.

'Ik heb begrepen dat je na de veel te vroege dood van je vader in een sanatorium bent opgenomen, een of andere superdure kliniek, waar je je onder je bed verstopte, steeds op je duim zoog, er geen woord uit je te halen was en de artsen je eigenlijk opgegeven hadden.'

Ik stond in het schemerdonker bij de vleugel, aan de kant van de toetsen, en zij stond aan de andere kant, niet ver van me af maar toch op veilige afstand, al was het schijnsel van het mobieltje zo zwak dat ik haar gezichtsuitdrukking niet kon zien.

Ze zei niets, en na een tijdje zei Telford: 'Je bent een neuroot, een bang en mensenschuw muisje. Je verschuilt je achter je gothic look, rent verschrikt van het ene naar het andere nestje, maar toch ben je op je eigen gestoorde manier verrukkelijk.'

'Moordenaar,' zei ze rustig.

'Wat beschik je toch over een verwrongen fantasie, muisje. Waarschijnlijk heb je je ook in je hoofd gehaald dat de ongediertebestrijding bij verschillende van die zielige muizennestjes van je is langs geweest en dat ze straks alle acht worden ontdekt.'

Weer zei Gwyneth niets.

Telford zei: 'Mijn huidige businessmodel vereist een partner. Wist je dat? Hij is al net zo teleurgesteld in de huidige gang van zaken als ik. Jammer dat jij geen partner hebt, muisje. Wat naar om te weten dat je er in deze harde wereld helemaal alleen voor staat.'

'Ik sta er niet alleen voor,' zei ze.

'Ah, ja, die voogd van je. Maar die is niet meer te vertrouwen.'

'Van hem zult u dit nummer of die adressen niet hebben gekregen.'

'Dat klopt. Dat vertikte hij. Maar ik heb hem keurig aangelijnd, al heeft hij dat misschien niet eens door. Als hij zich ooit losrukt, zal ik me gedwongen voelen eens bij hem langs te gaan om hem de nieuwe regels uit te leggen. Nu ik weet dat je niet in een sanatorium zit en daar ook nooit hebt gezeten, moeten we maar eens een afspraakje maken. Ik voel me sterk tot je aangetrokken, muisje.'

'Ik sta er niet in mijn eentje voor,' herhaalde ze, en in de schemering dacht ik te zien dat ze mijn kant op keek, al wist ik dat niet zeker.

'Wat ben je toch een moedig wezentje. Een wees, een gigantische neuroot, door je neurose geïsoleerd geraakt, onervaren. En toch zo moedig. Moedig klein muisje, fantaseer je wel eens om door twee mannen tegelijk bezeten te worden? Echte mannen, bedoel ik dan, niet zo'n type als die geliefde voogd van je.'

Ze beëindigde het gesprek zonder verder commentaar te geven.

Ik verwachtte dat de telefoon meteen weer zou overgaan, maar dat gebeurde niet.

Haar glas weerspiegelde het licht toen ze het naar haar lippen bracht.

'Wat moet we nu doen?' vroeg ik.

'We gaan eten.'

'Maar als hij ontdekt waar we nu zitten...'

'Dat gebeurt niet. Ik ga koken, dan gaan we eten, en daarna zal ik piano voor je spelen. Misschien neem ik dan nog wel een tweede glas wijn.'

De keuken was te klein voor twee koks van wie de ene niet aangeraakt wilde worden en de andere zijn gezicht verborgen wilde houden.

Ik liep weer naar het raam en keek omlaag. Er lag nu zoveel sneeuw dat auto's niet langer een zwart spoor op het asfalt achterlieten. De man met de Duitse herder was waarschijnlijk al thuis.

De drie Helderen die ik op de gebouwen aan de overkant van de straat had zien staan, waren verdwenen. Ik vroeg me af of ze naar dit gebouw waren gegaan. Even overwoog ik een raam open te schuiven, mijn hoofd naar buiten te steken en omhoog te turen om te kijken of ik iets op het dak kon zien gloeien.

De ramen bleken niet open te kunnen, wat logisch was omdat deze ruimte bedoeld was als veilige plek voor een onbetaalbare schat. Toen ik zachtjes tegen een van de ruitjes tikte, kreeg ik de indruk dat het glas buitengewoon dik was. Ik vroeg me af of het kogelwerend was.

42

Vader die nog maar een paar minuten geleden was overleden, de door de sneeuwstorm geteisterde stad, en geen veilige manier om een lijk de heuvel af te krijgen en door de stad te vervoeren, tenzij misschien via de geheime route die alleen toegankelijk was als ik in de kathedraal kon komen...

De St. Saturninus stond met zijn imposante gotische façade aan Cathedral Avenue, de noordzijde aan East Halberg Street.

Voorovergebogen als een trol en met een aapachtige tred droeg ik het lichaam van mijn vader over mijn schouders. Ik sloeg links af East Halberg Street in. Ik verdrong mijn wanhoop omdat er onmiddellijk actie geboden was.

Het kathedraalcomplex was aan drie kanten ommuurd. Ingangen op strategische punten boden toegang tot de verschillende gebouwen op het terrein. Al die ingangen bestonden uit boogvormige poorten, met daarboven in een nis een gebeeldhouwde figuur, die ernstig op wacht stond. Boven de poort waar ik naartoe wilde, stond een beeld van de heilige Johannes, die met zijn godvrezende blik veel verder leek te kunnen kijken dan East Halberg Street.

De tweeënhalve meter hoge muur was zo breed dat er een gang doorheen liep die alle gebouwen met elkaar verbond. Hier achter de poort lag een twee meter hoge ruimte, die verlicht werd door een kaal peertje. Achterin bevond zich een onversierde teakhouten deur, die pas tegen zonsopgang opengemaakt zou worden.

Zo voorzichtig mogelijk legde ik Vader in die ruimte op de grond neer, rechtop, met zijn rug tegen een muur. Hij had handschoenen aan, en zijn gezicht was met een sjaal omwikkeld. Zijn kleren leken gevoerd met oude lappen en tot op de draad versleten handdoeken en sokken vol gaten, en hij oogde als een lappenpop uit een kinderboek die betoverd was en tot leven was gekomen en grootse avonturen had beleefd, tot hij uit het boek stapte en deze wereld betrad, waarna de betovering op slag verbroken was.

In de voering van zijn regenjas had hij diepe zakken genaaid. Daarin bewaarde hij niet alleen de sleutel van de poort, die toegang gaf tot de bibliotheek en andere gebouwen, maar ook de haak annex koevoet waarmee we putdeksels konden lichten. Die spullen waren nu van mij, en ik hechtte er grote waarde aan, niet alleen omdat ze me in staat stelden me ongezien door de stad te verplaatsen, maar vooral omdat ze van hem waren geweest.

In het midden van het plafond hing een peertje, waaromheen ter bescherming een rooster van draad zat. Hoewel het een daad van vandalisme was en ik betreurde dat ik iets vernielde, ook al was het om te overleven, maakte ik met de koevoet een opening in het rooster en tikte ik vervolgens het peertje kapot. De meeste scherven bleven in het draadrooster hangen, maar een paar, nog dunner dan een eierschaal, vielen in de duisternis op de grond. Ze knarsten onder mijn voeten toen ik naar de poort liep. Verscholen in het donker keek ik naar de straat.

Het was stiller dan ik ooit in de stad had meegemaakt. Er stond geen zuchtje wind, en de onzichtbare hemel legde een isolerende deken over de wereld, alsof ontelbare uitgedoofde sterren, die aanzienlijk gekrompen waren nadat ze waren uitgegaan, nu uit de hemel neerdaalden en op aarde de volmaakte stilte van de interstellaire ruimte meebrachten. Ik vond de griezelige stilte onheilspellend, zonder dat ik precies kon benoemen waar dat aan lag. East Halberg

Street lag onder een grote, witte, tijdloze deken, en bijna geloofde ik dat het een toekomstvisioen was waarin de stad nog wel bestond, maar waarin de straten en pleinen en parken bedekt waren met de tot poeder vergruisde botten van de voormalige inwoners.

Als de twee agenten zouden terugkeren naar de plek op Cathedral Hill waar Vader zichzelf had opgeofferd, zouden ze niet via East Halberg Street gaan, noch zouden ze een sirene aanzetten.

Ik liep terug naar Vader en ging naast hem zitten. Het was koud in die laatste duistere uren van de nacht, maar ik werd meer gekweld door het verdriet dat ik niet kon uiten en dat als een dichte doornenstruik om mijn hart zat. Het was nu van het allergrootste belang dat ik de controle niet zou verliezen, en daarom probeerde ik helemaal nergens aan te denken, maar vanuit het niets verscheen de marionet, en daarna de speeldoos, en toen zag ik het huisje op de berg weer voor me. Ik hoorde het geweer weer knallen, en dat was niet fijn, dat was helemaal niet fijn.

Elke dag, vlak voordat het zonlicht begon te gloren, kwamen de monniken door de kloostergang die om de geometrisch aangelegde tuin liep en maakten ze de deuren aan de noord- en zuidzijde in de grote muur open. Andere priesters deden het licht in de kathedraal aan en openden de deuren aan de straatkant.

Ik verstijfde toen ik hoorde dat de deur met een klik werd ontgrendeld, en stelde me er al op in mezelf voor te doen als een nederige dakloze die met gebogen hoofd naast zijn slapende vriend zat. Gelukkig ging de monnik die de deur van het slot had gedaan niet in de kou kijken of iemand voor de deur had overnacht, iets waarvan ik me kon voorstellen dat dat zo nu en dan gebeurde.

Zelfs wij die ons verbergen, die alle reden hebben om cynisch te zijn – maar die daar desondanks niet toe geneigd zijn – denken meestal dat we net iets minder gevaar lopen als we iemand van het kerkelijk ambt tegenkomen dan wanneer we plotseling oog in oog komen te staan met iemand anders. We weten daarbij echter dat we niet op voorhand genade van de vromen mogen verwachten. Ik ben na al die jaren nog niet vergeten wat er gebeurde bij de blauw-

witte kerk bij de rivier, waar een van de gelovigen, mogelijk een deken, me met een honkbalknuppel te lijf ging. En ook dat een pre-
dikant de vingers van Vader gebroken had, stond in mijn geheugen
gegrift.

Na een minuutje, toen ik de indruk had gekregen dat alle broe-
ders inmiddels in de kerk zaten, duwde ik de deur open. Tussen de
zuilen van de galerij door zag ik de tuin liggen. In het eerste daglicht
leken de groenblijvende hagen, onder een laag sneeuw, op het met
lakens afgedekte meubilair in een huis dat tijdelijk niet bewoond werd.

Ik keek om het hoekje van de deur en zag dat er inderdaad niemand in de overdekte zuilengang was. Omdat er buiten voor de
deur te weinig ruimte was om Vader op mijn schouders te tillen,
sleepte ik hem over de drempel de zuilengang in. Ik deed de deur
dicht, tilde hem op mijn schouders en ging rechtsaf.

De enige ingang van de kathedraal die ik durfde te gebruiken,
was die aan de noordkant, waar vier deuren waren. Ik boog nog iets
verder naar voren om het grote gewicht in balans te houden, stak
een hand uit en deed de deur links van me open.

Binnen klonken psalmodiërende stemmen. De monniken waren
bezig met de metten, de eerste van zeven officies binnen de katholieke Kerk.

In de hoop dat ze zo in hun gebeden opgingen dat ze me niet
zouden opmerken, betrad ik de noordelijke kruisbeuk. 's Nachts had
ik de plat gestampte sneeuw onder mijn laarzen weggeschraapt; ik
liet nu enkel een nat spoor op de marmeren vloer achter.

Vanaf het moment dat ik ze voor het eerst zag, tijdens een geheim bezoekje aan de kathedraal, vond ik de twintig meter hoge
waaiergewelven magnifiek, maar omdat ik een zware last op mijn
schouders meedroeg en bang was dat iemand me zou zien, deed ik
geen enkele poging mijn blik omhoog te richten.

Het was een grote kathedraal, en de kruisbeuk was lang. Toen
ik mijn hoofd iets omhoog deed, zag ik niemand staan op het punt
waar de kruisbeuk en het schip van de kerk bij elkaar komen. Ik had
geen idee of de monniken in het koor zaten of elders waren.

Het lichaam dat ik op mijn schouders mee torste, leek elke seconde zwaarder te worden. Mijn kuiten brandden.

Links van me, nog aan mijn kant van de doopvont, achter een overwelfde galerij, lag een ruimte die toegang gaf tot een grote wenteltrap naar beneden, met kalkstenen treden van zo'n twee meter breed. Er stonden twee bronzen paaltjes met een dik roodfluwelen koord ertussen, dat de toegang tot de trap blokkeerde. Toen ik een van de paaltjes opzij duwde, klonk er een hard schrapend geluid.

Het gezang werd niet onderbroken. Als een middeleeuwse lijkenpikker die vol berouw zijn buit kwam terugbrengen, liep ik met mijn dode vader de trap af, de crypte in, diep onder de kerk, waar een geheime passage te vinden was die naar de lagergelegen delen van de stad voerde. Aan de voet van de trap, onder een in kalksteen uitgehouwen timpaan waarin Christus de Verlosser was afgebeeld, zat een rijkelijk versierd hek van brons, maar dat was niet op slot.

De crypte werd verlicht door een groot aantal toortsen, voorzien van gasbranders die dag en nacht aan werden gelaten als symbool voor de eeuwig voortlevende zielen van hen die hier begraven lagen. De ruimte werd door zuilenrijen in diverse compartimenten opgedeeld, en op de kruisgewelven waren plafondschilderingen aangebracht. Hier lagen de bisschoppen en kardinalen en misschien enkele van de meest vooraanstaande parochianen begraven.

De vloer van de verschillende compartimenten, die door middel van doorgangen met elkaar verbonden waren, liep enigszins schuin af, iets wat Vader me had laten zien toen we de route liepen die ik nu met hem aflegde. Ik kwam langs zuilen waarachter gedaanten in wapperende zwarte gewaden stonden, in werkelijkheid schaduwen die door de flakkerende gasvlammen op de muren werden geworpen en die ik met mijn fantasie tot leven had gewekt. Al snel kwam ik bij een laaggelegen nis waar al het water naartoe zou lopen als de crypte ooit onder water kwam te staan.

Nadat ik Vader voorzichtig van mijn schouders had laten glijden, gebruikte ik de koevoet annex haak om het grote deksel van de put te schuiven, waarbij ik ervoor zorgde dat een paar centimeter van het deksel over de rand bleef liggen. Nu en dan hoorde ik flarden van gezangen, maar ik wist dat de monniken me hier niet konden horen.

Een put, meer dan een meter in doorsnee, liep twintig meter recht omlaag naar een rioolbuis, die hoog genoeg was voor een volwassen man om in te lopen als hij zijn hoofd introk. Deze rioolbuizen waren een van de eerste die gebouwd waren, opgetrokken uit baksteen en cement, maar ze functioneerden nog steeds.

In de put waren ijzeren ringen aangebracht voor degenen die het riool moesten onderhouden. Een paar ervan zaten los, en als je in de put wilde afdalen, moest je dus goed opletten omdat je voet of hand zomaar kon wegglijden. Het gat was zo smal dat ik er niet doorheen kon als ik Vader op mijn schouders droeg.

Er zat maar één ding op, ook al was het nog zo'n nare manier, en ik aarzelde dan ook heel even voordat ik Vader in het gat liet zakken, de voeten eerst. Ik wendde mijn blik af maar deed mijn handen niet voor mijn oren, omdat ik het idee had dat ik elk deel van deze reis naar zijn laatste rustplaats bewust moest meemaken.

Het fluitende geruis, veroorzaakt doordat zijn regenjas tegen de bakstenen putwand schuurde, nam in volume toe toen hij viel. Met een klap kwam hij in de grote rioolbuis terecht en schoof een eindje door, maar het riool helde zo weinig dat hij onder in de put bleef liggen.

Ongeveer een minuut lang bleef ik bij de geopende put staan. Ik stond op mijn benen te trillen, vocht tegen mijn tranen en bereidde me voor op de afdaling.

Elders in de crypte hoorde ik voetstappen op steen, en daarna stemmen die in de kruisgewelven rondgalmden.

43

Zoals binnen onze relatie vereist was, als je al van een relatie mocht spreken, aten we in een nauwelijks verlichte ruimte: drie kaarsjes in blauwe glaasjes op een bijzettafel, nog zes wat verder weg in de open keuken, en geen kaarsjes op de tafel waaraan we zaten te eten. Ik had mijn bivakmuts afgedaan, maar hield mijn jas aan en at met mijn capuchon op.

Boven ons hing een eenvoudige glazen kroonluchter, onverlicht om aan mijn wensen tegemoet te komen, maar in het chroom ervan werden de flakkerende kaarsjes in de blauwe potjes weerspiegeld, en op de kleine glazen kappen waarin de peertjes zaten, werd het blauwe schijnsel aan de ronde rand weerspiegeld. Ook de wijnglazen en het bestek fonkelden, en achter het bijzettafeltje viel het zachte blauwe schijnsel van de flakkerende kaarsjes op de muur.

Ze had *crabcakes* gemaakt met een salade van paprika en kool, en aardappeltjes die eerst waren gebakken en daarna nog even in de oven waren gezet. Het was allemaal heerlijk, en ik proefde niet wat uit de diepvries kwam en wat niet.

'Wie zou de partner kunnen zijn die Telford noemde?' vroeg ik.

'Ik zou het niet weten. Leugens komen net zo gemakkelijk over zijn lippen als de lucht die hij uitademt, dus het zou goed kunnen dat er helemaal geen sprake is van een partner.'

'Volgens mij was het geen leugen.'

Na een korte stilte zei Gwyneth: 'Volgens mij ook niet'.

'Wat bedoelde hij toen hij zei dat je voogd is aangelijnd?'

'Je krijgt hem nog wel te zien. Dan snap je het vanzelf.'

'Je zei dat zelfs hij niet van dit appartement af weet.'

'Dat klopt. We moeten bij hem langs.'

'Is dat wel veilig?'

'Niet helemaal. Maar we kunnen niet anders.'

Ik genoot van de wijn. Het was de eerste keer dat ik pinot grigio proefde. Ik genoot ook van Gwyneths aanwezigheid, die als een schim tegenover me aan tafel zat. Haar handen waren zo rank als de handen van een zeemeermin in een lichtblauwe droom.

'Zo te horen heeft Telford een verdorven geest,' zei ik.

Ze lachte zachtjes. 'Dat zal ik niet betwisten.'

'Vijf jaar geleden, toen hij…'

Toen ik mijn zin niet afmaakte, vulde zij hem aan. 'Toen hij probeerde me te verkrachten?'

'Je was nog maar dertien. Je zei dat je toen al in afzondering op de bovenste verdieping van het huis van je vader woonde.'

'Zou jij kunnen bedenken wat de zwartste dag van je leven was, Addison?'

Ik dacht terug aan het incident op Cathedral Hill, toen Vader werd doodgeknuppeld. 'Ja. Zo'n dag was er wel.'

'Bij mij ook. Ik woonde bij mijn vader thuis, had de derde verdieping voor mezelf alleen, toen Telford achter me aan kwam, nadat papa een paar minuten eerder in de keuken was vermoord.'

Ik zei: 'Ik wist niet dat dat allemaal op een en dezelfde avond gebeurd was.'

Boven ons klonk een duidelijk hoorbaar geluid, alsof iemand drie keer snel maar niet heel hard met zijn vingers op de vloer tikte, steeds twee keer kort na elkaar, als een slagwerker in een orkest die met een houten hamertje op een woodblock sloeg.

Ik had de Helderen nog nooit een geluid horen maken, maar toen ik omhoogkeek, vroeg ik: 'Iemand op het dak?'

'Hierboven is een zolder. Maar dit stelt niks voor. Waarschijnlijk gewoon een tikkende buis.'

Weer hoorde ik het geluid: *tik-tik, tik-tik, tik-tik.*

Ze zei: 'Waarschijnlijk zit er lucht in de waterleiding.'

Tik-tik, tik-tik, tik-tik.

'Steeds drie keer twee tikken? Hoe kan dat?'

'Het is niet altijd hetzelfde. Soms hoor je twee keer tikken, soms een hele serie achter elkaar. Niets om je druk over te maken. Gewoon lucht in de buizen. Hoe zijn de crabcakes?'

In de schemering kon ik haar gezicht net zomin ontwaren als zij dat van mij.

'Heerlijk. Wat kun je goed koken.'

'Ik kan heel goed dingen opwarmen.'

Ik pakte mijn glas, aarzelde, luisterde of ik het tikkende geluid weer hoorde, maar het bleef stil.

Nadat ik een slokje wijn genomen had, zei ik: 'Gwyneth?'

'Ja?'

'Ik vind het heel fijn om hier te zijn.'

'Ik vind het ook heel fijn,' zei ze. 'Mijn leven is altijd zo beperkt geweest. Maar nu voelt het heel anders.'

44

Zes jaar daarvoor, in de crypte van de kathedraal, toen ik bij de geopende put stond, ver van de ingang af, durfde ik me niet te verroeren omdat het minste of geringste geluid door de kruisgewelven zou galmen en mijn aanwezigheid dan met een koor aan echo's verraden zou worden.

De vier ruimtes stonden in open verbinding met elkaar en werden slechts door zuilen van elkaar gescheiden. Hoewel het geluid zich gemakkelijk verplaatste, was het moeilijk om vanuit één punt alle ruimtes te kunnen zien. Ik moest denken aan de naaldbossen waarin ik als jongen verzeild was geraakt, voordat ik bij de kerk aan de rivier kwam. Tussen die bomen, waarvan zelfs de laagste takken hoog boven mijn hoofd hingen, stond geen struikgewas, maar door de grote hoeveelheid stammen reikte mijn blik niet ver, en hier in de crypte ook niet, mede door het zachte licht van de toortsen en de diepe schaduwen.

Ik had me in de put kunnen laten zakken, maar als ze dan afkwamen op het geluid dat ik maakte, zouden ze het deksel naast het gat zien liggen. Dan zouden ze weten dat er iemand was geweest, niet iemand van de gemeente, iemand die deze route gebruikte om hier binnen te sluipen. Ik zou dan nooit meer langs deze weg de kerk kunnen binnenkomen, en dat zou erg jammer zijn, omdat ik hier soms diep in de nacht een zekere gemoedsrust vond.

Ik wist niet wie het waren, maar ze waren met z'n tweeën. Ze spraken op samenzweerderige toon met elkaar, en ze hadden stellige overtuigingen die ze kennelijk geheim wilden houden.

'De verklaring zal pas over vijf dagen worden vrijgegeven, maar het bericht is al ontvangen. De beslissing is gevallen.'

'Je gaat me toch niet vertellen dat Wallache het wordt?'

'Ik ben bang van wel.'

'Het lijkt wel of ze allemaal gek zijn geworden.'

'Je houdt je mond hierover, hè? Anders kan ik het wel schudden. Dit is supergeheim.'

'Maar ze kennen Wallaches achtergrond toch wel? En hij toch helemaal?'

'Ze lijken Wallache op zijn woord te geloven.'

'Hij heeft geluk gehad dat hij niet als de anderen is ontmaskerd.'

'Misschien is er meer dan geluk in het spel.'

'Je weet hoe ik daarover denk.'

'En toch is het bekend. Het is bekend.'

'Het is niet algemeen bekend.'

'We moeten met twee dingen rekening houden. Allereerst hebben we met Wallache te maken, maar hem hoeven we slechts minimaal tegemoet te komen. Daarnaast moeten we doen wat juist is.'

'Er zijn er wel meer die er precies zo over denken als wij. Heel wat.'

'Ja, maar dat is een schrale troost als ze tot zoiets besluiten. Je weet dat er een langdurige duisternis over het land zal neerdalen.'

En toen gingen ze weg, net zo plotseling als ze gekomen waren.

Ik snapte niet veel van het gesprek, en destijds had ik geen zin om er verder over na te denken. Nu Vader dood was, waren de naden van mijn leven losgeraakt en had ik niet het vertrouwen dat het ooit nog goed zou komen. Mijn leven was één groot geheim, en de geheimpjes van anderen gingen me niet aan.

Ik liet me in het gat zakken dat van de crypte naar de diepte voerde, alsof ik zelf dood was en voor mijn eigen begrafenis moest zorgen. Met links hield ik een van de ringen vast, en met de andere hand zekerde ik mezelf met een vijftien centimeter lang koord dat ik lang geleden aan de riem van mijn regenjas had vastgenaaid. Aan het eind van die korte kabel zat een grote karabiner, die ik zo vaak controleerde dat ik er volledig op vertrouwde. Ik zette mijn voeten op een lagergelegen ring, zat gezekerd aan mijn riem en had zodoende beide handen vrij om met de haak annex koevoet het putdeksel over het gat te trekken en dat op zijn plaats te leggen, al ging dat met aanzienlijk veel kabaal gepaard.

Nadat ik de karabiner had losgemaakt, daalde ik in de put af. Het was zo donker dat ik de duisternis samen met de koele lucht leek in te ademen. Hoewel ik me dat maar verbeeldde, had ik het gevoel dat de ingeademde duisternis mijn lichaam niet meer verliet bij het uitademen.

Ik wist hoeveel ringen er in totaal in de twintig meter diepe put waren, en ik telde ze terwijl ik afdaalde naar de plek waar Vader lag, in elkaar gezakt en gebroken. Toen ik bijna beneden was, haalde ik een zaklantaarn uit een van mijn jaszakken en scheen ermee omlaag. Achter me zat in het laatste stukje van de putwand een boogvormige doorgang naar een groter riool, een opening van bijna anderhalf bij anderhalf. Door de vaart waarmee het lijk onder in de put was beland, was het een stukje doorgeschoven. Vader lag op zijn zij, en alleen zijn afgedekte hoofd lag nog in de verticale schacht.

Onder in de put aangekomen, knielde ik bij hem neer en duwde ik hem door de opening het grotere riool in. Daarna kroop ik achter hem aan. Ik probeerde me te richten op datgene wat gedaan moest worden, de fysieke klus, zodat ik geen tijd had om me ongerust te maken over de aard van de lading die ik ondergronds over een flinke afstand zou moeten vervoeren.

Ik liet hem daar in het donker voorlopig achter, in de hoop dat er tijdens mijn afwezigheid geen ratten zouden komen. Er kwamen niet zoveel ratten in het riool voor als je zou denken, omdat er in die afwateringsbuizen weinig eetbaars te vinden was en bij hevige regenval een soort zondvloed van Hamelen ontstond waarin de ratten naar de rivier werden meegezogen en verdronken.

In gebogen houding liep ik door het zijriool, waarin de ooit zo gladde wand van baksteen door het water was uitgesleten. Om de zes stenen was de tunnel gestut met een brede ring. Het volgende riool, dat hoger was, was gemaakt van stenen van diverse afmetingen, samengevoegd met cement. Hoewel dit riool nieuwer was dan de bakstenen tunnel, oogde het ouder.

Toen ik bij een moderne betonnen rioolbuis kwam waarin ik rechtop kon staan, begon ik te rennen. Onder me sijpelde een melkwit stroompje water, glinsterend als gesmolten vet in het springerige schijnsel van mijn zaklantaarn. Ik liep nog een paar tunnels door, en na vijfentwintig minuten bereikte ik het stalen rooster dat toegang gaf tot de hal die naar onze raamloze kamers voerde.

Deze doolhof van gangen onder de stad was geen catacombe waarin onze doden in nissen in de muur konden worden bijgezet om in alle rust tot stof te vergaan. De doden moesten worden toevertrouwd aan de rivier, zodat ze op de bodem konden vergaan tot vruchtbaar slib waaraan alle wezens die in de rivier leefden zich tegoed konden doen.

Toen ik mijn vader eenmaal had ontmoet – ik was toen acht – onderkende hij de noodzaak een begrafenisuitrusting in elkaar te zetten, die kon worden gebruikt door degene van ons tweeën die achterbleef. Gelukkig was ik inmiddels sterk genoeg om de taak te volbrengen, een taak die deprimerend was maar desondanks zo snel mogelijk moest worden uitgevoerd.

De spullen lagen bij elkaar in een hoek van onze leeskamer. Een zeildoek dat we in een vuilniscontainer hadden gevonden, was aan een kant ingespoten met een siliconen smeermiddel, dat Vader op zijn verzoek gekregen had van de vriend van wie hij ook een sleutel van de voedselbank van St. Sebastian had gekregen. Aan twee randen van het zeildoek naaide Vader oogjes, waar hij touwen doorheen trok. Hij vouwde het doek op, met het onbehandelde oppervlak en de touwen aan de binnenzijde. Ook waren er twee emmers met spijkers en bouten en moeren en verroeste ijzeren hulpstukken van allerlei aard, plus de koppen van een paar hamers en allerlei klein spul, alles wat enig gewicht had. We hadden die spullen in de loop der tijd op onze nachtelijke tochten verzameld, en ze waren bedoeld om een stoffelijk overschot af te zinken, zodat dat op de bodem van de rivier bleef liggen.

Ik droeg de emmers naar het riool en zette ze op de looprichel. Met het opgevouwen zeildoek rende ik terug naar het zijriool waar ik het lijk van Vader had achtergelaten.

We hadden geen idee wat de mensen bovengronds met onze stoffelijke overschotten zouden doen. Gezien de agressie waarmee ze ons bejegenden als ze ons zagen, namen we aan dat ze de lijken genadeloos zouden toetakelen. Als we in een hoek gedreven werden, zouden we de dood moedig in de ogen kijken, maar we mochten niet toestaan – moesten dat te allen tijde voorkomen – dat ze ons ook in de dood onze waardigheid ontnamen.

Toen ik op mijn gouden Rolex keek, zag ik dat er een uur en tien minuten verstreken waren sinds ik Vader had achtergelaten. Hij lag er nog net zo bij als eerst, er waren geen ratten op hem af gekomen, en het was stiller dan het bovengronds ooit zou zijn, ook wanneer niet alle geluiden door de sneeuw gedempt werden, zoals nu.

Ik spreidde het zeildoek op de vloer van het riool uit, waarbij ik de ingespoten kant onder legde. Toen ik Vader in het doek wikkelde, leek hij hier en daar in zijn kleren te verschuiven, als een hoopje losse onderdelen, verbrijzeld en uit elkaar gerukt, niet alleen door kogels en wapenstokken, maar ook door de diepe val in de schacht.

Het doek was gemakkelijk dicht te trekken en vast te maken; Vader had zijn lijkgewaad degelijk geconstrueerd. Aan het ene uiteinde waren de touwen langer dan aan het andere eind, en ze konden aan twee houten handgrepen worden vastgemaakt die hij zelf had uitgesneden.

Het siliconen smeermiddel vormde een gladde maar ogenschijnlijk droge laag op het zeildoek, en het werd verkocht met de garantie dat het langdurig veel wrijving aankon, hoewel de fabrikant niet zal hebben voorzien waar ik het voor gebruikte. Met beide armen achter me, mijn handen de grepen vasthoudend, boog ik naar voren. Het behandelde zeildoek gleed tamelijk soepel over de bakstenen, en daarna over het steen en cement, maar nog gemakkelijker over het beton. Ik trok Vader mee naar zijn laatste rustplaats, alsof ik een vader was die zijn zoontje op een slee voorttrok, maar dan helaas met de rollen omgedraaid.

Het kostte me drie kwartier om bij de twee emmers vol metalen voorwerpen te komen. Nadien zou ik ontzettend veel pijn in mijn armen, schouders en rug krijgen, alsof ik een complete goederenwagon had voortgetrokken, maar op dat moment werkten plichtsgevoel en verdriet als morfine. Ik maakte de dichtgeknoopte touwen los en trok het zeildoek een stukje open, ver genoeg om de eerste emmer en de helft van de tweede erin te legen. Vader en ik hadden berekend hoeveel gewicht toegevoegd moest worden om de lading af te zinken, niet meteen bij de oever, maar een paar meter er vanaf. Toen ik ook de rest van de tweede emmer had toegevoegd, trok ik het touw aan en ging ik weer verder. Ik had nog zo'n vijfhonderd meter te gaan.

De zeven grootste tunnels, de hoofddaders van het afwateringssysteem, kwamen op verschillende punten in de rivier uit. De meeste loosden het water in grote bezinkbassins, en pas als die overstroomden, kwam het water in de rivier. Op deze manier bezonk alle rotzooi die zwaarder was dan papier en veren en werd voorkomen dat die in de rivier terechtkwam.

Ik sleepte Vader naar het open uiteinde van een van die enorme riolen. Het betonnen bezinkbassin dat voor ons lag, was zo'n vijftien tot twintig meter lang en tien meter diep. Omdat het na de laatste heftige regenval was schoongemaakt, was het nu droog en leeg en lag er alleen wat sneeuw in.

Een brede loopbrug van geperforeerd staal leidde van de dichtstbijzijnde wand van het bassin naar de overkant. Er lag een deken van sneeuw op, dat hetzelfde patroon vertoonde als het onderliggende staal, als een gehaakt kleedje. Het zou niet ongevaarlijk zijn om daar nu overheen te lopen, maar gelukkig zat er aan weerszijden een balustrade. Bovendien had ik geen andere keuze.

Eerst aarzelde ik en vroeg ik me af of ik niet beter kon wachten tot het donker was geworden. Maar dat zou nog uren duren. Bovendien werd er gestaakt, ook door de gemeentewerkers die zich bezighielden met de bezinkbassins, zodat de kans klein was dat er iemand in de buurt zou zijn, vooral gezien het barre weer.

Het sneeuwde nog net zo hard als op Cathedral Hill. Ik kon de overkant van de rivier niet zien, alsof alle sneeuw van tientallen toekomstige jaren in één keer uit de hemel viel omdat die jaren niet meer zouden komen. De rivier was zo vroeg in de winter nog niet dichtgevroren, en er voeren alleen binnenvaartschepen, geen plezierjachten. De vaartuigen doorkruisten witte gordijnen van sneeuw die het zicht belemmerden. Het leek me sterk dat de bemanning tijd of interesse had om naar mij te kijken, als ze me al opmerkten.

Ik sleepte het zeildoek over de loopbrug, ging twee keer onderuit, een keer tegen de balustrade aan, en een keer hard op mijn knieën. Aan het eind van de brug bevond zich het afvoerkanaal, een reeks treden van vijftien centimeter hoog, zo breed als het bassin zelf, die naar de rivier leidden.

Ik stond nu dichter bij de rivier, maar het scheepvaartverkeer leek nog net zo wazig als toen ik er verder vanaf stond. Op elk schip brandden navigatielampen, wat gebruikelijk was in het donker of bij mist.

Ik liep de treden af terwijl ik probeerde de lijkwade in evenwicht te houden, want het leek me vreselijk als ik ten val kwam en Vaders stoffelijke resten pardoes in het water tuimelden. Toen ik echter op een derde was, ontglipte de zware last me, gleed over de treden en belandde met een zachte plons in het water.

Mijn benen begonnen te trillen, alsof ze me bijna niet meer dragen konden. Ik ging op de treden zitten. Ik prevelde wat ten afscheid en zei gebeden op. Mijn stem trilde, en dat kwam niet door de kou.

Bij de oever was de rivier bijna een vadem diep, en de rivierbodem liep steil omlaag om ook schepen te kunnen doorlaten die diep in het water lagen. Het zeildoek was niet waterdicht vastgebonden, en ik hoopte dat het ver genoeg van de oever zou drijven voordat het zonk.

De lijkwade dreef wat verder van de oever dan ik had verwacht. Op een gegeven moment zonk het. Het toegevoegde metaal was niet zozeer bedoeld om het zeildoek af te zinken, als wel om het geheel op de bodem te houden als het lichaam begon te ontbinden en er door gasvorming een opwaartse druk zou ontstaan die het lichaam naar de oppervlakte zou duwen, zoals Vader gedurende zijn geïsoleerde leven altijd naar de bovengrondse wereld was getrokken.

Op een gegeven moment zou er weer een storm opsteken, de waterspiegel zou stijgen en er zouden krachtige stromingen ontstaan. Zijn stoffelijke overschot zou daardoor van zijn plaats komen en verder stroomafwaarts verplaatst worden. Het lijk zou worden bedolven onder steeds meer laagjes slib, tot hij op de bodem van de rivier begraven zou liggen, zoals hij bij leven onder de stad had verkeerd die hij altijd zo prachtig had gevonden.

In de stilte die was ingetreden, viel de sneeuw niet meer in vlagen maar in oneindig gelaagde arabesken, bewegend filigraan dat de kille lucht versierde. In het duifgrijze ochtendlicht had de sneeuw een buitengewoon intense witte tint en drapeerde stola's op kale boomtakken, bracht hermelijnen kragen aan op muren, sierlijke zachtheid in een harde wereld. Je zou haast denken dat de sneeuw voor eeuwig uit de hemel zou vallen en alles mooier zou maken waar het mee in aanraking kwam, met uitzondering van de rivier, want waar sneeuwvlokken het water raakten, hielden ze op te bestaan.

Aan alles en iedereen die we koesteren in deze wereld komt een eind. Ik hield van de wereld, niet om die wereld zelf, maar vanwege het wonderbaarlijke geschenk dat het vormde, en mijn enige verweer tegen mogelijke wanhoop was om iets groters lief te hebben dan de wereld, zelfs groter dan een praktisch oneindig, fonkelend universum dat vol werelden zat.

Ik bleef bij het water zitten en dacht aan speciale ogenblikken die ik met Vader beleefd had, tot de kou uiteindelijk door mijn bivakmuts en gevoerde kleding prikte. Toen ik overeind kwam, viel er een mantel van sneeuw van me af, alsof ik een standbeeld was dat plotseling tot leven kwam.

Ik ging terug naar de raamloze kamers, die nu alleen van mij waren. In de daaropvolgende zes jaar bewoog ik me heimelijk door de stad, gekweld door eenzaamheid, tot ik op een avond een meisje door de openbare bibliotheek zag rennen dat geheel in het zwart gekleed was, maar zich net zo gracieus voortbewoog als dwarrelende sneeuw.

45

Nadat we hadden afgeruimd, gingen Gwyneth en ik weer aan tafel zitten met het restant van ons tweede glas wijn. We hoorden het op zolder nog twee keer kort tikken, maar ze schonk er geen aandacht meer aan. Ze vertelde me over de avond dat haar vader was vermoord. Ze wist hoe hij vermoord was, omdat Ryan Telford haar er verlekkerd en tot in detail over had verteld.

Met kerst was haar vader al sinds jaren gewoon het personeel betaald verlof te geven, van 22 december tot na oud en nieuw. Bijna tien jaar eerder had hij zijn investeringen in onroerend goed verzilverd en had vanuit huis een onwaarschijnlijke maar succesvolle tweede carrière opgebouwd. Hoewel zijn vrienden – die Gwyneth vanwege haar aandoening nooit had ontmoet – verwachtten dat zijn nieuwe baan hem veel vrije tijd zou opleveren, kreeg hij het drukker dan ooit. Rond kerst wilde hij graag even niemand zien, voor de rust, alleen hij en Gwyneth, zodat ze zich niet tot de derde verdieping hoefde te beperken maar door het hele huis kon zwerven zonder bang te hoeven zijn een huishoudster, dienstmeisje of kok tegen te komen.

De enige bezoeker die in die periode over de vloer kwam, was J. Ryan Telford, die toen al de befaamde collecties van de bibliotheek en het eraan gelieerde kunstmuseum beheerde. Jarenlang had de conservator samen met de vader van Gwyneth de taak op zich genomen de volledige collectie zeldzame eerste drukken en kunstvoorwerpen te catalogiseren en te taxeren. Een klein deel ervan stond in zijn huis, het grootste deel in een klimaatgecontroleerd depot. Op 22 december zou Telford in de namiddag langskomen met het jaarverslag. Toen hij arriveerde, had hij ook een zak versgebakken scones van de lekkerste bakkerij van de stad bij zich, plus een pot honing.

Zo nu en dan had Gwyneths vader zich laten ontvallen dat hij aanzienlijke delen van zijn aankopen wilde schenken aan instituten die hem na aan het hart lagen, en kortgeleden had hij besloten dat de tijd was aangebroken om zijn voornemen in daden om te zetten. Telford was al tijden bang dat zijn diefstal van belangrijke stukken van de collectie uit zou komen, en het leek erop dat dat moment niet lang meer op zich zou laten wachten.

In de afgelopen twee jaar had Telford geprobeerd om bij Gwyneths vader in de gunst te komen door te doen alsof hij ook dol was op exotische honingsoorten, en daartoe had hij zich het jargon van imkers en honingmakers eigen gemaakt. Enkele dagen voordat hij met moordzuchtige bedoelingen op bezoek kwam, had hij hoog opgegeven over de potten honing die hij naar zijn zeggen van een reisje naar Italië had meegenomen, al wilde hij niet zeggen om welke soort het ging. Toen hij die decembermiddag op bezoek kwam, gaf hij Gwyneths vader een pot van de betreffende honing, waar hij het etiket vanaf had gehaald, en hij daagde zijn gastheer uit te raden om welke unieke honingsoort het ging.

Ze liepen meteen door naar de keuken, waar Gwyneths vader de pot openmaakte, de geur ervan opsnoof, bordjes en messen en kopjes tevoorschijn haalde en thee ging zetten. Terwijl hij daarmee bezig was, scheurde Telford de zak met scones open en legde die midden op tafel neer, als een hoorn des overvloeds. Eerder op de dag had hij een van de scones opengesneden, die met een gezonde honingsoort besmeerd en de twee helften weer op elkaar gedaan. Telford legde dat exemplaar nu op zijn eigen bordje, alsof hij de honing er net op had gedaan. Hij roerde met zijn mes in de pot met honing zonder er iets van op zijn scone te doen, en tegen de tijd dat zijn gastheer met de thee terugkwam, zat de conservator al aan tafel, klaar om zich aan de scone te goed te doen.

Alle delen van de oleander zijn uiterst giftig, ook de nectar, en al na twee minuten treden er symptomen van vergiftiging op als iemand ook maar een minimale hoeveelheid van het gif heeft binnengekregen.

Gwyneths vader deed een royale laag honing op zijn scone, at met smaak de helft ervan op en probeerde ondertussen te proeven om welke soort het ging. Hij begon aan de tweede helft van zijn scone, toen het zweet hem plotseling uitbrak. Hij trok wit weg, zijn lippen werden grauw, hij liet de scone uit zijn handen vallen en bracht zijn hand naar zijn borst. Met een geluid dat Telford later vergeleek met dat van een kokhalzende baby met een mond vol gepureerde groenten, stoof het slachtoffer overeind. Omdat oleander een stimulerende werking op het hart heeft, had hij waarschijnlijk een hartslag van om en nabij de tweehonderd. Hij kon slechts nog met moeite ademhalen, zakte ineen op zijn knieën en rolde daarna op zijn zij. Hulpeloos lag hij op de grond te stuiptrekken.

Telford at zijn eigen scone op, bracht zijn bordje naar de keuken, spoelde dat af, droogde het en borg het op. Hij spoelde zijn thee door de gootsteen, spoelde en droogde het kopje en borg ook dat op.

Het slachtoffer lag op de grond te braken en stierf. Als hij eerder had overgegeven en zijn maag volledig had geleegd, had hij het misschien gered. Maar honing staat erom bekend een verzachtende werking op de maag te hebben, waardoor hij het grootste deel van de zoete sconemassa binnenhield.

Telford wreef zijn vingerafdrukken van het heft van het honingmes, en met een papieren zakdoekje legde hij dat op het bordje van zijn inmiddels gestorven gastheer. Er waren nog twee scones over. Hij stopte ze in de gescheurde zak om ze mee naar huis te nemen, want ze waren werkelijk verrukkelijk en zouden laat op de avond heerlijk smaken, al zou hij er dan citroenmarmelade opdoen, want honing vond hij een walgelijk goedje.

Van de vader van Gwyneth, en van een paar van de bedienden, had Telford gehoord dat de dochter een sociale fobie had en zich op de derde verdieping had teruggetrokken. Op een dag ving hij een glimp van haar op, op de eerste verdieping, toen hij daar voor werkoverleg met haar vader was en net uit de werkkamer kwam. Ze was toen elf en doste zich nog niet in de gothic stijl uit. Ze boog haar hoofd en hield iets tegen zich aan, al kon hij niet zien wat het was. Ze rende door de gang en verdween naar boven, hoogstwaarschijnlijk linea recta naar haar eigen verdieping.

Ze was lenig en snel. Een elfje, dacht hij, een geest die zonder vleugels door de lucht kan zweven. In zijn ogen was ze het mooiste en liefste meisje dat hij ooit had gezien, en hij begeerde haar ongekend intens en hartstochtelijk. Als haar vader en het personeel er niet waren geweest en ze de enigen in het grote huis waren geweest, zou hij haar achterna zijn gerend, haar tegen de grond hebben gewerkt en haar de kleren van het lijf hebben gerukt. Hij zou haar ter plekke hebben genomen, ongeacht de gevolgen.

Hoewel Telford zich graag overgaf aan bondagespelletjes, waarin hij anderen in beperkte mate fysiek vernederde, deed hij dat alleen met discrete partners die er genoegen in schepten op die manier door hem behandeld te worden. Hij had zich nog nooit met geweld aan een vrouw opgedrongen, al kende hij het verlangen en had hij verkrachtingsfantasieën. Ook had hij zich nooit eerder tot kinderen aangetrokken gevoeld, maar nu verlangde hij er intens naar beide taboes te doorbreken en wilde hij het jonge meisje op gewelddadige wijze nemen.

Geschrokken door de intensiteit van zijn verlangen, hield hij zich in en liet hij zich door de vader van het meisje naar de voordeur begeleiden, uiteraard zonder dat hij te kennen gaf dat hij zulke turbulente gedachten en sterke lustgevoelens had. In de bijna twee jaar daarna dacht hij vaak aan haar, en in zijn dromen diende ze hem als slavin.

Telford had al besloten de vader van Gwyneth te vermoorden om te voorkomen dat zijn fraude zou uitkomen, toen hij Gwyneth weer zag, een maand voordat hij haar vader vergiftigde. Hij stond in de salon te wachten op de heer des huizes toen het meisje, dat inmiddels dertien was, langs de boogvormige doorgang liep, aarzelend bleef staan en hem als een verschrikt hertje aankeek. Ze zei niets en rende snel weg.

Ondanks haar gothic voorkomen, of misschien juist daardoor, verlangde hij meer dan ooit naar haar. Hij besloot toen dat hij haar vader rond kerst zijn vergiftigde honing zou aanbieden, omdat hij wist dat alleen zij en haar vader dan thuis zouden zijn. Als de oude man dood in de keuken lag, zou hij een uiterst plezant nachtje op de derde verdieping doorbrengen.

Natuurlijk zou hij haar dan daarna moeten vermoorden. Maar hij had altijd geweten dat hij tot moorden in staat was als er maar genoeg tegenover stond. Hij was echt een man van de wereld.

Omdat men tegenwoordig al ver was met het opsporen van criminelen aan de hand van DNA-sporen, zou hij haar lijk ergens heen brengen, het met benzine overgieten en het dan in brand steken. Eerst zou hij alle tanden uit haar mond moeten slaan en ze later weggooien, om te voorkomen dat ze aan de hand van haar gebit zou kunnen worden geïdentificeerd.

Gwyneth en haar vader woonden in een herenhuis, met daarbij een garage waarin vier auto's stonden. Hij zou haar lijk in de kofferbak van de Mercedes S600 stoppen en daarmee wegrijden om haar te verbranden.

Als het meisje was gereduceerd tot een hoopje geblakerde botten en vettige as in de verlaten steengroeve die hij een eind buiten de stad wist te liggen, zou hij terugrijden. Hij zou het huis binnengaan en de voordeur openlaten. Hij zou wat eigendommen van het meisje op de drempel leggen om te voorkomen dat de deur zou dichtvallen. Vervolgens zou hij het pand via de zijkant verlaten. De politie zou tot de conclusie komen dat het uiterst neurotische en angstige meisje het huis was ontvlucht nadat ze haar vader dood in de keuken had aangetroffen. En als ze niet meer gevonden werd... Het was nu eenmaal een grote en soms gevaarlijke stad waarin het regelmatig voorkwam dat dertienjarige meisjes spoorloos van de aardbodem verdwenen, ook meisjes die veel meer gewend waren dan Gwyneth.

De conservator keek niet op van zijn verdorven verlangens of van het feit dat hij kennelijk tot extreem geweld in staat was, maar wel van het feit dat hij had bedacht hoe hij alle sporen snel en elegant – en met oog voor detail – kon wegwerken. Hij had bijna het gevoel dat er een tweede ik in hem huisde, een andere J. Ryan Telford, iemand met veel zelfvertrouwen, die al die tijd had gewacht, misschien vol ongeduld, tot ze hun krachten konden bundelen.

Nu, op de avond van de moord, liep Telford van de keuken naar de aangrenzende werkkamer van de huismeester. In een bureaula vond hij vakjes met sleutels erin: die van de vier auto's, van de voordeur, en van de verschillende kasten, alle keurig gelabeld.

Hij ging niet met de lift naar de derde verdieping, omdat Gwyneth dan misschien iets in de gaten zou krijgen, maar nam de trap. Bovenaan kwam hij bij een deur die toegang gaf tot haar appartement. Zo stil mogelijk stapte hij de hal binnen en deed de deur achter zich dicht.

Telford liep door en kwam in een grote salon, die was ingericht met antieke meubels en waar minstens twintig grote rode kerstrozen stonden, geheel in de sfeer van de feestdagen. Het meisje was dol op kerstrozen, en haar vader gaf haar alles wat in zijn macht lag om haar afgezonderde bestaan nog wat glans te geven.

De conservator trof haar in haar slaapkamer aan, zittend in de beklede vensterbank, de rug tegen de muur, benen opgetrokken, in vol gothic ornaat, met achter haar een panorama van de stad. Ze was een boek aan het lezen.

Meteen toen Gwyneth hem zag, wist ze dat haar vader iets afschuwelijks was overkomen en dat haar ook iets afschuwelijks boven het hoofd hing. Ze besefte dat het geen zin had om te gaan gillen, en dat ze het er alleen levend vanaf kon brengen als ze hem kon wijsmaken dat ze nog zwakker, bedeesder en schuwer was dan hij dacht.

Toen hij op haar af kwam, keek ze weer naar haar boek, alsof ze zo vervreemd was van de wereld dat ze niet snapte wat hij op haar kamer moest. Ze deed alsof ze las, maar dan op zo'n manier dat hij wist dat ze deed alsof en dat ze doodsbang was. Hij drukte op een knop aan de muur en liet de elektrische luiken voor de ramen zakken. Hij ging op de vensterbank bij haar voeten zitten en keek naar haar, terwijl ze net deed of ze las. Hij genoot van haar poging om niet te laten merken dat ze bang was.

Na een minuutje of twee vertelde hij haar dat haar vader dood was, en tot in detail beschreef hij wat hij had gedaan en wat het oleandervergif voor uitwerking had gehad. Omdat hij ernaar verlangde haar verdriet te zien, nam ze zich voor haar tranen voor zich te houden, maar over zoveel zelfbeheersing beschikte ze niet, en de tranen kwamen toch, al begon ze niet te snikken en maakte ze er geen enkel geluid bij. Door de verlekkerde toon waarop Telford sprak, wist Gwyneth dat het hem opwond om haar te zien huilen. Ze deed geen enkele poging met haar ogen te knipperen om de tranen te verdringen, want die waren een wapen geworden waarmee ze hem kon manipuleren en om de tuin kon leiden.

Hij raakte haar nog niet aan. Van wat hij van haar vader te weten was gekomen, wist hij dat ze van de minste of geringste aanraking overstuur zou raken. Alleen al het idee dat hij een hand op haar zou leggen, joeg haar de stuipen op het lijf, en hij vond het heerlijk om haar te zien sidderen.

Toen hij had verteld wat er met haar vader was gebeurd, legde hij uit wat hij met haar wilde gaan doen, waar hij haar zoal zou strelen en op welke manieren hij haar zou penetreren. 'Als ik eenmaal met je klaar ben, popje, zul je je verbaasd afvragen waarom je al die tijd zo bang was om alleen al aangeraakt te worden, en je zult jezelf zo ongelofelijk smerig vinden dat je niet het idee hebt ooit nog weer schoon te kunnen worden. Je zult het gevoel hebben dat je niet door één man bent overweldigd, maar dat de hele wereld tegen je aan heeft geschurkt en je heeft misbruikt.'

Ze begon hevig te trillen, iets waar ze geen enkele moeite voor hoefde te doen. De bladzijden van haar boek wapperden in haar handen, en ze legde het naast haar neer zonder haar blik op hem te richten. Ze kruiste haar armen voor haar borsten.

Hij vertelde haar van een bepaald genot dat een meisje een man kon schenken, en hij vroeg haar of ze daar ooit over had gefantaseerd. Hij had een hele lijst met obscene vragen, die hij snel achter elkaar op haar afvuurde, zodat ze bijna het gevoel kreeg dat hij aan haar zat.

Eerst zei ze niets, maar toen kwam er een strategie bij haar op. Ze vermoedde dat haar vader hem alleen over haar sociale fobie had verteld, en misschien dat hier en daar iemand van het personeel hem iets over haar had verteld. Ze had nog niets gezegd, en misschien wist hij zo weinig van haar af dat ze hem in de waan zou kunnen brengen dat ze niet kon praten. Hoe neurotischer en emotioneel gestoorder ze op hem overkwam, hoe meer hij ervan overtuigd zou zijn dat hij haar geheel in zijn macht had, en hoe groter de kans dan was dat zijn aandacht zou verslappen.

Terwijl Telford zijn schunnige monoloog afstak, hield hij Gwyneth in de gaten met de scherpe, hongerige blik van een wolf die een lam besluipt. Nu reageerde ze niet alleen door terug te deinzen en op de vensterbank in elkaar te krimpen, maar ook met woordloos, gekweld gekerm. Toen hij antwoorden op zijn smerige vragen eiste, reeg ze halve woorden en korte clusters van losse lettergrepen aan elkaar die niets betekenden; ze bromde en brabbelde wat en bracht een ijl en angstig gepiep voort dat bij anderen misschien medelijden opgewekt zou hebben, maar dat was een sentiment dat Telford totaal onbekend was. Nadat ze een tijdje op deze manier op hem had gereageerd, kwam hij tot de conclusie dat ze misschien wel kon lezen maar niet kon praten, dat ze waarschijnlijk een fysieke aandoening had, of anders een ontwikkelingsachterstand.

Woorden vormen de bron van de wereld, en taal is het machtigste wapen in de aloude en nog steeds voortgaande oorlog tussen leugens en de waarheid. Telford was een kop groter dan Gwyneth, was twee keer zo zwaar als zij met haar vijfenveertig kilo, hij was doortastend terwijl zij bedeesd was, hij was genadeloos, zij zachtaardig. Hij kwam tot de conclusie dat ze niet kon praten en dus ook niet kon smeken of beschuldigen, of zich verbaal tegen hem kon verweren, en haar hulpeloosheid wond hem nog meer op. In zijn ogen en op zijn verhitte gezicht verscheen een uitdrukking die zo agressief en zo vleselijk was, dat Gwyneth bang was dat hij haar niet alleen op diverse manieren zou misbruiken, maar dat hij aan het eind van de beproeving zijn tanden in haar zou zetten.

Hij noemde haar niet langer Gwyneth. Hij noemde haar ook niet meer 'meisje', en ook richtte hij zich niet tot haar met het woord 'jij'. Hij had verschillende namen voor haar, stuk voor stuk botte benamingen, vele ervan obsceen.

Op een gegeven moment zei hij dat ze van de vensterbank af moest komen en naar de aangrenzende badkamer moest gaan. Hij zei: 'Ik wil die neuspiercing als souvenir van je hebben, en ook dat rode kraaltje op je lip. We boenen die stompzinnige gotische troep van je af, zodat ik het kleine meisje kan zien dat daaronder schuilgaat, dat kwetsbare vogeltje dat zo wanhopig probeert een havik te zijn.'

Met wankele tred, kermend van angst, liep Gwyneth voor hem uit naar de badkamer. Bij elke stap die ze deed, dacht ze koortsachtig na hoe ze hem zou kunnen afleiden of hem ten val zou kunnen brengen, zodat ze ervandoor kon gaan, maar hij was sterk en werd steeds sterker door zijn geiligheid, door zijn diepe verlangen om de wreedheden en ultieme wandaden te begaan waarover hij had gefantaseerd.

In de ruime badkamer zei hij dat ze zich moest uitkleden. Ze was bang dat hij haar zou slaan als ze dat weigerde te doen, dat hij dan door nog perversere verlangens overvallen zou worden, en nog eerder ten uitvoer zou brengen wat hij van plan was met haar te gaan doen, namelijk haar verkrachten en vermoorden. Nog steeds biggelden er tranen over haar wangen, waardoor haar gothic make-up uitliep, tranen om haar vader, niet om zichzelf, en ze trilde hevig over haar hele lijf. Toen ze haar bloesje openknoopte, draaide zich ze om naar de wastafel, met neergeslagen ogen, alsof ze overdreven zedig was.

Ze hoorde hem de hendel omhoogschuiven waarmee het bad kon worden afgesloten. Ze keek op en tuurde in de spiegel boven de wastafel, niet naar zichzelf maar naar wat er achter haar gebeurde. Ze zag dat hij zich vooroverboog om de heetwaterkraan open te draaien. In die houding was hij in elk geval kwetsbaar. Snel keerde ze zich om en gaf hem een harde duw. Hij viel voorover in het bad en schreeuwde het uit doordat hij gloeiendheet water over zich heen kreeg.

De lift zou veel te langzaam gaan, en als ze struikelde en ten val kwam als ze de trap nam, zou Telford haar te pakken krijgen. Dat zou misschien sowieso gebeuren. Ze stoof de badkamer uit, hoorde dat hij uit het bad klauterde, en in plaats van naar beneden te gaan, rende ze naar het nachtkastje rechts van haar bed, rukte een la open en pakte de kleine spuitbus met traangas.

Hij was nu zo dichtbij dat hij haar elk moment te pakken kon krijgen. Ze draaide zich om, zag dat hij bijna bij haar was en spoot een lading van het chemische spul in zijn ogen, zoals haar vader haar had geleerd. Telford schreeuwde het uit. Alsof hij in volle vaart tegen een muur was opgebotst, veranderden zijn voorwaartse bewegingen in achterwaarts gestommel. Ze nam van de gelegenheid gebruik door in zijn neus en mond traangas te spuiten.

Traangas veroorzaakt geen blijvende schade maar is zeer effectief. Het slachtoffer begint ongelofelijk te tranen, ziet alleen nog maar één groot waas, en wordt gedurende een paar minuten blind. Wie traangas inademt, kan bijna geen lucht meer krijgen, en hoewel het leven van het slachtoffer daardoor geen gevaar loopt, heeft hij zelf het gevoel dat hij stikt.

Ondanks het feit dat Telford tijdelijk was uitgeschakeld, naar adem hapte, niets dan vage kleurenvlekken kon onderscheiden die in elkaar overliepen, maaide hij wild met zijn armen om zich heen, om haar tegen de grond te slaan of haar bij haar haar of haar kleding te grijpen. Ze ontweek hem, dook ineen, rende snel weg, de badkamer uit, door de rest van het appartement. Ze stootte in haar haast de prachtige kerstrozen om, waardoor ze een spoor van rode bladeren achterliet. Van de vreedzame kerstsfeer was niets meer over.

Met twee treden tegelijk holde ze de trap af, sprong met twee voeten tegelijk op het tussenbordes, en kwam uiteindelijk in de hal zonder dat ze achterom durfde te kijken. Snel liep ze naar buiten, de vroege avond in. Het was zo koud en vochtig als in een ijskelder, hoewel de neergeslagen roet en de scherpe lijnen van de stad nog niet onder een eerste laag sneeuw verborgen waren.

Vier huizen verderop stond het huis van de Billinghams, in grootte vergelijkbaar met het huis van haar vader, maar met een meer pretentieuze entree. Aan weerszijden naast de buitentrap stonden twee brede muren met daarop levensgrote standbeelden van een leeuw, liggend als een sfinx, de ernstige kop opgeheven, de starende ogen recht vooruit gericht, niet alsof hij een prooi in het vizier had, maar alsof hij wachtte op de eerste wilde beesten van de dag des oordeels.

Ze kende de Billinghams alleen van naam en had ze nog nooit gezien. Momenteel verbleven ze langere tijd in Europa. Omdat het druk was op straat, stak Gwyneth de vier rijstroken niet over, maar rende ze naar de waakzame leeuwen en liep de trap op. Ze klom op de muur, die van glanzend graniet was gemaakt, en ging naast de leeuw liggen, die minstens twee keer zo groot was als zij. Ze stak haar hoofd naar voren om langs de borst van het grote beest te kijken, in de richting van het huis van haar vader.

Het kwam niet bij haar op om anderen erbij te roepen, want degene die haar dan te hulp zou snellen, zou haar willen beschermen of troosten, en automatisch zou die persoon dan haar hand pakken of een hand op haar schouder leggen of een arm om haar heen slaan, en dat kon ze niet verdragen. Ze zouden haar vragen stellen en antwoorden verlangen. Ze wilde niet hun stemmen horen, want dan zou ze ook iets moeten zeggen, en dan hoorden ze haar stem. Ze wilde niets van haar ware zelf aan anderen laten zien; ze wilde ook niet dat ze haar stem hoorden, want die had ze zelfs niet met het huishoudelijk personeel van haar vader gedeeld.

Ze koelde enigszins af doordat ze met haar buik op het gladde, koude graniet lag. Ze was er niet op gekleed om naar buiten te gaan, en al snel begon ze te trillen, deze keer niet van angst maar van de kou.

Toen ze na een paar minuten weer om het hoekje keek, langs de leeuw die haar beschermde, zag Gwyneth dat Telford naar buiten kwam, het trapje voor het huis afliep en op het trottoir stapte. Hij had zijn jas aan en droeg een wit zakje, waar waarschijnlijk de scones in zaten die hem mogelijk in verlegenheid zouden kunnen brengen als hij ze achterliet. Tot haar schrik kwam hij haar kant op.

Ze zag dat hij inmiddels weer iets meer kon zien, maar nog niet zo goed als anders, want hij liep als iemand die totaal geen haast had, weifelend, met zijn gezicht recht naar voren, alsof hij niet goed wist wat er voor hem lag. Toen hij langs een lantaarnpaal kwam, keerde hij zijn blik ervan af, omdat het licht te fel was voor zijn prikkende, aangetaste ogen.

Toen Telford dichterbij kwam, zag ze zijn adem als wolkjes uit zijn mond komen, alsof hij een betoverde draak was die de gedaante van een man had aangenomen. Gwyneth wíst gewoon dat hij intuïtief naar links zou kijken, omhoog, wanneer hij bij de leeuwen was, en ondanks zijn beperkte blik en de schaduwen waarin ze zich had verstopt, zou hij haar zien. Wat ze zo zeker leek te weten, bleek alleen maar te zijn wat ze vreesde, en de conservator liep gewoon door zonder haar gezien te hebben, binnensmonds vloekend met angstige stem.

Even verder stapte hij in een auto die aan de stoeprand geparkeerd stond. Door het geraas van het langskomende verkeer hoorde Gwyneth niet dat de motor werd gestart, maar een grote wolk kolkte als een massa geesten uit de uitlaat en loste tussen de kale takken van een laag hangende boomtak in het niets op.

Telfords Cadillac stond met de voorkant naar haar toe, maar vanuit haar hoger gelegen positie kon ze hem niet achter het stuur zien zitten, omdat boomtakken haar het zicht belemmerden. Ze wist zeker dat ze deze keer was ontsnapt, maar toch bleef ze in het schemerduister naast de leeuw liggen zonder zich te verroeren.

Hoewel hij ongetwijfeld koud water in zijn ogen had gegooid om de werking van het traangas tegen te gaan en hij waarschijnlijk zo snel mogelijk naar huis wilde, wachtte hij nog vijf minuten voordat hij genoeg moed bij elkaar had geraapt om zich met zijn beperkte gezichtsvermogen in het verkeer te mengen. Hij reed naar het eind van de straat en sloeg daar rechts af, de avenue op.

Het meisje ging snel naar huis en deed de voordeur achter zich op slot. Ze liep naar de keuken omdat ze wist dat haar vader daar lag, maar bij de eerste glimp van zijn zielloze gezicht wendde ze haar ogen af omdat ze de aanblik niet kon verdragen. Bijna was ze weggegleden in een peilloze diepte van verdriet, maar daarmee zou ze haar vader geen respect betuigen, want die had altijd gevonden dat je moest doorzetten, ook al had je het nog zo zwaar. Ze vluchtte naar de derde verdieping.

Telford verwachtte dat ze het alarmnummer zou bellen om aangifte te doen van de moord, maar dat telefoontje zou ze nooit plegen, omdat ze dan een stroom van agenten, rechercheurs, lijkschouwers, verslaggevers en mogelijk nog meer mensen over zich heen zou krijgen. Ze zouden zich als sprinkhanen op haar storten, en dan was ze haar privacy en alle hoop kwijt. Ze zouden haar genadeloos aankijken, zouden duizenden antwoorden van haar verlangen, allerlei handen zouden zich naar haar uitstrekken om haar te troosten, om haar op te vangen als haar knieën knikten, allerlei mensen zouden op haar verdieping komen om naar sporen te zoeken, misschien moest ze zelfs naar het ziekenhuis om medische en psychologische onderzoeken te ondergaan: een afschuwelijk vooruitzicht. Ze zou eraan onderdoor gaan.

Als Telford bovendien echt zo zorgvuldig alle sporen van zijn aanwezigheid had weggewerkt als hij beweerd had, zou hij op geen enkele manier met de dood van haar vader in verband gebracht kunnen worden. Misschien had hij in haar vertrekken alleen de deur van de entree en de kranen aangeraakt. Ondanks het waas voor zijn ogen en de haast die hij had om het pand te verlaten, zou hij de tijd hebben genomen om zijn vingerafdrukken te verwijderen. Als hij zo systematisch te werk was gegaan als ze vermoedde, zou hij een alibi hebben geregeld voor de tijd die hij in het huis had willen blijven. Uiteindelijk zou het haar woord tegen het zijne zijn. En zou de politie eerder een respectabele conservator geloven of een gothic meisje van dertien, een neuroot die last had van een ernstige sociale fobie?

Gwyneth pakte een rugzak en deed er een paar belangrijke spullen in die van haar vader waren geweest. Ze verliet het huis, liet daarbij de voordeur openstaan en ging snel naar het dichtstbijzijnde van de acht appartementen die haar vader met zijn vooruitziende blik voor haar had gekocht, voor het geval hij eerder zou komen te overlijden dan zij.

Voorlopig was ze veilig. Ze belde Teague Hanlon en vertelde hem wat er gebeurd was. Hanlons eerste reactie was om de politie bellen, maar nadat ze had uitgelegd waarom ze dat liever niet wilde, begreep hij dat ze eronderdoor zou gaan als hij de autoriteiten op de hoogte stelde, en dat Telford buiten schot zou blijven.

'Als Telford ooit voor het gerecht moet worden gesleept,' zei ze tegen Hanlon, 'ben ik degene die het bewijsmateriaal tegen hem zal moeten vergaren, op mijn eigen manier en in mijn eigen tempo. Ik ben zoveel kwijtgeraakt. De liefste vader ter wereld. Ik zal nooit opgeven. Nooit.'

46

We hadden onze wijn al op voordat haar verhaal ten einde was, maar de kaarsen brandden nog volop en kleurden het schemerduister van de eethoek blauw.

'Daarom hebben ze er dood door ongeval van gemaakt,' zei ik.

'Dood door het eten van giftige honing, ja.'

'Ging de politie niet naar je op zoek?'

'Niet actief. Via kranten en plaatselijke tv-zenders hebben ze een poging gedaan tips binnen te krijgen. Iedereen die dit vermiste en verwarde meisje had gezien, werd verzocht contact met de politie op te nemen. Maar ze lieten een foto van een jaar oud zien waar ik met mijn vader op stond en mijn gothic look nog niet had, de enige foto die er van me was sinds mijn kleuterjaren, en natuurlijk leek ik weinig meer op dat meisje.'

'Was dat de enige foto van je in al die jaren?'

'Als er een foto van je wordt genomen, weet je niet wie die over een maand of een jaar onder ogen krijgt. Vreemden krijgen die foto in handen, kijken naar je, bestuderen je... Het is niet zo erg als wanneer je in hun gezelschap bent en ze je aanraken en met je praten en verwachten dat je antwoord geeft. Maar het is erg genoeg. Ik kan die gedachte nauwelijks verdragen.'

We bleven een minuutje zwijgend tegenover elkaar zitten.

Gezien haar psychische problemen en de beperkingen die dat met zich meebracht, gezien het feit dat ik alleen in de stilste uren van de nacht mijn ondergrondse schuilplaats uit durfde te komen, met een capuchon en een bivakmuts op om te voorkomen dat ik meteen vermoord zou worden als iemand me zag, was het wonderbaarlijk hoe we elkaar ontmoet hadden, ook de manier waarop die vriendschap zich ontwikkelde. Ik verlangde naar meer dan alleen vriendschap, maar ik begreep dat liefde, wederzijdse liefde, niet tot de mogelijkheden behoorde. Zelfs een prinses die niet volmaakt was, kon slechts de volheid van het leven genieten als ze door een echte prins werd wakker gekust, niet door mijn soort. Ondanks mijn verlangens schikte ik me in mijn lot, besloot niet na te jagen wat toch onbereikbaar was en stelde me tevreden met onze wonderbaarlijke band. Mijn grootste angst was nu dat we misschien zouden kwijtraken wat we samen hadden en elk onze weg zouden gaan, of dat de dood ons zou scheiden.

Uiteindelijk zei ik: 'Maar na verloop van tijd verklaart justitie je misschien wel dood, en wat gebeurt er dan met de trustfondsen die in je levensonderhoud voorzien?'

'Drie maanden lang heb ik me verborgen gehouden. Ik ben geen enkele keer buiten geweest, rouwde om de dood van mijn vader, en ik had alleen met Teague Hanlon contact. Aan het eind van die periode vertelde hij de autoriteiten dat ik contact met hem had opgenomen, en dat hij me als mijn voogd, met mijn toestemming, in een sanatorium had geplaatst, ergens op het platteland, zodat ik tot rust kon komen, psychische hulp kreeg en kon leren hoe ik van mijn sociale fobie kon afkomen of ermee kon leren leven.'

'Aan de telefoon had Telford het erover dat je in een sanatorium zat.'

'Dat heeft hij al die jaren gedacht. Tot gisteravond.'

'En de autoriteiten geloofden meneer Hanlon?'

'Natuurlijk. Niet alleen omdat hij mijn voogd is, maar vanwege de persoon die hij is.'

'En wat voor persoon is hij dan?'

Hoewel ik haar gezicht niet goed kon zien in het blauwige schijnsel, dacht ik dat ze glimlachte toen ze zei: 'Mijn voogd.' Daarmee liet ze me merken dat ze weliswaar het een en ander met me had gedeeld, maar dat ze sommige geheimen nog voor zich hield.

Ze zei: 'Ik had geen familieleden met wie ik sterk bevriend was, ik had maar één vriend, die ook mijn voogd was, dus de kans was klein dat iemand naar de rechter zou stappen om voor mijn bestwil te eisen dat mijn huidige psychische staat en behandelwijze werden onderzocht. Bovendien is de kinderbescherming in deze stad zo'n bureaucratisch en onverschillig instituut dat kinderen vaak in pleeggezinnen worden mishandeld of misbruikt, of ten onrechte het label ADHD opgeprikt krijgen, tot ze zoveel medicijnen binnenkrijgen dat de scherpe kantjes van hun ziel worden afgeslepen. Dat is een publiek geheim. Er is niemand in deze stad die vindt dat een pleeggezin automatisch beter is dan een dure kliniek.'

Na een korte stilte zei ik: 'Wat naar dat je je vader zo hebt moeten zien, in de staat waarin hij verkeerde.'

'Ik dacht dat ik mijn blik zo snel had afgewend dat het afschuwelijke beeld niet in mijn geheugen was opgeslagen. Maar het spookt nog steeds door mijn hoofd, alsof het gisteren gebeurd is. Ik zal het nooit kunnen vergeten.'

In gedachten zag ik het in elkaar geslagen gezicht van mijn vader, een van zijn oogkassen gevuld met bloed, het oog erin verborgen.

Ze duwde haar stoel achteruit en ging staan. 'Ik had beloofd om piano voor je te spelen.'

Ze liep voor me uit naar de woonkamer, waar de kaarsjes in de rode glaasjes brandden, al was de sfeer er net zo melancholiek als bij het blauwige schijnsel.

Toen ik bij de pianokruk ging staan, zei Gwyneth: 'Je moet niet zo dicht bij me staan, Addison. Na de dood van papa moet ik het gevoel hebben dat ik alleen voor mij en hem speel, anders lukt het niet. Ga maar ergens zitten en laat mij maar begaan.'

Op een tafeltje bij een leunstoel stond een kaarsje. Daar ging ik zitten om naar haar te luisteren.

Met haar rug naar me toe zei ze: '"Sonata quasi una fantasia" in cis klein.'

Meteen toen Gwyneth de eerste noten speelde, herkende ik Beethovens 'Mondscheinsonate', en ik kwam overeind uit mijn stoel, van mijn stuk gebracht, want van alle muziek waarnaar Vader en ik op onze cd-speler hadden geluisterd, was dit het stuk dat ons het diepste raakte en waarvan we maar niet genoeg konden krijgen. Het is muziek die de ziel op alle niveaus aanspreekt, muziek die je optilt, steeds hoger, door het adagio, naar mijn mening nog intenser dan bij de missen die Beethoven gecomponeerd heeft.

Ik liep naar de glaswand en tuurde naar buiten. Het sneeuwde nog steeds heel hard. De wind was iets afgenomen en was nu veranderlijk maar zacht. De vlokken werden niet langer in schuine striemen door de straten geblazen, maar vormden vage vormen in de lucht, die onmiddellijk ook weer uit elkaar vielen, een voortdurende optocht van geesten die zich zacht op de aarde neervlijden, als gekristalliseerde muzieknoten van melodieën uit hogere sferen.

De titel 'Mondscheinsonate' was geen vondst van Beethoven, maar was bedacht door een vriend van hem, die bij het horen van het stuk moest denken aan de prachtige Vierwaldstättersee, en hoe je in de maneschijn met een bootje over het water gleed.

Er kwamen drie Helderen aan, in het donker, door de sneeuw, dezelfde drie die ik eerder op het dak van de gebouwen aan de overkant van de straat had zien staan, twee mannen en een vrouw, gekleed in operatiekledij, zij in het wit, de mannen in het blauw. De drie liepen niet, zoals Helderen soms doen, maar zweefden door de lucht, rechtstandig, alsof ze in een toneelproductie speelden en aan touwen vastzaten.

Twee van hen landden in de straat en keken om zich heen, maar de vrouw zweefde omhoog naar de glaswand, alsof ze op de pianomuziek afkwam. Toen ze door de ruiten naar binnen kwam, een metertje rechts van me, brak het glas niet. Ze liep nu, alsof ze aan de wetten van de zwaartekracht onderhevig was, wat duidelijk niet het geval was, en ze schreed de kamer door als een lamp waarvoor de duisternis terugdeinsde en weer achter haar terugkeerde. Ze ging van de woonkamer naar het eetgedeelte en via de boogvormige doorgang naar de keuken, waar ze uit het zicht verdween. Waarschijnlijk nam ze ook een kijkje in de andere kamers, want al snel verscheen ze weer, niet door een deur, maar dwars door het lat- en pleisterwerk van een muur, net zo makkelijk als ik door slierten mist kon stappen.

De Heldere liep naar de piano en keek naar Gwyneth, zonder te glimlachen of te fronsen, gewoon rustig en geïnteresseerd. Het meisje was zich er niet van bewust dat er iemand naar haar keek, noch kon ze de zachte gloed van de Heldere zien, van wie het schijnsel op haar en op een deel van de toetsen viel. Ze speelde alsof ze alleen aan haar vader dacht en ik verder de enige was die aanwezig was.

Op een gegeven moment draaide de bezoeker zich om en kwam op me af. In overeenstemming met wat Vader altijd over Helderen gezegd had, keek ik uit het raam, om haar niet aan te hoeven kijken. Ik stelde me voor dat ik door haar blik veranderd kon worden, zoals Medusa in de Griekse mythologie met haar blik een mens in steen kon veranderen. Vader had nooit verteld wat er zou gebeuren als ik het er toch op aan liet komen en oog in oog met een Heldere kwam te staan, maar hij was in vele opzichten een wijs man geweest, zodat er geen enkele reden voor me was om aan zijn oordeel te twijfelen.

De gloed die de Heldere uitstraalde, viel op mij en op het raam. Ik was me ervan bewust dat haar gezicht in het glas weerspiegeld werd toen ze over mijn rechterschouder keek, maar ik durfde haar niet recht aan te kijken, ook niet haar spiegelbeeld. Na een korte aarzeling stapte ze dwars door me heen, door het raam naar buiten, het donker in, en ik dacht dat ze misschien in een andere dimensie leefde en in staat was in onze wereld rond te kijken zonder dat wij in de hare konden komen.

Ze zweefde tussen de dwarrelende sneeuwvlokken omlaag en voegde zich bij haar twee metgezellen. Gedrieën liepen ze in de richting waarin de man en de hond een tijdje terug ook waren gegaan.

De sonate liep ten einde, maar Gwyneth leek me niet iemand die applaus verwachtte. Na een korte stilte, volgend op de laatste noot van een muziekstuk dat tot diep in de ziel was doorgedrongen, begon ze nog iets te spelen. De Mondscheinsonate had ik onmiddellijk herkend, maar dit stuk kende ik ook, al wist ik niet hoe het heette. Dit waren de prachtige maar droevige klanken die ik 's avonds laat soms in mijn raamloze kamers had gehoord en die me diep raakten, de muziek waarvan ik niet kon achterhalen waar die vandaan kwam, alsof de klanken uit een onzichtbare wereld afkomstig waren.

Ik liep naar de piano en ging schuin achter haar staan, op discrete afstand, zodat ze nog steeds kon doen alsof ze alleen voor zichzelf en voor haar overleden vader speelde. Toch stond ik zo dichtbij dat ik de muziek niet alleen hoorde maar ook voelde. Muziek is geluid, geluid bestaat uit luchttrillingen, en deze vibraties klonken door tot in mijn botten, tot in mijn hart.

Toen Gwyneth klaar was, bleef ze met gebogen hoofd zitten. Haar handen rustten op het gelakte hout bij de toetsen, haar gezicht werd beschenen door het flakkerende kaarslicht.

Ze zei niets. Ik wist dat ik beter kon wachten tot ze weer iets zou zeggen, maar ik vroeg fluisterend: 'Wat was dat stuk dat je speelde?'

'Het eerste wat ik speelde, was van Beethoven.'

'Ja, dat weet ik. De Mondscheinsonate. Maar daarna?'

'Dat is iets wat ik zelf heb gecomponeerd. Ik heb het geschreven in de week nadat mijn vader was overleden. Er ligt veel pijn in… de pijn hem te zijn kwijtgeraakt.'

'Het is prachtig. Ik wist niet dat je zoveel talent had.'

'Doe niet zo hoogdravend. Het is gewoon iets wat ik kan. Een gave. Ik hoef er niets voor te doen. Ik heb het niet verdiend door hard te werken.'

'Dat stuk dat je net speelde, heb je vast opgenomen.'

Ze schudde haar hoofd. 'Nee, hoor. Dat was alleen voor hem en mij bedoeld. En deze keer ook voor jou.'

'Maar ik heb het wel vaker gehoord.'

'Dat kan niet.'

Toen ze het weer begon te spelen, deze keer pianissimo, zei ik: 'Maar ik heb het heel vaak gehoord. In mijn kamers onder de grond. Ik heb nooit ontdekt waar het vandaan kwam.'

Ik deed er verder het zwijgen toe toen ze het volledige stuk nog eens speelde. De laatste noot zweefde van ons weg als een trage vogel die zich steeds hoger op een warme luchtstroom liet meevoeren.

Na een stilte zei ik: 'Ik hoor het soms echt, 's nachts.'

'Ik geloof je.'

'Maar toch heb je het stuk niet opgenomen en is er niemand die de muziek…'

'En toch heb je het gehoord. Ik weet niet hoe dat kan. Maar ik denk dat ik misschien wel weet waarom.'

Ik kon haar logica van niet-hoe-maar-wel-waarom niet volgen, en toch vroeg ik: 'Waarom dan?'

Eerst zweeg ze, maar toen zei ze: 'Dat zeg ik liever niet, want het zou kunnen dat ik het mis heb. Ik wil mijn hoop niet op het verkeerde vestigen.'

Haar mobieltje ging. Ze zette het toestel op de luidsprekerstand. 'Ja?'

Alle zijdezachte klanken waren door goedkope whisky weggespoeld, en de woorden klonken rauw en donker, alsof ze door een keel vol stenen geperst werden. 'Juffrouw Gwyneth, met mij.'

'Is er iets, Simon?'

'Er zijn mannen die naar u op zoek zijn.'

'Wat voor mannen?'

'Twee buren van een van uw appartementen hebben me gebeld en zeiden dat er mannen langs waren geweest die naar u hadden gevraagd. Ze vertrouwden het maar niks. Ik dacht dat u dat wel wilde weten.'

'Mijn buren zien me nauwelijks. Ik ken ze niet, Simon, dus hoe kan het dat jij ze wel kent?'

'Nou, juffrouw Gwyneth, ze deden heel aardig, en toen heb ik ze mijn nummer gegeven, weet u, voor het geval er lekkage of zo zou komen als u niet thuis was.'

'De buren hebben het nummer van de beheerder van het gebouw, en meer hebben ze niet nodig. Simon, ik had je toch gezegd dat je nooit met wie dan ook over mij mocht praten?'

Haar afkeurende toon leek hem van zijn stuk te brengen. 'Nee, nee, dat heb ik ook niet gedaan. Ik heb het nooit over u gehad. Ik heb die andere naam gebruikt, niet uw echte naam, en we hadden het gewoon over dingen, u weet wel, ditjes-en-datjes, zoals dat gaat.'

Ze kwam overeind. 'Maar je hebt ze je telefoonnummer gegeven. Simon, je moet onmiddellijk maken dat je daar weg komt.'

'Hier weg? Moet ik uit mijn mooie huisje? Waar moet ik dan naartoe?'

'Maakt niet uit. Die mannen zullen je weten te vinden.'

'Maar, juffrouw Gwyneth, die buren hebben alleen mijn nummer, niet mijn adres en zelfs niet mijn achternaam.'

'De mannen die naar je toe komen, hebben connecties, vrienden op hoge posten, allerlei kanalen om dingen te achterhalen. Op een gegeven moment zullen ze weten waar je zit.'

'Maar waar moet ik dan heen? Ik kan nergens naartoe.'

'Ga naar mijn voogd. Ik zal hem opbellen en zeggen dat je naar hem toe komt.'

'Zelfs bij mooi weer is dat veel te ver weg, juffrouw Gwyneth. In dit hondenweer is het helemaal een eind, ik bedoel voor een man van mijn leeftijd.'

'Heb je nog steeds geen rijbewijs?'

'Met mijn voorgeschiedenis zullen ze me nooit een rijbewijs geven, juffrouw Gwyneth. En trouwens: wie neemt nou de auto als hij in de stad is? Ik heb mijn fiets, en er zijn taxi's, en daar red ik het wel mee, maar met deze sneeuw kom je er met de fiets niet door, en taxi's zie je nu ook niet in dit weer.'

Ze aarzelde even en zei toen: 'Dan kom ik je wel halen, Simon. Ik breng je wel.'

'Als die mannen hiernaartoe komen, zullen ze van mij niets wijzer worden. Ik zeg gewoon niets. Helemaal niets, juffrouw Gwyneth. Dan moeten ze me eerst doodmaken.'

'Dat weet ik, Simon. Maar ik wil niet dat je doodgaat, en misschien komt het wel zover. Ik ben er over een halfuur.'

'God zegene u, juffrouw Gwyneth. Het spijt me dat ik u zo in de problemen breng. U bent een engel, en het was allemaal niet mijn bedoeling dat dit zou gebeuren.'

'Dat weet ik, Simon. Een halfuur, goed?'

'Goed.'

Ze verbrak de verbinding. 'Telford en zijn soort lijken menselijk, maar het zijn beesten.'

'Het zijn geen beesten,' zei ik. 'Beesten doden alleen wat ze nodig hebben om te kunnen overleven. Beesten lijden maar geven daar niemand de schuld van, en gevoelens van afgunst kennen ze niet. Wie is Simon?'

'Een man die zijn ziel bijna kwijtraakte, maar hem toch weer gevonden heeft. Kom, we gaan.'

47

De eerste keer dat ik echte honden zag, niet slechts afbeeldingen van ze, was ik acht en net door mijn moeder weggestuurd.

Nadat ik bij de kerk was weggevlucht waar ik bijna in elkaar was geslagen, en voordat ik de truckstop bereikte waar ik mezelf onder het zeildoek van een dieplader verstopte, kwam ik door een bos vol zwaluwen en boomkikkers. Ik doorkruiste velden waar gele vlinders in groten getale opfladderden als gevallen bladeren van de zon die weer terug wilden. Op een gegeven moment kwam ik bij een verlaten weiland dat was omheind door een vervallen hek.

Er hingen dreigende wolken over het land, laag en onregelmatig, met flarden van de staalblauwe lucht ertussen. Het liep tegen de avond, in het westen zette de zon de bovenste hellingen van de wolkenbergen in een warme gloed; het onderste deel van de wolken was vaalgrijs. De ten einde lopende dag balanceerde tussen storm en serene stilte, in een weifelend uur waarin elk scenario mogelijk leek.

Ik sprong over het hek en liep het weiland door. Ik was ongeveer op een kwart toen twee honden vanaf de linkerkant door het gras kwamen aangedenderd. Een was een Duitse herder, de andere een kruising tussen een herder en een jachthond of iets dergelijks.

Omdat honden de meest op de mens gerichte diersoort ter wereld zijn, nam ik aan dat ze niet zo vredelievend zouden zijn als de wilde dieren waarmee ik in het bos was opgegroeid. Honden hechtten zich aan mensen en konden ongetwijfeld hun vooroordelen overnemen. Ik was bang dat ze me zouden aanvallen en dat ik dan zou doodbloeden terwijl ze blaffend en grommend bij me zouden blijven.

Ik rende door het gras, maar was niet snel genoeg om honden het nakijken te geven. Toen ze me inhaalden, vielen ze me niet aan, maar bleven ze naast me rennen, ieder aan een kant van me, kwispelend en dwaas grijnzend.

Ik hield mijn pas enigszins in, dacht dat ze zouden merken dat ik bang was, maar bleef doorlopen. Ze renden voor me uit, dolden wat, hapten speels naar elkaar, buitelden over elkaar heen en sprongen vervolgens weer op. Ik was nog steeds bang, maar vond het prachtig om ze zo te zien stoeien.

Halverwege het weiland kwamen ze naar me toe, hijgend en snuffelend. Ze roken de ham in mijn rugzak die ik bij de kerkpicknick had buitgemaakt. Ik had al twee plakken opgegeten, maar ik had er nog een over, verpakt in aluminiumfolie.

Ik kreeg de indruk dat honden misschien net zo vriendelijk tegen me konden doen als de dieren in het bos, die meer een soort familie voor me waren geweest dan mijn gekwelde moeder. Zonder mijn rugzak af te doen, ritste ik het zijvakje open waarin ik de ham had gestopt. Ik haalde de folie eraf, scheurde de ham in stukjes en gaf die aan de honden.

Ze hadden goede manieren, wachtten geduldig hun beurt af als ik de ander een stukje ham gaf. Ze hapten de hamstukjes niet ongecontroleerd van mijn hand, maar werkten ze met zachte lippen naar binnen. Toen ik 'Op' zei, bleven ze niet om nog meer lekkers bedelen.

Toen riep een stem: 'Ze bijten niet, hoor. Het zijn brave jongens.'

Zo'n vijftig meter verderop zag ik een man met een jagersjas die rustig mijn kant op kwam. Over zijn linkerarm lag een jachtgeweer. Ondanks het feit dat hij een wapen droeg, ging er geen dreiging van hem uit, maar dat zou vast veranderen als hij dichterbij was en zag wat voor gezicht er onder mijn capuchon schuilging.

Ik trok mijn sjaal voor mijn gezicht en zette het op een lopen, in de verwachting dat de jager een waarschuwingsschot zou lossen of de honden op me af zou sturen. Beide dingen gebeurden niet. Ik sprong over het hek en vluchtte het bos in.

De honden renden vrolijk met me mee. Ik probeerde ze weg te jagen, maar ze lieten zich dit avontuur niet ontzeggen. Het was hun niet om nog meer lekkers te doen, en door hun uitbundige gedrag dacht ik ze te begrijpen. Ik liet me op een knie zakken en krabbelde hun met mijn gehandschoende hand achter hun oren en onder hun kop. Ik zei tegen ze dat ze weer naar hun baas terug moesten gaan, omdat die anders misschien zou denken dat ik ze wilde stelen. Op dat moment riep de jager iets, veel dichterbij dan eerst. Toen ik nog eens tegen de honden zei dat ze weg moesten gaan, draaiden ze zich om en liepen terug naar het weiland, met hun staart tussen de poten. Ze keken herhaaldelijk om, alsof ze wisten wat de bedoeling was maar het toch jammer vonden.

Jaren later, na nog meer ervaringen met honden, had ik het idee gekregen dat hun soort dusdanig geschapen was dat ze konden fungeren als gids en dat ze met hun charme de mensheid terug konden voeren naar hun eerste – en verloren – thuis. Het waren vrolijke, nederige wezens die tevreden waren zolang ze te eten kregen, konden spelen en zich geliefd wisten. Doordat ze daar zo van genoten, logenstraften ze allen die aan de macht waren en beroemd waren. Ze zijn weliswaar in staat anderen met hun tanden te verscheuren, maar juist met gekwispel en smekende ogen krijgen ze meestal wat ze willen.

Het waren honden die me op kritieke momenten in de toekomst niet teleurstelden en me te hulp schoten.

48

De stad kwam steeds meer in de greep van de sneeuwstorm, maar Gwyneth trok zich er niets van aan. De met sneeuwkettingen uitgeruste winterbanden reden door zachte poedersneeuw, die in samengedrukte pakketjes naar achteren geslingerd werd. Er viel nu ongeveer vijf centimeter sneeuw per uur, en er lag al zo'n vijftien centimeter, maar toch vond ze kennelijk dat het een prima moment was om lekker hard te rijden, want de Land Rover ging steeds harder, slalomde om een paar gestrande auto's die nog niet door de af en aan rijdende sleepwagens van de weg waren gehaald. Ze nam bochten alsof er geen gevaar bestond dat we zouden slippen of over de kop zouden slaan, alsof ze een proces tegen de wetten der natuurkunde had aangespannen en dat had gewonnen.

Ik was nog jong, maar ik wist me nog een tijd te herinneren waarin de sneeuwschuivers al op pad gingen om de wegen vrij te maken voordat de storm op zijn hoogtepunt was. Tegenwoordig kwamen de sneeuwploegen pas na een tijdje in actie en zou je haast denken dat de stad net als in vroegere tijden afhankelijk was van arbeiders die de straten eigenhandig schoonveegden en tijd nodig hadden om zich tegen de kou te wapenen en zich moed in te drinken voordat ze op pad gingen, en dat de weggeschoven sneeuw met paard-en-wagen moest worden afgevoerd.

We waren op weg naar Simon, een dakloze die ooit op zijn zoektocht naar statiegeldflessen, om met de opbrengst ervan een fles whisky te kopen, in een afvalcontainer het mishandelde en naakte meisje had gevonden. Tientallen jaren daarvoor was hij een jonge, veelbelovende kunstenaar geweest. Maar het succes dat hij had, viel hem zo zwaar dat hij aan de drank raakte en zakelijke relaties liet versloffen, net zo achteloos als een illusionist die stukjes flashpaper tot ontbranding laat komen en tot as laat vergaan. Hij hielp zijn carrière op spectaculaire wijze naar de knoppen; had hij het ene jaar nog een penthouse gehad, het volgende jaar sliep hij tussen oude vodden onder bruggen.

Nadat hij het meer dood dan levende kind naar een donuttent had gebracht en daar was ingestort, was hij naar het ziekenhuis gebracht, en toen hij daaruit werd ontslagen, liet hij de drank subiet staan, zonder hulp van medicijnen of psychologen of een twaalfstappenplan. Als hij een glas of een fles met het welbekende vergif naar zijn lippen bracht, deinsde hij terug van de dranklucht, en als hij probeerde een slokje te nemen, moest hij steevast overgeven. De geur en de smaak van het vocht vond hij net zo walgelijk als de stank in de afvalcontainer. Steeds wanneer hij probeerde een slok drank te nemen, kwam het besef bij hem boven − iets wat in het ziekenhuis begonnen was − dat het niet alleen zwak maar ook buitengewoon kwalijk was om je leven te vergooien wanneer er zovelen waren wier leven of toekomstperspectief was verwoest door brute lieden of door de nietsontziende krachten der natuur.

Hij ging in een excentrieke buurt in het zuidoosten van de stad wonen, in een enclave van pittoreske bungalows uit de jaren twintig die aan de rondlopende John Ogilvie Way lag, bij de rivier. Daar leidde hij een eenvoudig en arbeidzaam leven.

In de eerste helft van de negentiende eeuw maakte de stad een harmonieuze tijd door, en overal werden gebouwen neergezet die prettig waren om te zien. Maar in de decennia waarin de regering zich liet leiden door stadsvernieuwers, vond men het grootste deel van de oude gebouwen niet meer in de tijd passen, of zelfs afzichtelijk. Architectuur waarbij een beroep werd gedaan op historisch besef werd als ongepast beschouwd, omdat men de geschiedenis als een ongelukkige loop der gebeurtenissen zag, iets waar je je voor moest schamen. Er was geen plek meer voor opmerkelijke, charmante of nobele gebouwen. Alles wat beschouwd kon worden als het werk van sentimentele primitieven werd gesloopt en vervangen door kolossale gebouwen die de sfeer van Russische woonkazernes uitademden, en door kantoorflats van glas en staal die overdag stonden te schitteren alsof ze grootser waren dan de zon die ze bescheen.

De bungalows aan de John Ogilvie Way raakten in trek bij schilders, beeldhouwers en pottenbakkers, die er niet alleen gingen wonen maar de ruimtes ook gebruikten om hun werk tentoon te stellen. Na verloop van tijd werd de buurt een toeristische attractie, een centrum van cultuur waar de stad trots op was. Moderne kunst, zo wordt beweerd, gaat over toekomstvisie en ontwikkelingen, over abstractie en de onmogelijkheid om de waarheid te kennen, en daarom wordt moderne kunst niet alleen omarmd door degenen die er werkelijk van houden, maar ook door lieden die een hekel aan het verleden hebben. Ogilvie Way bleef zoals het was, omringd door gebouwen die onbeschaamde uitingen waren van brute macht en heerschappij, en die de indruk wekten dat ze uit een parallelle wereld afkomstig waren waarin Hitler zegevierde.

Om Simon te bedanken dat hij het naamloze meisje had gered, had Gwyneth een huis in deze enclave gekocht, zodat hij geen huur hoefde te betalen en zich volledig kon richten op het ontwikkelen van zijn talent. Het was een ruime bungalow, met aan de voorkant een diepe veranda, en in de architectuur waren elementen van de craftsman-stijl verwerkt. Achter alle ramen brandde licht. Ze reed het huis voorbij en parkeerde de auto een eindje verderop in de straat.

We stapten uit.

'We kunnen niet zonder meer naar de voordeur gaan,' zei ze.

'Waarom niet?'

'Eerst moeten we de boel verkennen om te zien of ze al bij hem zijn geweest. Als Simon iets is overkomen, zal ik dat mezelf nooit vergeven. Ik had hem gezegd dat ik er over een halfuur zou zijn, maar ik ben te laat.'

Ik keek op mijn Rolex en zei: 'Vijfendertig minuten komt behoorlijk in de buurt. Vijf minuten kunnen toch niet alles hebben uitgemaakt?'

'Ik heb het gevoel van wel.'

Het was al elf uur, maar in bijna alle bungalows brandde nog licht. Ik nam aan dat kunstenaars, die niet gebonden waren aan de standaard werktijden, misschien de meeste creatieve energie hadden wanneer de rest van de wereld zich te ruste had gelegd, dat ze door hun talenten een ander dagritme aanhielden dan degenen die dergelijke gaven niet hadden.

De straat deed me denken aan een winterlandschapje van Thomas Kinkade, bevallige huisjes en paden met keitjes en naaldbomen met een laagje sneeuw erop, net zo betoverend als hermelijn met juwelen, het geheel beschenen door warm licht, op onverwachte maar overtuigende manier vormgegeven. De omgeving leek een zekere magie uit te stralen, maar magie is er in twee varianten – wit en zwart.

Uit een jaszak haalde Gwyneth een spuitbusje met traangas en gaf dat aan mij. Uit een andere zak haalde ze haar taser.

We staken de straat over en liepen door de smalle tuin aan de zijkant van de onverlichte aangrenzende bungalow naar de achterkant van het pand. Een statige naaldboom reikte twintig meter de lucht in, en in de schaduw van de met sneeuw bedekte takken observeerden we het huis van Simon.

Er was geen enkel geluid te horen. Rondom Simons huis lag een witte deken, en er stond een zwak, onbestendig briesje. Het gezellige huisje leek de sneeuw uit te nodigen het geheel te bedelven, zodat het van de wereld afgezonderd zou worden. Niets bewoog achter de verlichte ramen.

Het enige vreemde was een bleek licht dat over de veranda aan de achterkant van het huis streek. Het schijnsel waaierde herhaaldelijk uit en versmalde dan weer, met onregelmatige tussenpozen, zonder dat er geluid te horen was. Toen we onze beschutting onder de boom verlieten en naar de lage tuinmuur liepen die beide percelen van elkaar scheidde, zagen we dat het licht uit het huis kwam en dat de achterdeur openstond en zo nu en dan bijna dichtviel maar daarna weer door de wind werd open geblazen.

'Niet goed,' zei Gwyneth.

We klommen over het muurtje, liepen op onze hoede door de tuin en betraden de veranda. We hoorden een stem binnen, maar die bleek van een presentator te zijn, met muziek op de achtergrond, een televisie die aanstond.

Met haar gebruikelijke lef liep Gwyneth naar binnen. Hoewel er maar twee huizen in de stad waren die ik ooit van binnen gezien had – en die beide van haar waren – en deze bungalow me als een valstrik voorkwam, liep ik toch zonder aarzeling achter haar aan.

'Deur dicht,' fluisterde ze.

Ik betwijfelde of dat wel zo'n verstandig idee was, maar toch deed ik wat ze me vroeg.

We bevonden ons in een open ruimte, met links een keukentje en rechts een groter vertrek dat misschien als woonkamer bedoeld was. Het was duidelijk dat Simon voornamelijk in dit achterste gedeelte van de bungalow woonde, want ik zag een bed, twee gemakkelijke stoelen met elk een bijzettafeltje, een oude hang-legkast en een aan de muur bevestigd televisietoestel waar op dat moment het nieuws op te zien was. Deze vertrekken waren bijna net zo klein als mijn drie kamers, maar ik nam aan dat dit een paleisje was voor iemand die ooit over straat gezworven had en die dertig jaar lang onder bruggen had geslapen.

Op tv was een gigantisch groot cruiseschip te zien, dat voor de ingang van een haven lag; de nieuwslezer zei iets over de autoriteiten die de kapitein geen toestemming gaven af te meren.

Diep onder de grond, met duizenden kilo's aan beton en staal erboven, drongen radiogolven of microgolven niet door. Steeds wanneer ik bovengronds was en een glimp van een televisie opving, werd ik erdoor geïntrigeerd. Maar ik bedacht dan altijd dat Vader had gezegd dat we zonder tv beter af waren, dat het je kon veranderen in iemand die je niet wilde zijn.

Mijn moeder had geen televisie in haar afgelegen huis op de berghelling, en toch was ze uiteindelijk iemand geworden die ze niet wilde zijn. Misschien had ze als kind heel vaak tv gekeken toen ze nog bij haar ouders woonde, en bij alle anderen bij wie ze daarna had gewoond voordat ze naar het huis in de bergen was gegaan. Er was ontzettend veel wat ik niet wist, en misschien zou ik er nooit achter komen. Ook was er veel wat ik niet begreep van de mensen die hun leven bovengronds leidden.

Simon bewoonde feitelijk dus een eenkamerappartement, dat hij keurig schoonhield. Geen vettigheid. Geen stof. Als gevolg daarvan waren de kapotte vaas en het bloed dat op de withouten vloer lag het visuele equivalent van een schreeuw.

49

Ze was iemand die deuren opende, niet omdat ze daar zo'n zin in had, maar omdat ze wist dat dat gedaan moest worden.

De deur met de chocoladebruine panelen tussen Simons woonverblijf en de andere kamers van de bungalow kwam me voor als een monoliet, een grote stenen plaat waarachter iets beangstigends schuilging, iets wat te maken had met geweld dat had plaatsgevonden of dat nog stond te gebeuren. Als ik had kunnen kiezen, zou ik ter plekke rechtsomkeert hebben gemaakt. Maar de keuze was niet aan mij, maar aan Gwyneth.

De deur gaf toegang tot een klein gangetje. Links was een badkamer en een vertrek dat als opslagruimte gebruikt werd; beide deuren stonden open, en er brandde een zacht licht. Rechts lag het atelier waarin Simon zijn doeken schilderde. In die vertrekken troffen we niemand aan, dood of levend.

Aan het eind van de gang kwamen we in een galerie die bestond uit twee kamers die bij elkaar waren gevoegd. Aan de daksparren van het houten plafond hingen spotjes die op de muren gericht stonden. Daar hingen imposante olieverfschilderingen die een grote indruk op me maakten en die een beroep deden op zowel de emoties als het intellect. Simon was erg goed in het maken van figuratief werk, zowel portretten van individuen die hij van top tot teen had afgebeeld als groepsportretten van mensen die iets gezamenlijks deden. De achtergronden waren prachtig gedetailleerd weergegeven.

'Ze hebben hem meegenomen,' zei Gwyneth.

'Waarheen?'

'Niet naar het appartement van Telford, niet naar een plek waar ze samen met hem gezien zouden kunnen worden. Ze denken dat ze het adres van mijn negende appartement uit hem kunnen krijgen.'

'Je zei dat Simon dat adres niet kende.'

'Dat klopt. Hij weet niet eens dat het überhaupt bestaat.'

'Wat kan hij ze dan vertellen?'

'Niets. Ook al zou hij het adres weten, dan nog zou hij niets zeggen. Kennelijk heeft hij ze niet verteld dat ik hiernaartoe zou komen om hem op te halen, anders waren ze hier wel gebleven om ons op te wachten.'

'Wat gaan ze met hem doen?' vroeg ik.

Ze leek even te vergeten wat we hadden afgesproken en draaide zich naar me om. Een fractie van een seconde voordat onze blikken elkaar zouden kruisen, boog ik mijn hoofd, omdat ik er niet op vertrouwde dat mijn bivakmuts me voldoende bescherming zou bieden en ik bang was dat ze heftig zou reageren als ze mijn ogen zag.

Ze deed de spotjes uit, waardoor de galerie alleen nog maar werd verlicht door het binnenvallende licht uit de gang. Ze liep naar een raam en keek naar buiten, naar de dwarrelende sneeuwvlokken in het donker.

Hoewel ik Simon niet kende en alleen iets van hem wist door de verhalen die Gwyneth over hem had verteld, had ik het gevoel dat we iets moesten doen. Ik herhaalde mijn vraag: 'Wat gaan ze met hem doen?'

'Ze zullen hem martelen, Addison. En als hij weigert zijn mond open te doen, zullen ze hem doodmaken.'

'En dat allemaal om jou te pakken te krijgen?'

'Ik heb je al verteld dat Telford miljoenen dollars achterover heeft gedrukt. En hij zal nog veel meer stelen uit de collecties van het museum en de bibliotheek die in depot bewaard worden. Het zal jaren duren voordat iemand erachter komt dat de werken verdwenen zijn, vooral omdat Telford de inventarisatielijsten beheert. Bovendien is hij degene die bepaalt wat voor schilderijen, beeldhouwwerken, zeldzame boeken en geïllumineerde manuscripten er uit het depot gehaald worden om in speciale exposities tentoongesteld te worden. Het zou minder moeilijk zijn om hem te betrappen als iemand anders die tentoonstellingen samenstelde.'

Ik wist niet wat ik moest zeggen of doen. Ik was een wezen van de diepe duisternis, een buitenstaander die in de afgelopen achttien jaar maar één vriend had gehad, namelijk Vader, en die na zijn dood helemaal alleen was gebleven. Ondanks het feit dat Gwyneth een sociale fobie had, legde ze me uit hoe mensen met elkaar omgingen, hoe ze handelden en op elkaar reageerden, wat ze zeiden en hoe ze het zeiden, wat ze wilden, waarnaar ze verlangden. Ik had dat allemaal niet alleen uit boeken kunnen halen. Ik dacht dat ik uiteindelijk door haar misschien zelfs zou ontdekken hoe mensen inzicht kregen – als dat al überhaupt gebeurde – in het *waarom* van hun bestaan, want het waarom van mijn leven was een kwestie die zwaar op me drukte en maar niet duidelijk werd. Ik had de afgelopen vierentwintig uur heel wat geleerd, maar ik wist niet hoe ik die kennis kon toepassen. Ik had geen idee wat ik moest zeggen of doen. Ik wist het niet. Ik wist het gewoonweg niet.

Ik hoorde haar niet huilen. Ze stond daar net zo stil als de sneeuw die buiten in het schijnsel van de lantaarns uit de hemel viel, en toch wist ik zeker dat ze huilde. Voor zover ik wist, kon je tranen niet ruiken, maar het was niet via mijn vijf zintuigen dat ik van haar verdriet af wist, noch via intuïtie, maar via een diepere waarneming, iets wat ik niet kon beschrijven.

Als ik dit lieve meisje had mogen aanraken, zou ik mijn armen om haar heen hebben geslagen. Maar in de huidige stemming, nu ze haar emoties nog moest verwerken, zou ze misschien niet alleen schrikken als ik haar aanraakte, maar zou ze achteruitdeinzen, alsof ze een elektrische schok had gekregen. Als ik de regels nu overtrad, zou ik daarmee een onoverbrugbare kloof tussen ons slaan.

Ze draaide zich om en liep naar de deur. 'Kom.'

'Wat gaan we doen?'

'Dat weet ik niet.'

Snel ging ik achter haar aan de gang in. 'Waar gaan we heen?'

'Dat weet ik niet.'

We lieten de lampen branden, ook de televisie lieten we aan, en toen we via de achterdeur op de veranda stapten, zei de nieuwslezer: '… naar onze verslaggever in India, Jeffrey Stockwell, die in Mumbai is.'

Het sneeuwde nu nog harder dan eerst, alsof de wolken leegstroomden en er uiteindelijk niets meer boven ons zou zijn dan een diepe duisternis, geen maan of sterren, geen zon die 's ochtends opkwam. Op dit moment blies de wind de sneeuw alle kanten op, een prachtige chaos.

Toen we naar de Land Rover liepen, zei Gwyneth: 'De dood is hier vanavond aanwezig. Niet alleen bij Simon. De dood is ook onder ons. Voel je dat?'

Ik gaf geen antwoord, omdat ze weinig aan mijn antwoord gehad zou hebben.

Weer had ik na zes jaar iets te verliezen, en mijn vrees was groot.

50

Een nacht vol onweer, de lucht in lichterlaaie, toen we waren blootgesteld aan de wereld en toch wisten te overleven...

In onze jaren samen verkenden Vader en ik de stad regelmatig, als het buiten hevig stormde, zoals het ook zulk slecht weer was geweest toen een stervende man me zijn gouden horloge schonk. Op mijn zestiende, in een julinacht, opende de hemel zich en spoelde een zee van regen over het land. Vader en ik trokken onze laarzen aan, deden onze zwarte regenjas met capuchon aan en zetten onze bivakmuts op. We liepen door woeste waterstromen, staken ondergelopen straten over, alsof we mariniers waren die overboord waren geslagen en door toverkracht over het water terug konden lopen naar het schip.

We stonden in het grote park, in het midden van de stad, en alles wat warm en groen was wanneer de zon scheen, was nu koud en zwart. De straatverlichting langs de kronkelige wandelpaden verleende de regen een zilveren glans, en waar de druppels op het trottoir kapotsloegen, ontstond een dunne laaghangende nevel. Die slingerende paden vertoonden een melkachtige glans en werden heiig voordat ze tussen de struiken en bomen uit het zicht verdwenen. Het was net of die paden vol mysterie zaten, alsof ze naar een openbaring leidden, maar we kenden ze van begin tot eind en wisten dat ze alleen maar naar andere plekken in het park voerden.

Het onweer was zo dichtbij dat de bliksem onmiddellijk op de flits volgde, een felle schicht die de hemel spleet boven het gemaaide gazon waar we stonden. De felle straal boog naar het oosten af en raakte een hoge mast – een bliksemafleider – die op het dak van een wolkenkrabber aan de rand van het park stond. De duizenden lichtjes van het gebouw flakkerden maar bleven branden, en ik meende te hebben gezien dat de mast rood oplichtte.

Ik was doodsbang en wilde gaan schuilen, maar Vader verzekerde me dat de bliksem ons niet zou raken, dat we niets te vrezen hadden van welke storm dan ook. We zouden alleen voortijdig aan ons eind komen als gevolg van geweld dat onze medeburgers tegen ons gebruikten. Hoewel ik zelf niet geloofde dat we vrijgesteld waren van de woede-uitbarstingen der natuur, probeerde ik mijn angst zo veel mogelijk te verdringen en bleef naast hem staan, vertrouwend op zijn wijsheid.

De zwarte mantel van de lucht scheurde keer op keer. Soms schoot de bliksem naar plekken die we niet konden zien, soms leken ze in de lucht te blijven steken, alsof goden een onderlinge strijd hadden aangebonden.

Tussen de donderslagen door sprak Vader over de krachten der natuur. Elke bliksemschicht was zo heet als de gesmolten zon, bij aardbevingen konden gebouwen instorten alsof ze net zo kwetsbaar waren als een termietenheuvel, en hij had het ook over tornado's, orkanen en tsunami's. 'De natuur is een exquisiete machine waarbij alleen veel geweld vrijkomt als conflicterende krachten met elkaar in evenwicht gebracht moeten worden. En zelfs dan is het geweld altijd van korte duur, een storm die hooguit een dag of twee aanhoudt, een tsunami van tien minuten, tektonische platen die een minuutje gaan schuiven en dan weer tot stilstand komen. De natuur voert geen jarenlange oorlog en heeft geen kwaad in de zin.'

Maar de mensheid daarentegen... Nou, dat was een veel grimmiger verhaal. Adam en Eva, zei hij, waren niet zozeer op zoek gegaan naar verboden kennis, als wel naar macht, de macht om voor god te spelen. Veel macht kon een zegen zijn als mannen en vrouwen die erover beschikten er op een verstandige, mensvriendelijke manier mee omgingen. Maar dat was maar zelden het geval. Als een heerser zijn macht inzette om wraak te nemen, zijn ego op te krikken en de maatschappij naar zijn eigen grootste inzichten te modelleren, had dat vaak een klassenstrijd en genocide tot gevolg.

Ik wist niet waarom hij me dit allemaal vertelde, en net toen ik dat wilde vragen, schoot er een bliksemschicht door de lucht die dertig meter verderop in een reusachtige eik insloeg. Vlammen sloegen uit de gespleten stam, alsof er in het midden altijd al een vuur had gewoed, dat nu vrijkwam. De helft van de eik viel om, waardoor dampende wortels de grond openbraken, maar de andere helft bleef fier staan. Door de stromende regen ging het vuur snel uit.

Toen het onweer was afgelopen en het alleen nog maar regende, zei Vader: 'Als mensen met macht besluiten dat er koste wat kost in de maatschappij ingegrepen moet worden, is het geweld nooit van korte duur en is het nooit alleen maar gericht op het herstellen van het evenwicht. Met de wet in de hand wordt het geweld dan goedgepraat. Wraak wordt een synoniem voor rechtvaardigheid. Geen stad is veilig voor een dergelijke gruwel, geen land ook, geen enkele periode in de geschiedenis was ervan gevrijwaard. Wees erop voorbereid dat het elk moment kan beginnen. Altijd.'

Zijn verhaal riep allerlei vragen bij me op, maar die wilde hij niet beantwoorden. Hij had gezegd wat hij had willen zeggen, en het onderwerp bracht hem duidelijk uit balans. In de daaropvolgende vier jaar dat we in elkaars gezelschap vertoefden, bracht hij het nooit meer ter sprake.

Steeds als ik terugdacht aan die nacht en aan wat Vader gezegd had, had ik het idee dat hij iets wist of vermoedde wat hij liever niet met anderen deelde, zelfs niet met mij. Misschien had hij ooit een droom gehad, of een moment van helderheid, van helderziendheid bijna, en had hij waargenomen hoe de wereld eruit zou komen te zien. Misschien was hij toen onder de indruk geraakt van de allesomvattende grootsheid of de vernietigende kracht van toekomstige gebeurtenissen en was dat visioen zo overdonderend dat hij er niet over kon praten, maar alleen kon hopen dat hij het verkeerd had gezien.

51

Gwyneth zat achter het stuur van de Land Rover als een Walkure zonder vleugels die naarstig op zoek was naar de gesneuvelde krijger die ze naar het Walhalla moest begeleiden en wiens ziel ze er per auto naartoe zou brengen. Eerder had ik al opgemerkt dat ze tamelijk roekeloos reed. Nu reed ze weliswaar sneller en nam de bochten scherper dan eerst, maar ze leek desondanks minder risico te nemen, alsof ze niet onvoorzichtig deed, maar berekenend, alsof ze wist waar ze naartoe moest en waarom, hoewel haar route tamelijk willekeurig leek, want soms reden we een stukje langs dezelfde weg terug.

Toen we kriskras door de stad hadden gereden, op weg naar John Ogilvie Way, leek ze vooral bang te zijn dat Simon iets zou overkomen, maar nu was het woede die haar voortdreef, woede die niet gericht was tegen Telford en zijn handlangers, maar tegen zichzelf, omdat ze te laat bij de bungalow van de kunstenaar was aangekomen. Bovendien nam ze het zichzelf erg kwalijk dat ze niet had beseft dat hij er trots op was geweest dat hij uit de goot omhoog was gekrabbeld, en hij was zo trots op het vertrouwen dat ze in hem had dat hij graag aan de buren wilde laten weten dat hij iemand was aan wie mensen sleutels toevertrouwden. Daarmee had hij zichzelf in gevaar gebracht. Er bestaat zoiets als gerechtvaardigde woede, een emotie die niet uitsluitend ontstaat als de persoon in kwestie zichzelf iets verwijt.

Wat ik verontrustend vond, was de mate waarin Gwyneth zichzelf dat verweet. Ik wist voor nu en voor altijd dat haar nooit iets te verwijten zou zijn, wat er ook mocht gebeuren, omdat ze in mijn ogen rein van hart was.

Niets wat ik kon zeggen kon haar ertoe bewegen minder streng voor zichzelf te zijn, zodat ik er op dat moment voor koos zwijgend de rit uit te zitten. Het was me het tochtje wel. Er waren inmiddels nog meer auto's gestrand, de sneeuw had zich hoog tegen geparkeerde auto's opgehoopt, we werden gedwongen over het trottoir te rijden in een straat waar de doorgang was geblokkeerd doordat twee SUV's tegen elkaar op waren gebotst. Soms, als bestuurders van sneeuwschuivers claxonneerden om te waarschuwen dat ze te snel reed, toeterde ze gewoon terug en drukte ze het gaspedaal nog dieper in, glibberend over de praktisch verlaten en ondergesneeuwde avenues.

Hoewel ze een vrij willekeurige route leek af te leggen, wist ze goed wat ze deed, want een paar keer remde ze af, stopte ze en tuurde naar een woonhuis of een bedrijfspand, alsof Simon daarheen gebracht zou kunnen zijn. Dan schudde ze haar hoofd of mompelde iets binnensmonds en gingen we weer op pad. De sneeuwkettingen persten zich zachtjes ratelend in de samengedrukte sneeuw. Steeds minder kwam het voor dat ze het kale wegdek raakten.

'Waarom zou hij een partner hebben?' vroeg Gwyneth. 'Hij heeft niemand nodig om die dingen achterover te drukken. Hij heeft overal toegang toe. Bovendien kan hij de diefstal op tal van manieren verhullen. Waarom zou hij de buit met een handlanger willen delen?'

Ik had niet het idee dat de vraag aan mij gericht was; Gwyneth was duidelijk hardop aan het denken. Door haar fobie had ze weliswaar een sociaal beperkt leven geleid, maar ze had oneindig meer ervaring dan ik. Misschien kende ze de wereld goed genoeg om uit te vissen door welke motieven criminelen zich lieten leiden. Ik was naïef, en daar was ik me zeer van bewust.

Voordat ik er spijt van kon krijgen dat ik zo weinig voor haar kon betekenen, gaf ze zelf al antwoord. 'Natuurlijk! Hij heeft een tussenpersoon nodig, een heler! Als hij de gestolen waar zelf van de hand zou doen, zouden de kopers onmiddellijk doorhebben dat hij niet rijk genoeg is om die spullen in eigen bezit te hebben. Ze zouden hem er al snel van verdenken het museum en de bibliotheek te plunderen. Hij heeft een kunsthandelaar met een goede reputatie nodig, iemand die het niet erg vindt om gestolen spullen door te verkopen.' Ze liet het gaspedaal los en zei nog eens: 'Ja, natuurlijk.' Ze maakte een u-bocht op de avenue en reed daarbij hobbelend over de verhoogde middenberm omdat ze kennelijk niet kon wachten tot we bij de volgende kruising kwamen. 'Goddard. Edmund Goddard.'

'Wie is Edmund Goddard?'

'Die handelt in exclusieve kunst en antieke spullen, beheert galeries, organiseert kunstveilingen. Hij heeft een smetteloze reputatie, maar niet bij mij.'

'Waarom niet bij jou?'

'Papa had contact met heel wat van de betere kunsthandelaren om zijn collectie op te bouwen, maar na een paar transacties met Goddard heeft hij nooit meer zaken met hem gedaan. Hij zei dat Goddard er zulke malafide praktijken op nahield dat hij zichzelf ooit nog eens lelijk in de vingers zou snijden, en dat het dan over en uit was.'

Ze stopte toen we in een luxe winkelavenue bij een grote galerie kwamen, met een bord erboven waarop alleen maar GODDARD stond. De etalages waren alle vier voorzien van een rand van geslepen spiegelglas, waardoor de indruk werd gewekt dat de vier geëtaleerde schilderijen in een bijouteriedoos lagen, en door de geraffineerde belichting en de achtergrond van zwart fluweel was het net of het om diamanten van onschatbare waarde ging.

Het waren postmoderne abstracten die ik niet alleen lelijk maar ook deprimerend vond. Ik moet toegeven dat ik niets van kunst begrijp als je niet kunt zien wat het voorstelt. Maar aan de andere kant heb ik ook geen behoefte om me erin te verdiepen.

'Ik weet waar Goddard woont,' zei Gwyneth. 'Maar ik word hiernaartoe getrokken.'

Ze trok op, ging bij de volgende kruising naar links, vervolgens weer naar links, een smal straatje in dat evenwijdig aan de avenue liep, achter de winkels langs. De deur aan de achterkant van de galerie stond wijd open, en een man in een lange overjas duwde een grote kartonnen doos in de geopende kofferbak van een Mercedes SUV.

Toen hij klaar was, draaide hij zich om. Het was een lange, stevige en volledig kale man. Door de afstand kon ik zijn leeftijd niet goed inschatten, alleen dat hij tussen de veertig en de zestig moest zijn. De laatste tijd waren er veel mannen, ook jongere, die zich helemaal kaal schoren. Je kon niet altijd zien wie van nature kaal was en wie zich steeds moest scheren.

Gwyneth stopte een meter of vijf voor hem, zette de Land Rover in de parkeerstand, deed de koplampen en de motor uit. 'Dat is hem. Dat is Goddard.'

'En wat nu?' vroeg ik.

'Ik heb geen idee.'

We stapten uit en liepen zijn kant op. Hij zei tegen Gwyneth: 'Je hebt hier niks te zoeken, meid.'

'Ik ben op zoek naar Simon.'

Toen we bijna bij hem waren, haalde hij een pistool uit een van zijn jaszakken en richtte dat op haar. 'Dichterbij hoeft niet.'

Ik maakte me geen enkele illusie dat we met onze traangas en taser tegen een pistool op konden, en Gwyneth ook niet. Ze zei: 'U schiet me toch niet dood, want dan zet u uw miserabele leven op het spel.'

'Als je me er ook maar de minste of geringste aanleiding toe geeft,' zei hij, 'knal ik jou én die mysterieuze vriend van je overhoop en pis daarna op je lijk.'

52

Het smalle straatje werd spaarzaam verlicht door de lampen die hier en daar boven de nooduitgangen hingen; boven de achteruitgang van de galerie hing een lamp die niet brandde. Er werd geen licht weerkaatst door de sneeuw, want de gebouwen aan weerszijden van het steegje waren vijf tot zeven verdiepingen hoog en stonden dicht bij elkaar, zodat er geen omgevingslicht van de stad doordrong. Er vielen vreemde, verwrongen schaduwen, al wist ik dat ik schaduwen die op dingen leken niet moest verwarren met de dingen zelf.

Ik stond ver genoeg van Goddard af om er tamelijk zeker van te zijn dat hij mijn ogen niet kon zien. Ik vond het nog steeds moeilijk om zijn leeftijd te schatten. Vetlagen streken de plooien in zijn gezicht glad. Zijn stem wekte de indruk dat hij enkel mayonaise en boter at en dat die stoffen in zijn keel waren blijven plakken. Ondanks het beperkte licht zag ik dat hij er lichamelijk niet best aan toe leek.

'Ik ben op zoek naar Simon,' zei Gwyneth nogmaals. 'U gaat me toch niet vertellen dat u niet weet wie dat is?'

Goddard maakte met zijn pistool een wegwuivend gebaar, maar richtte het wapen onmiddellijk weer op haar. 'Ik hoef de schijn niet meer op te houden. Dat heeft nu toch geen zin meer. Hier is hij niet.'

'Waar hebben ze hem naartoe gebracht?' vroeg ze.

'Waarom zou ik jou dat aan je neus hangen? Het is nu allemaal toch voorbij, alles, ook al wil Telford dat misschien niet onder ogen zien.'

'Simon heeft geen idee waar ik zit. Het heeft geen zin hem pijn te doen.'

'Niets heeft meer zin,' zei Goddard, 'maar die hele Simon zegt me zo weinig dat ik jou niks ga vertellen. Tenzij…'

'Tenzij wat?' vroeg ze.

'Ik ga de stad uit. Dat zou jij ook moeten doen, als je tenminste in leven wilt blijven.'

'Ik denk dat ik hier nog een tijdje blijf.'

'Ik heb een privé-eiland. Daar heb ik alles wat ik nodig heb.'

'Behalve integriteit.'

Zijn lach klonk donker en zompig. 'Integriteit heb je niet nodig om te overleven, meid.'

'U zei "tenzij". Tenzij wat?'

'Je zou het misschien niet denken, maar ik kan heel lief zijn,' zei Goddard. 'Ik ben cultureel onderlegd, heb een ontwikkelde smaak en veel ervaring. Nu we deze ratrace achter ons kunnen laten, zul je merken dat ik behoorlijk meeval. Misschien vind je het op een gegeven moment zelfs helemaal niet erg om aangeraakt te worden.'

Ik had de indruk gekregen dat hij en Gwyneth het niet over hetzelfde hadden. Niet alles wat hij zei, had met Simon en Telford te maken. Nu hij zulke onbeschaamde voorstellen deed, vroeg ik me af of hij de kluts misschien een beetje kwijt was.

Hij zei: 'Ga met mij de stad uit, dan bel ik Ryan Telford onderweg op om te zeggen dat we allebei vertrokken zijn, jij en ik samen, dat er dus geen enkele reden meer is om te proberen iets uit die kunstenaarsvriend van je te krijgen. Het is allemaal voorbij. Zonde van de energie.'

Ze zweeg, en even dacht ik dat ze overwoog om op zijn voorstel in te gaan, maar toen zei ze: 'U zou me linea recta naar Telford brengen.'

'Meisje, je bent ontzettend kwetsbaar, maar als je met me mee-gaat, zou ik honderd Ryan Telfords daarvoor kunnen verraden. Ik zou er met gemak honderd van zijn slag voor je neerknallen, en zelfs mijn eigen moeder als die nog leefde.'

In dit schemerduister waren de dwarrelende sneeuwvlokken niet zo helderwit als elders, en in de beschutting van de gebouwen bleek de wind niet zo onberekenbaar als eerder, zodat alles een minder chaotische indruk maakte. Toch had ik het gevoel dat alles verdraaid was als ik naar hun gesprek luisterde, en het zou me niets verbaasd hebben als de gebouwen plotseling in vreemde hoeken scheefzak-ten of als het wegdek als een schip zou gaan deinen.

Gwyneth verkoos de stilte weer, en hoe langer die aanhield, hoe meer ik me afvroeg waarom ze geen aanstoot nam aan zijn voor-stel. Toen zei ze: 'Eerst zou ik dan een paar dingen moeten weten. Niet dat het heel belangrijk is, maar meer voor mezelf.'

'Dat eiland van mij is vijf hectare groot en heeft...'

'Dat bedoel ik niet. Ik neem zonder meer aan dat uw eiland prach-tig is en dat u alles goed geregeld hebt.'

'Wat dan? Vraag maar op, schat. Maakt niet uit wat.'

'U hebt kunst voor Telford verkocht.'

'Heel wat. Sommige stukken waren van je vader.'

'Er zaten ook beroemde schilderijen tussen. Doeken die gesto-len waren.'

'Ja, beroemd in meer of mindere mate.'

'Als uw klanten ze ooit willen doorverkopen of tentoonstellen, zullen ze onmiddellijk opgepakt worden.'

'Ik heb maar één klant, die alles koopt wat Ryan me aanlevert. Een syndicaat. En de leden van dat syndicaat zijn niet van plan om hun kunstschatten van de hand te doen.'

'Hoe denken ze er dan aan te kunnen verdienen?'

'Het is ze niet om geld te doen,' zei Goddard. 'Het syndicaat be-staat uit een aantal van de rijkste mensen ter wereld. Hun doel is om bepaalde belangrijke kunstwerken uit de geschiedenis van de westerse wereld op te kopen en ze te vernietigen.'

Ik kon me niet inhouden. 'Vernietigen? Belangrijke kunstwerken vernietigen? Waarom?'

'Omdat ze gek zijn,' zei Goddard. 'Misschien niet zo gek als de meesten, maar toch gek. Net als mensen die in voodoo geloven, die denken dat hun kracht toeneemt bij elk symbool dat ze verbranden of kapotmaken of laten smelten, en dat hun vijand daardoor verzwakt wordt. Vanuit hun rijk in het Midden-Oosten zijn ze van plan de westerse wereld helemaal kapot te maken, maar eerst willen ze voor de genoegdoening die dat oplevert de kunstwerken vernietigen die het kostbaarst zijn en het meest tot de verbeelding spreken.'

Van mijn stuk gebracht zei ik: 'Maar dat is complete waanzin.'

'Waanzin, het totale kwaad,' zei Gwyneth.

'Inderdaad complete waanzin,' vond Goddard. 'Maar waanzin is tegenwoordig alom aanwezig en wordt hoog ingeschat. Nog even en waanzin is het nieuwe normaal, denk je ook niet? En wat het kwaad betreft... Nou, iedereen weet dat dat een relatief begrip is. Is je vraag daarmee beantwoord, meisje?'

'Nog één vraag, over de marionetten van Paladine.'

Duidelijk verrast vroeg hij: 'Wat is daarmee?'

'Via nagemaakte exemplaren heb ik vier daarvan opgespoord. Ik heb ze gekocht en vernietigd.'

Weer bracht hij een zompige lach voort, een geluid dat net zo vreugdeloos was als het zwoegende gepiep van een TB-patiënt. 'Dan doe je al net zo als de heren van het syndicaat.'

'Dat is heel wat anders,' verweerde ze zich. 'Zij vernietigen wat waardevol en inspirerend is. Ik niet. Wat ik graag wil weten, is of er inderdaad niet meer dan zes van bestaan hebben, zoals beweerd wordt. Hebt u misschien een paar achtergehouden om te wachten tot de prijs ervan omhoog zou gaan?'

'Waarom zit je daar zo over in als er sowieso nog twee zijn die je niet hebt kunnen vinden?'

'Ik wil het gewoon weten, meer niet. Ik wil het gewoon weten.'

'Er waren er maar zes. Het is kitsch, geen kunst. Ik verwacht niet dat de prijs ervan nog zal stijgen. Als er nog meer van waren geweest, zou ik ze hebben verkocht toen er nog veel vraag naar was. Ga met me mee, dan beloof ik dat ik de laatste twee voor je zal kopen. Dan kunnen we die samen verbranden. O, meisje, ik kan je wel duizend boeiende verhalen vertellen over hoe de wereld in werkelijkheid in elkaar steekt en wat er achter de schermen gebeurt. Je zult merken dat ik een onderhoudende en charmante gesprekspartner kan zijn.'

Zonder enige aarzeling zei ze: 'Ik snijd nog liever mijn keel door.'

Goddard drukte op een knop op de openstaande achterklep van de Mercedes en deed een stap opzij toen de klep automatisch dichtging. 'Voor dat gebrek aan respect zou ik je moeten neerknallen, maar ik verwacht dat je heviger en langer zult lijden als ik je aan je lot overlaat. Dan zul je wensen dat ik je hier ter plekke had doodgeschoten. Als je gemarteld werd zoals die idioten die Simon van jou nu martelen, zou je in je handjes knijpen als dat het ergste was wat je in je leven zou overkomen. Vertel me eens, meisje, waarom vind je het toch zo erg om aangeraakt te worden? Komt het misschien doordat je vader met je heeft zitten spelen toen je nog een kleine meid was?'

'Ah, daar zul je hem hebben,' zei ze, 'de onderhoudende en charmante gesprekspartner.'

Hij pakte het pistool met beide handen beet, en even dacht ik dat hij ons allebei overhoop zou schieten. Maar na een dreigende stilte zei hij: 'Achteruit, jullie, rechts langs de Land Rover, en dan vijf meter doorlopen.'

'We zullen u echt niet gaan aanvallen,' verzekerde ze hem. 'Ik geloof wat u ons verteld hebt. Die arme Simon kan niet meer gered worden. Er is niets meer wat we van u willen.'

'Maakt niet uit. Achteruit, jullie.'

We deden wat hij ons opgedragen had, en even later zagen we hem wegrijden. De banden van de Mercedes lieten wolken van poedersneeuw achter, de uitlaatgassen kolkten in het donker, en door de oplichtende remlichten ontstond er een bloederige mist voordat de suv rechts afsloeg en uit het zicht verdween.

Gwyneth draaide zich om, maar ik zei: 'Wacht,' en toen ze naar mij keek, deed ik een stap achteruit om te voorkomen dat ze mijn gezicht zou zien. 'Vader zei altijd dat ik de motten nooit mocht vergeten.'

'Wat voor motten? Wat was daar dan mee?'

'Hij zei altijd: "De mot wordt net zo lang door het vuur aangetrokken tot zijn vleugels vlam vatten."'

Ze was net zo'n donkere gestalte als ik, een vrouwelijke schim in de nacht. 'Nog meer?'

'Achttien jaar geleden, toen ik hier aankwam, op de avond dat jij werd geboren, zag ik in een etalage een marionet, in een winkelcentrum bij de rivier. Daar was iets raars mee aan de hand.'

'Grote kans dat ik die pop inmiddels heb gevonden en vernietigd.'

'Door de manier waarop je je kleedt en opmaakt, doe je me erg aan die marionet denken.'

'Dat kan wel kloppen,' gaf ze toe.

'De marionetten van Paladine? Waren daar zés van?'

'Ik krijg het hier koud. Laten we in de auto verder praten.'

'Vertel het me hier maar. Waarom zou je jezelf net zo uitdossen als dat... ding?'

Ik zag dat ze haar hoofd omhoogdeed om naar de lucht te kijken, en toen ze haar hoofd weer liet zakken, herhaalde ze wat ze me al eens eerder gezegd had. 'Alles hangt nu af van wederzijds vertrouwen, Addison Goodheart.'

'Ik wil het gewoon weten,' zei ik. 'Ik vertrouw je heus wel.'

'Ga dan met me mee, of ga weg. Een andere keuze is er niet.'

De nacht, de sneeuw, het meisje, de hoop op een toekomst, de angst voor een eeuwigdurende eenzaamheid...

Ze onderbrak mijn stilte. 'Ik ben geen vuur en jij bent geen mot.'

'Ik ben inderdaad geen mot,' zei ik, 'maar jij verspreidt meer licht dan wat dan ook.'

'Dit is een nacht der verandering, Addison. Dat besef ik nu. We hebben nog maar weinig tijd voor datgene wat er gedaan moet worden. Het is aan jou om een keuze te maken.'

Ze liep terug naar de Land Rover, nam plaats achter het stuur en deed het portier dicht. Ik ging ook naar de auto en stapte in.

DEEL 3:

Wat had kunnen zijn en wat is geweest

53

Om een idee te geven van het verleden en hoe het toen was, moet ik eerst vertellen dat mijn moeder toegaf dat ze vaak infanticide heeft overwogen. In de eerste drie jaren van mijn leven heeft ze vijf keer op het punt gestaan me om het leven te brengen.

Er staat me nog een zomeravond voor de geest, weken voordat mijn moeder me voorgoed wegstuurde, toen er moederlijke gevoelens bij haar naar boven waren gekomen, door de whisky, in een groot glas met een gele rand, door wit poeder dat ze door een zilverkleurig rietje opsnoof, en door twee pillen van een onbestemde soort. Ze stond erop dat zij, met nog wat whisky met ijs, en ik, met een glas sinaasappelsap, voor het huis op de veranda gingen zitten, elk in een schommelstoel, voor wat ze 'een goed gesprek' noemde.

Zelden voerde ze een gesprek met me dat langer dan een minuut duurde, en nog minder vaak gingen we voor de gezelligheid bij elkaar zitten. Ik wist dat haar moederlijke gevoelens niet gespeeld waren, dat die de kern van haar raakten, en hoewel haar tedere gevoelens een gevolg waren van de inname van poeder, pillen en whisky, vond ik het fijn om bij haar te zitten, net zo fijn als wanneer deze blijk van genegenheid zonder stimulerende middelen tot haar was gekomen, zoals zo nu en dan het geval was.

Voordat we gingen zitten, sleepten we de schommelstoelen van de veranda naar de tuin, omdat we het allebei prachtig vonden om naar de oneindig uitgestrekte, flonkerende koepel boven ons hoofd te kijken. Er stonden ongelofelijk veel sterren aan de zwarte hemel te stralen, alsof de lantaarnaansteker van het heelal vannacht een ronde door de ruimte had gemaakt en alle zonnen had aangestoken die de afgelopen duizend millennia waren gedoofd. Terwijl we in onze stoelen achterover leunden en onze blik naar de hemel richtten, zag ik allerlei figuren in de sterren, allerlei wonderbaarlijke vormen, naast de bekende sterrenbeelden, en ik kan me niet heugen ooit zo gelukkig te zijn geweest als in dat nachtelijk uur bij ons huisje op de berg.

Mijn moeder vertelde over haar jeugd, voor het eerst en tevens voor het laatst. Haar ouders waren academici geweest. De een was professor in de literatuur geweest, de ander professor in de psychologie, en ik nam aan dat dat haar liefde voor boeken verklaarde. Ze zei dat het haar in haar jonge jaren aan niets van materiële aard had ontbroken, maar dat ze op een ander gebied veel tekort was gekomen. Toen ik vroeg wat ze precies bedoelde, en of ze liefde tekort was gekomen, zei ze dat ze absoluut wat meer liefde had kunnen gebruiken, maar dat haar onvervulde verlangens op een ander terrein lagen. Ik vroeg haar wat voor verlangens ze bedoelde, maar daar ging ze niet op in. Als mijn moeder ervoor koos te zwijgen, was het verstandig haar keuze te eerbiedigen.

Ze vertelde over een paar gelukkige momenten in haar jeugd, en ik vond het leuk om die geschiedenissen te horen, al zou het nog leuker zijn geweest als ze in een wat minder zwaarmoedige bui was geweest. Ondanks alle fijne gebeurtenissen die Moeder zich kon herinneren, leek het of ze liever helemaal niet jong was geweest, misschien omdat alle vreugde van voorbijgaande aard was en omdat de belofte van de ene dag nooit werd waargemaakt, ook niet de volgende dag.

Toen we daar voor het huis zaten, leken de ontelbare sneeuwwitte sterren op een vaste plaats aan de hemel te staan, maar in het uitdijend heelal zweefden ze natuurlijk stuk voor stuk – net als de aarde – met een schrikbarende snelheid door de ruimte, op weg naar een totale leegte. Achteraf besef ik dat Moeder en ik daar in onze schommelstoelen op dezelfde manier naar nergens op weg waren, hoewel we allebei afzonderlijk met een aanzienlijke snelheid op reis waren, zoals binnen enkele weken duidelijk zou worden.

Nadat ze over haar jeugd had verteld, vertrouwde ze me toe dat ze vijf keer op het punt had gestaan me te vermoorden, incidenten die ik me niet meer voor de geest kon halen omdat ze in mijn eerste drie levensjaren plaatsgevonden hadden. Haar zwaarmoedigheid kreeg iets angstigs. Verder veranderde er niets in onze houding, bleven we in onze schommelstoel zitten en gedroegen ons net als eerst. De herinneringen gingen niet vergezeld van sterke emoties, Moeder sprak niet op verontschuldigende toon en gaf me ook nergens de schuld van. In haar vorige leven had ze anderen bestolen en ook nog andere misdrijven begaan, en ze had alleen overleefd door alle waarden overboord te zetten en ook de daarmee samenhangende positieve emoties terzijde te schuiven. Je kon niet van haar verwachten dat ze ineens gevoelens toeliet die ze zo resoluut had verdrongen. En ik was ook niet boos, niet alleen omdat ik wist dat ik haar tot last was, maar ook omdat ze me had gedoogd en me zelfs had gevoed zo goed ze kon, ook al vervulde ik haar met walging en angst. Bovendien had ze me uit de handen van de vroedvrouw gered.

Terugkijkend begrijp ik dat ze, onder die flonkerende sterrenzee, toen ze bekende me vijf keer bijna vermoord te hebben, niet alleen haar schuldgevoel wilde verlichten door erover te praten. Ze wilde bovenal juist bij mij te biecht gaan, ze wilde dat ik haar wroeging kende en dat ik haar absolutie zou schenken. Ik was een halfjaar toen ze besloot me in bad te verdrinken, maar hoewel ze me wel onder water duwde en toekeek hoe de luchtbellen borrelend uit mijn neus kwamen, kon ze het niet opbrengen me lang genoeg onder te houden om me te verdrinken. Toen ik tien maanden oud was, dacht ze me met de geboortedeken te kunnen smoren, dezelfde deken die de vroedvrouw gebruikt zou hebben, maar in plaats daarvan gooide ze het ding in het vuur, zodat het in vlammen op ging. Toen ik veertien maanden oud was, pakte ze een keukenmes en sleep dat twee uur lang, zette dat op mijn keel, maar was uiteindelijk toch niet in staat om door te zetten. Een halfjaar daarna bedacht ze dat ze me een overdosis van de drugs wilde geven die ze 'medicijnen' noemde, omdat dat niet zo'n pijnlijke dood zou veroorzaken, en hoewel ze de dodelijke cocktail in appelsap oploste en me dat in een drinkflesje aanreikte, griste ze de fles uit mijn handen toen ik begon te drinken. Ze zei dat ik bijna drie was toen ze met me het bos in was gelopen, heel ver, zodat ik de weg niet meer terug zou kunnen vinden, en dat ze me wilde achterlaten, zodat ik gevonden zou worden door de roofdieren die in de beboste bergen en dalen van het berggebied rondzwierven. Ik moest van haar op een open plek gaan zitten en daar blijven wachten, en ze was aanvankelijk niet van plan me ooit nog te komen ophalen, maar toen er vanuit de omringende varens in het donkere bos twee wolven met oplichtende ogen verschenen, pakte ze me op, doodsbang en vol berouw, en rende ze met me terug naar huis. Na een flinke hoeveelheid whisky en wat poeder legde ze zich erbij neer dat ze kennelijk niet in staat was me om het leven te brengen.

Ze zei niet met zoveel woorden dat het haar speet, maar uit alles wat ze zei, sprak een diep berouw. Hoewel ze wilde dat ik haar absolutie schonk, lag het toen – en nu nog steeds niet – in mijn macht om dat te doen. Ik kon alleen maar tegen haar zeggen: 'Ik hou van u, mama, en ik zal altijd van u blijven houden.'

We bleven nog een tijdje in onze schommelstoelen voor het huis zitten. Het zou tien minuten kunnen zijn geweest, maar voor hetzelfde geld een uur. We zwegen, en de sterren die flonkerend aan de hemel stonden, leken langzaam neer te dalen, tot het huis en het bos en het paadje dat ons met de buitenwereld verbond allemaal achter een waas verdwenen. De sterren flonkerden als witte diamanten boven ons, aan alle kanten, een beschermende koepel van sterren waaronder we veilig waren.

54

Eerder had het geleken alsof Gwyneth een beetje kriskras door de stad reed terwijl ze zich in werkelijkheid doelgericht had laten leiden. Nu reed ze echt zomaar wat rond.

De stad zag er minder echt uit dan eerst. Alles vervaagde in de vallende sneeuw, niet alsof er een waas voor hing, maar alsof de stad zich terugtrok. Rondom ons staken de torenflats hoog de lucht in, zoals altijd, maar de gebouwen die een eindje verderop stonden, leken twee keer zo ver weg en waren slechts vaag te zien. De verlichte ramen deden denken aan boordlichten in de mist, als van reusachtige schepen die al tijden lagen afgemeerd maar nu het ruime sop kozen.

Ze zei: 'Charles Paladine was een gevierd kunstenaar. Hij maakte wat hij zelf soms "geabstraheerde abstracten" noemde, en hoewel hij zich in dat soort termen uitdrukte en soms nog wel vreemdere dingen zei, was er niemand in de kunstwereld die zich laatdunkend over hem uitliet. Hij kreeg buitengewoon lovende recensies, en toen hij achtentwintig was, gingen zijn werken als warme broodjes over de toonbank, zowel hier als in New York en Londen. Hij werd exclusief door Goddard Galleries vertegenwoordigd. Hij had het ene na het andere succes. Hij werd de nieuwe Jackson

Pollock genoemd, de nieuwe Robert Rauschenberg, de nieuwe Andy Warhol, allemaal verenigd in één moderne meester. Op een gegeven moment zette Paladine zijn reputatie op het spel: hij hing het abstracte schilderwerk aan de wilgen en gooide zich volledig op het realisme. Hij begon doeken te schilderen met marionetten erop.'

Ik zei: 'Zwarte smoking, zwart overhemd, witte das, hoge hoed.'

'Ja, maar ook wel andere – mannen, vrouwen, en kinderen. Hij maakte exotische doeken, stemmig en verontrustend, soms met verschillende marionetten bij elkaar, soms niet meer dan twee. De marionet die jij bedoelt en die je destijds in de etalage hebt gezien, was het model dat hij het meest prominent heeft afgebeeld, maar op schilderijen van andere marionetten stond er altijd minstens één met een smoking op de achtergrond afgebeeld, half ergens achter verscholen, of in het donker. De kunstrecensenten die het abstracte werk van Paladine zeer waardeerden, konden niets met de nieuwe kant die hij was opgegaan. Ze hadden al zo lang geroepen dat hij een genie was dat ze zich eerst niet onverholen kritisch durfden uitlaten. Maar hun positieve recensies waren niet zo juichend meer als eerst, en sommigen durfden zelfs zonder meer te betreuren dat hij geen abstract werk meer maakte.'

'Ik heb nooit wat van abstracte kunst begrepen,' bekende ik.

'Soms denk ik wel eens dat niemand daar iets van snapt, maar dat veel mensen net doen alsof omdat ze anders beschuldigd worden van een slechte smaak of van een gebrekkige culturele ontwikkeling. Mijn vader haalde graag de criticus Paul Johnson aan, die het werk van Jackson Pollock ooit omschreef als "geïnspireerd linoleum". Papa had een grondige hekel aan Paladines marionettendoeken, maar hij moest toegeven dat de kunstenaar gelukkig wel iets had geschilderd wat herkenbaar was in plaats van de niksige vlekken en nihilistische krassen waarmee hij zo beroemd werd.'

Ze reed om een sneeuwschuiver heen die te langzaam reed naar haar zin, toen er uit tegengestelde richting een tweede sneeuwschuiver aankwam. Snel schoot ze naar een rijstrook ertussenin, waar nog geen sneeuw geruimd was. Beide chauffeurs toeterden afkeurend.

'Wat gebeurt er als je door de politie wordt aangehouden?' vroeg ik.

'Dat gebeurt niet. Maar goed, Paladine verkocht zijn marionettenschilderijen, al kreeg hij er veel minder voor dan voor zijn abstracte werk – tot hij zijn vrouw en twee kinderen vermoordde, een jongen van tien en een dochter van twaalf. Op een aantal schilderijen had hij hen als marionet afgebeeld. Toen hij ze had vermoord, onthoofdde hij ze...'

'Ik houd niet van dit soort verhalen.'

'Ze toveren ook niet bepaald een glimlach op míjn gezicht. Paladine hakte zijn vrouw en kinderen het hoofd af, en ook de armen en benen. Daarna naaide hij lichaamsdelen weer aan elkaar, met ruw zwart garen, heel losjes. Hij schilderde hun gezicht wit, voegde er zwarte accenten aan toe, en bracht rouge aan op hun wangen.'

Overal in de stad werd de sneeuw omhooggeblazen, zodat het net was of er mantels en jassen en lijkwades door de lucht zweefden. Het was net of de stad niet zozeer door levenden als wel door geesten werd bevolkt, en dat die geesten koortsachtig door de straten doolden.

Ik zei: 'Heeft hij ooit uitgelegd waarom hij dat allemaal had gedaan? In de rechtszaal, bedoel ik?'

'Van een rechtszaak is het nooit gekomen, en ook hoefde hij niet naar een gesticht. Nadat hij met zijn gezin klaar was, verfde Paladine zijn eigen gezicht als dat van de marionet die je in de etalage hebt gezien. Vervolgens ging hij naar het dak van zijn drie verdiepingen tellende huis, hier in de mooiste wijk van de stad, en sprong ervan af.'

Er trok een huivering langs mijn rug. 'Waarom?'

'Dat zullen we nooit te weten komen.'

'Hoe passen de échte marionetten in dit verhaal?'

De politie heeft de poppen bij hem thuis aangetroffen, in zijn atelier. Het waren zes identieke marionetten en zagen eruit zoals jij ze beschreven hebt. Hij had ze uit blokken taxushout gemaakt, had hun armen en benen eigenhandig uitgesneden en ze geverfd. Ken je de taxus, Addison?'

'Nee. Na mijn achtste heb ik weinig meer met bomen te maken gehad.'

'De taxus is veel op begraafplaatsen te vinden. Het is een symbool van verdriet en de dood.'

'Wat is er met die zes marionetten gebeurd?'

'O, die werden aan verzamelaars verkocht. Nadat hij zijn gezin had uitgemoord en van het dak was gesprongen, stegen zijn schilderijen van marionetten ineens ontzettend in prijs – ik zal niet het woord "waarde" gebruiken. Veel Paladine-verzamelaars waren niet meer geïnteresseerd in zijn werk uit die periode, maar er waren bepaalde… enthousiastelingen die verschillende van zijn werken aanschaften. En de zes handgemaakte marionetten brachten stuk voor stuk heel wat op toen Edmund Goddard ze veilde.'

Ik zei: 'Dit was allemaal al gebeurd voordat jij ter wereld kwam.'

'Ja. Voordat jij in de stad aankwam.'

'En toen je dertien werd, liet je je door de marionet inspireren voor je gothic look. Waarom?'

'Ik zag er toevallig foto's van in een tijdschrift.'

'Oké, maar waarom ben je jezelf naar dat voorbeeld gaan opmaken?'

In plaats van op mijn vraag in te gaan, zei ze: 'Zoals je me al tegen Goddard hebt horen zeggen, heb ik vier van de zes poppen met behulp van namaakexemplaren opgespoord en opgekocht. Ik heb ze zelf verbrand.'

'Wil je die andere twee ook nog opsporen en verbranden?'

'Ik heb geen idee waar die zijn. En dat baart me grote zorgen.'

'Waarom?'

We kwamen bij de rotonde op Washington Square. Op een sokkel stond de eerste president van Amerika, als de legendarische strijder die hij was, op zijn paard, een ernstige uitdrukking op zijn stenen gezicht, alsof hij de stad of misschien zelfs de hele wereld uitdaagde zijn visioen van waarheid, vrijheid en eer te helpen ver-

wezenlijken. Bij het standbeeld stonden drie Helderen in witte operatiekleding, op zoek naar waar ze ook maar naar op zoek waren,
wachtend op datgene wat ze verwachtten dat zou komen.

Gwyneth reed de rotonde driekwart rond en nam een van de avenues die in een rechte lijn van de rotonde af liepen. Een sneeuwschuiver had de straat begaanbaar gemaakt en de sneeuw naar de
zijkant geduwd. De volgende dag zouden de geparkeerde auto's
ogen als een serie iglo's die aan de stoeprand waren verrezen.

In de twee avonden en nachten samen had ik haar niet te veel
onder druk willen zetten om me haar geheimen toe te vertrouwen,
omdat ik bang was dat haar sociale fobie dan zou opspelen, dat ze
zich van me zou afkeren of onze vriendschap zelfs zou beëindigen.
Maar nu wist ik dat haar leven en dat van mij op bepaalde punten
samenvielen, al voordat we elkaar hadden ontmoet, te beginnen op
de avond waarop ze werd geboren. In het licht van die onthutsen-
de ontdekking besloot ik toch iets meer door te vragen.

'Waarom maak je je zo druk om die twee overgebleven marionetten?'

'Tegenwoordig maak ik me er minder druk om dan vroeger. We
hebben om één uur een afspraak. We mogen niet te laat komen.'

'Een afspraak? Met wie?'

'Dat zul je wel zien.'

Ik bracht het gesprek weer op het onderwerp dat ik belangrijker
vond: 'Waarom maak je je zo druk om die marionetten?'

Ze aarzelde maar trok zich niet in stilzwijgen terug. 'Na verloop
van tijd, toen ik hun uiterlijk tot op zekere hoogte had gekopieerd,
kwam ik er geleidelijk achter... dat ik ze bewust had gemaakt van
mijn bestaan.'

'Bewust van jouw bestaan?'

'Ja.'

'Die zes marionetten?'

'Ik weet wat ik voel, en ik weet dat het klopt. Maar jij hoeft niet
te vinden dat het logisch is wat ik denk, hoor. Daar kan ik helemaal inkomen.'

Misschien was dat het geschikte moment geweest om haar over de Nevelen en de Helderen te vertellen, over de speeldoos met de vreemde poppetjes, en mijn stellige indruk dat de marionet in de etalage mij met zijn ogen had gevolgd. Bijna had ik aan die impuls toegegeven, maar in plaats daarvan zei ik: 'Waarom zou je bang moeten zijn voor speelgoed?'

'Ze waren geen speelgoed.'

'Oké. Maar waarom zou je dan bang moeten zijn voor een stel poppen?'

'Dat weet ik niet, en ik ben ook niet van plan om me daarin te verdiepen.'

De wind trok weer aan en blies de sneeuw zo fel onze kant op dat de vlokken, die nu niet meer zo groot waren, zwak tegen de voorruit tikten, alsof ze door hun grote aantallen en gezamenlijke kracht in staat waren om het glas te verbrijzelen, zodat de storm bezit zou nemen van de Land Rover en van ons, zoals de sneeuw ook bezit had genomen van de straten en pleinen van de stad.

Er kwam een gedachte bij me op, die ik met haar deelde. 'Toen we aan het eten waren. Dat getik. Op zolder.'

'Lucht in de waterleidingbuizen.'

'Lopen er van dat soort buizen op zolder?'

'Dat moet wel.'

'Ben je daar wel eens een kijkje gaan nemen?'

'Nee.'

'Kun je vanuit jouw appartement naar de zolder komen?'

'In een van de kasten zit een luik. Maar dat zit met twee grote grendels dicht, en dat blijft ook zo.'

'Als je wilt, wil ik wel even gaan kijken.'

Rustig maar vastberaden zei ze: 'Nee. Ik ga daar niet kijken, jij gaat daar niet kijken, niemand gaat daar kijken, vanavond niet, morgen niet, nooit niet.'

55

Ik bleef een tijdje luisteren naar het gelijkmatige gezwiep van de ruitenwissers, die bijna synchroon gingen met mijn hartslag, en ik luisterde naar de wind, die zo nu en dan aan de auto rukte, alsof hij onze aandacht vroeg en ons iets wilde vertellen met zijn felle, snuivende en razende gebulder.

Hoewel ik van plan was haar alle tijd te geven om me antwoord te geven, kon ik het toch niet laten haar de vraag te stellen die ze eerder had ontweken. 'Toen je dertien werd, liet je je door de marionet inspireren voor je gothic look. Waarom?'

'Ik was een verlegen meisje en ik wilde cool overkomen. Stoer. Ik was bang voor anderen, en ik dacht dat ik iedereen op afstand kon houden als ik me een beetje griezelig opmaakte.'

Hoewel dat op zich een verklaring was, vermoedde ik dat het maar de halve waarheid was.

Waarschijnlijk voelde ze aan wat er in me omging, want ze ging op de vraag door, al kwam ze nog steeds niet tot de kern van de zaak. 'Nadat ik ze door mijn eigen toedoen bewust had gemaakt van mijn bestaan, had ik van uiterlijk kunnen veranderen en een andere look aan kunnen nemen. Maar tegen die tijd maakte het al niets meer uit. Ze waren zich al bewust van me, en ze zouden me heus niet vergeten als ik van uiterlijk veranderde. Ik had een deur geopend die ik nooit meer dicht zou kunnen doen. Je zult wel denken dat ik een beetje gestoord ben of zo.'

'Niet zo erg als je misschien wel denkt.'

Haar mobieltje ging. Ze haalde het toestel tevoorschijn, keek op het display, zette de luidsprekerstand aan, maar zei niets.

Even was er alleen maar het statische geruis van de lijn te horen, maar toen zei Telford: 'Ik weet dat je me kunt horen, muisje.'

'Ik wil met Simon praten.'

Telford deed net of hij nergens van wist. 'Simon? Wie bedoel je?'

'Geef hem aan de lijn.'

'Wil je dat ik iemand ophaal die Simon heet?'

'Hij weet niets.'

'Daar kon je wel eens gelijk in hebben.'

'Ik heb Goddard vanavond gesproken,' zei ze.

'Ach, die loser.'

'Goddard weet dat het allemaal voorbij is. Het heeft geen zin wat u verder allemaal nog van plan bent. Het is voorbij.'

'Zijn partners zijn het daar niet mee eens. Die hebben me vanavond uitstekend geholpen, en nog steeds.'

'Ik wil met Simon praten.'

'Er is hier wel iemand, mogelijk ene Simon, maar misschien ook niet, dat weet ik niet. Wil je hem aan de lijn?'

'Geef hem maar.'

De lijn ruiste zachtjes, pruttelde. Gwyneth wachtte.

Uiteindelijk zei Telford: 'Hij wil kennelijk niks zeggen. Hij ligt hier maar een beetje op de grond in het niets te staren, zijn mond hangt open, een walgelijke laag kots koekt aan zijn kin, en hij doet geen enkele moeite om zichzelf toonbaar te maken. Als dit de Simon was die je bedoelde, kan ik je wel vertellen dat hij totaal geen manieren had, geen greintje gezond verstand, geen enkele overlevingsdrang. Je moet in het vervolg beter uitkijken wie je als vriend neemt.'

Ze vocht tegen haar tranen, beet zo hard op haar lip dat ik bang was dat ze rond haar rode piercing echt zou gaan bloeden. Ondanks alle emoties die haar parten speelden, hield ze de Land Rover goed onder controle. Uiteindelijk zei ze: 'Het is voorbij, en daar moet u maar mee zien te leven.'

'O, was je van plan naar de politie te stappen?'

Ze gaf geen antwoord.

'Drie dingen, muisje. Eén: volgens mij kun je het helemaal niet aan om verhoord te worden, om al die grote stoere politiemannen om je heen te hebben en door ze aangeraakt te worden. Twee: door hoe je eruitziet en hoe je bent zullen ze moeite hebben je te geloven. Je bent een lekker ding, maar ook een raar geval.'

'U had het over drie dingen. Ik heb er nog maar twee gehoord.'

'Drie: die partners die Goddard aan me heeft uitgeleend? Nu hij niet meer durft, werken ze voor mij. En zal ik je eens wat vertellen, muisje? Ze hebben allebei bij de politie gezeten. Is dat niet interessant? Ze hebben daar vriendjes. Heel wat vriendjes, muisje.'

Ik bewonderde haar om haar onverschrokkenheid toen ze zei: 'U kunt uzelf nog redden. Er is altijd tijd om uzelf te redden, tot er geen tijd meer over is.'

'Briljant, muisje. Naast alle andere talenten die je bezit, ben je ook nog eens een echte filosoof. Er is altijd tijd tot er geen tijd meer over is. Dat zal ik ergens opschrijven en aandachtig bestuderen. Wanneer we elkaar treffen, kun je daar misschien iets meer over zeggen.'

'We zullen elkaar niet meer treffen.'

'Ik heb uitstekende connecties, muisje. Ik kan je verzekeren dat ik je zal weten te vinden.'

Ze verbrak de verbinding en stopte het mobieltje terug in haar jaszak.

Met de dood van Simon had ze een vriend verloren. Ik kon niets bedenken om haar te troosten. Misschien was er ooit een tijd geweest dat de dood nog niet bestond, maar die bestond nu wel degelijk, en hij had het op ons gemunt, zoals ook Simon eraan had moeten geloven. De dood zou ons te pakken krijgen, als het niet vandaag was, dan wel morgen, of over een jaar, of over tien jaar. Wanneer we zeggen: "Gecondoleerd met dit verlies", menen we dat misschien wel, maar we treuren dan ook om ons eigen lot.

Ik zei: 'Die afspraak om één uur waar je het over had... Het is tien voor een.'

'We zijn er bijna.'

Eerst was de sneeuw prachtig geweest, maar nu in mindere mate. De zachte, fonkelende vlokken waren nog steeds betoverend mooi, maar door de storm was de lucht dichtgetrokken en waren er geen sterren te zien. Op dat moment had ik er behoefte aan een hemel vol sterren te zien. Ik wilde verder dan de maan kunnen kijken, tussen de sterren door, ik wilde kunnen zien wat niet zichtbaar was: de oneindigheid.

56

De bioscoop – THE EGYPTIAN – was een gebouw uit de jaren dertig dat in art-decostijl was opgetrokken. In zijn hoogtijdagen was het beschouwd als een architectonisch meesterwerk. Nu stond het al jaren leeg en was het in verval geraakt, maar toch was er nog wat van de betovering van het gebouw over. Achter de verwaarloosde gevel ging nog een zekere glorie schuil, ondanks de lelijke graffiti erop, een bonte mengeling van knallende kleuren: groen, oranje, geel en blauw. Het gebouw was beklad met initialen die me niets zeiden. Ik zag slordig getekende slangen en vissen en zombiegezichten, symbolen die ik niet kende, naast een hakenkruis en een halvemaan met een pentagram erin. Volgens Gwyneth waren er in The Egyptian op het laatst alleen maar pornofilms te zien geweest. Waar ooit films hadden gedraaid die later tot de Amerikaanse klassiekers zouden gaan behoren, stonden er op het eind alleen nog maar nog titels boven de ingang die een grove dubbelzinnigheid bevatten, of die ordinaire namen hadden als *Sex Crazy*. Ook met porno had de bioscoop het uiteindelijk niet kunnen redden, vooral niet toen er seksfilms op video uitkwamen en men er de deur niet meer voor uit hoefde om ze te bekijken. Tegenwoordig was de gevel van de bioscoop verworden tot een aankondigingenbord voor barbaren. Het enige woord dat nu nog boven de ingang stond, was GESLOTEN. Ik vond dat er van die grote zwarte letters een enorme dreiging uitging. Ik dacht dat er ooit een dag zou komen waarop dat ene woord boven elke ingang van elk gebouw te lezen zou zijn, en dat deze ooit zo bloeiende stad dan in verval zou zijn geraakt.

Toen Gwyneth de Land Rover voor The Egyptian parkeerde, zei ze: 'Ze wilden het gebouw slopen en er een hospice neerzetten. Maar de nieuwe regelgeving in de zorg is één grote chaos, een bureaucratisch moeras.'

'Wat een merkwaardige plaats om af te spreken.'

'Er bestaat een kans dat ze zijn huis in de gaten houden. Daarom durfde ik niet bij hem thuis af te spreken.'

'Als ze zijn huis in de gaten houden, kunnen ze hem ook hiernaartoe zijn gevolgd.'

'Hij heeft vroeger bij het Korps Mariniers gezeten. Bij de inlichtingendienst. Als hij gevolgd was, zou hij dat hebben gemerkt. Dan zou hij me hebben gebeld om ergens anders af te spreken.'

We liepen snel door de sneeuw naar de middelste twee van acht deuren, waarvan ze wist dat die voor deze afspraak van het slot gehaald waren. In de vestibule rook het naar schimmel en urine en popcornolie die zo oud was dat zelfs kakkerlakken er niet meer in geïnteresseerd zouden zijn.

In het schijnsel van de zaklantaarn die Gwyneth had aangedaan, zag ik dat het goudkleurige marmer op de vloer, ingelegd met Egyptische hiërogliefen in zwart graniet, vol barsten en vieze vlekken zat. Het was net of we archeologen waren die diep onder het zand op een graftombe waren gestuit, waar het lichaam van de farao, goed geconserveerd in tannine en met linnen omwikkeld, op Anubis wachtte tot zijn geest de dodentempel kon verlaten.

Stof en steen knarste onder onze voeten toen we door die reusachtige hal liepen, naar een openstaande deur in een hoek, waar een melkachtig schijnsel over de drempel viel. In de tijd van het bioscoopjournaal, de korte voorfilms en de *double feature* zou dit het kantoor van de directie kunnen zijn geweest, maar nu was het een kaal vertrek waar niemand was, behalve Teague Hanlon.

Ik ging dat vertrek binnen met mijn handschoenen aan en mijn bivakmuts en capuchon op. Ik boog mijn hoofd en was niet van plan om daar verandering in te brengen, maar de voogd van het meisje dacht daar anders over.

Hanlon had een stem die me aan die van Vader deed denken: vriendelijk maar krachtig, duidelijk en bijna zangerig maar toch ernstig. Hierdoor nam hij zich meteen voor me in. 'Addison, ik weet dat je bepaalde problemen hebt en dat ik onder geen beding naar je mag kijken. Dat respecteer ik. Ik ben al een hele tijd gewend aan Gwynies regels, en ze heeft je vast wel verteld dat ik ook die respecteer. Ik zal niet naar je kijken, ook niet stiekem. Oké?'

'Ja. Oké.'

'Gwynie heeft me verteld wat ik wel tegen je mag zeggen en waarover ik volgens haar maar beter kan zwijgen, en ik leg me bij haar verzoek neer. Maar ik vind dat je best mag weten hoe ik eruitzie, omdat je verder nog zo weinig van me weet. Het is van cruciaal belang dat je me in de komende uren vertrouwt. Dat vertrouwen zul je me gemakkelijker kunnen schenken als je me gezien hebt en weet dat ik niets te verbergen heb. Ik zal me omdraaien en mijn aandacht alleen op die lieve Gwynie richten.'

Op mijn hoede liet ik mijn blik omhooggaan, van zijn met ritssluitingen voorziene schoenen naar zijn zwarte broek, zijn lange overjas, die tot aan zijn kin was dichtgeknoopt, en waar een witte sjaal onderuit stak. In een gehandschoende hand hield hij een marineblauwe wollen muts.

Gwyneth zei: 'Telford wilde het aan de telefoon niet expliciet zeggen en verwees er alleen maar naar, maar Simon... ze hebben hem vermoord.'

'God hebbe zijn ziel,' zei meneer Hanlon. 'Hij heeft het nooit makkelijk gehad, en nu is hij ook nog op zo'n vreselijke manier aan zijn eind gekomen.'

Hij had een tamelijk breed voorhoofd en een smalle kin en kaak, zodat zijn gezicht leek op een omgekeerde peer. Ondanks de wat vreemde verhoudingen straalde zijn aangename gezicht veel vertrouwen uit. Zijn witte dunnende haar, door de war gebracht toen hij zijn muts afdeed, stond in piekerige plukken alle kanten op, als de donsveertjes van een jonge vogel. Voor een man van zijn leeftijd had hij nog een opmerkelijk glad voorhoofd, en de vele rimpeltjes bij zijn ogen leken geen gevolg van een leven vol misprijzende blikken, maar een waarin veel gelachen was.

Tegen Gwyneth zei haar voogd: 'Het wordt met de dag lastiger om hem in bedwang te houden. Hij eist een groter deel van het kapitaal dat door het trustfonds wordt beheerd, voor zijn privéprojecten, en hij denkt dat er wel wegen te vinden zijn om de regels te omzeilen. Ik heb hem verteld dat het geld van jou is, zolang je leeft, maar hij valt me voortdurend lastig met allerlei plannetjes die hij bedacht heeft. Hij weet dat je wettelijk beschermd wordt, maar hij heeft geen respect voor jouw positie. Hij vindt dat je vader je veel te veel geld heeft nagelaten, en suggereert zelfs dat hij niet helemaal eerlijk aan zijn kapitaal is gekomen, wat op z'n zachtst gezegd laster is, en dat kan iedereen bevestigen die je vader heeft gekend.'

'Dat maakt niet uit,' zei Gwyneth. 'Ik zou hem meteen al het geld willen geven als ik de zaken daarmee zou kunnen veranderen. Het maakt niet meer uit.'

Het vriendelijke gezicht van meneer Hanlon leek niet geschapen te zijn voor woede. Maar nu verscheen er op zijn aangename gelaat een droefgeestige ernst die ik beangstigend vond. Door wat het meisje net had gezegd, en de ernst waarmee haar voogd haar aankeek, dacht ik dat ze niet alleen beperkt werd door haar sociale fobie, maar dat er ook iets ernstigers aan de hand was en dat ze ongeneeslijk ziek was zonder dat dat aan de buitenkant te zien was.

Hij zei: 'Gwynie, weet je zeker dat dit het juiste moment is?'

'U niet?' vroeg ze.

Na een lichte aarzeling knikte hij. 'Jawel. Ik ben bang dat je gelijk hebt.'

'Het feit dat u me vandaag belde met die informatie, dat het eindelijk in mijn bezit is gekomen... dat zegt me genoeg.'

Uit een jaszak haalde meneer Hanlon een sleutel met een spiraalkoord van groen plastic eraan, die hij aan Gwyneth gaf. 'Er zijn twee in zijn gevolg die precies weten wat hij voor type is. Zijn secretaris is er een van. Hij zit achteraan op de begane grond, maar wil niet meedoen.'

'Dat hoeft ook niet. Hij heeft al genoeg gedaan.'

Ik vroeg me af over wie ze het hadden, maar ik had niet het idee dat ik in een positie verkeerde om daarnaar te vragen. Als er iets was wat ik per se moest weten, zou ze me wel op de hoogte brengen.

Meneer Hanlon zei: 'Het alarm staat erop. De audiofunctie staat uit, zodat het in huis niet te horen is als het alarm afgaat, en het toetsenpaneel maakt geen geluid als je de code invoert.'

Gwyneth kreeg een papiertje van hem waarop vier cijfers en een symbool stonden.

'Hoewel er binnen dus geen sirene afgaat, zien ze bij het beveiligingsbedrijf wel dat er iets aan de hand is. Je hebt dan precies één minuut om de code in te voeren en af te sluiten met een sterretje, anders sturen ze een gewapend team om poolshoogte te nemen.'

Hoewel ik eraan gewend was om in gebouwen binnen te dringen waar ik niet geacht werd te komen, had ik daarbij nooit criminele bedoelingen gehad. Toen ik naar meneer Hanlon luisterde, kreeg ik een ongemakkelijk gevoel, al nam ik zonder meer aan dat ook Gwyneth niets onwettigs in de zin had. Ik hield met zoveel overgave van haar dat ik haar wel moest vertrouwen. Binnen enkele uren was het geen vraag meer of ik haar kon vertrouwen, en samen met liefde was dat vertrouwen de basis geworden van mijn hoopvolle verwachtingen voor de toekomst.

Meneer Hanlon zei: 'Zijn privéappartement beslaat de gehele tweede verdieping. Wat je nodig hebt, zul je in de woonkamer kunnen vinden. Meestal neemt hij een slaappilletje voordat hij naar bed gaat. Hij zal al in diepe rust zijn als jij komt. Zijn slaapkamer is helemaal achteraan. Als je een beetje stil doet, zal hij er niets van merken.'

Ik voelde dat het onderhoud ten einde liep en boog mijn hoofd weer, uit vrees dat meneer Hanlon was vergeten wat we hadden afgesproken, zich per ongeluk zou omdraaien om afscheid te nemen en me dan automatisch zou aankijken.

Misschien had ik me geen zorgen hoeven maken. Hij zei: 'Pas goed op dit meisje, Addison.'

'Ik zal mijn best doen, meneer. Maar ik heb zo'n vermoeden dat ze uiteindelijk goed op mij zal passen.'

Ik hoorde de glimlach in zijn stem. 'Daar zou je best gelijk in kunnen hebben. Onze Gwynie is een natuurkracht.' Tegen haar zei hij: 'Zie ik je over niet al te lange tijd?'

'Dat is wel de bedoeling.'

'Weet je zeker dat je hiermee door wilt gaan?'

'Honderd procent zeker.'

'Moge God je bijstaan, Gwynie.'

'U ook.'

Meneer Hanlon begeleidde ons naar de uitgang. In de hal liepen we over hiërogliefen, waaronder silhouetten en symbolen van enkele Egyptische goden: Osiris, Horus, Isis, Neph, Amen-Ra, Anubis. Hij ging met ons naar buiten, en terwijl Gwyneth en ik snel naar de Land Rover liepen, deed hij de deuren van de bioscoop op slot.

Tegen de tijd dat Gwyneth de motor startte en de koplampen aandeed, was haar voogd al bijna bij de hoek. Hij hield zijn hoofd gebogen tegen de wind.

'Moeten we hem geen lift geven?' vroeg ik.

'Hij hoeft maar een klein eindje. Als ze zijn huis in de gaten houden, is het zaak daar zo ver mogelijk vandaan te blijven.'

Ze trok op en reed de bevroren stad in, die zo wit was dat ik aan een bruidstaart moest denken. Daardoor kwam een ander beeld bij me boven: het poppetje boven op zo'n taart dat de bruidegom moet voorstellen. Hij was de marionet in de zwarte smoking. De fantasie kan wonderbaarlijk mooie vormen opleveren, maar is soms ook verontrustend. Er stond geen bruid naast de bruidegom, al glimlachte hij alsof ze elk moment kon komen opdagen.

Ik vroeg: 'Waarom zei je dat er dingen waren die hij beter niet tegen me kon zeggen? Wat voor dingen bedoelde je?'

'Daar kom je zo wel achter.'

'Lijd je aan een of andere ziekte of zo?'

'Een ziekte? Hoe kom je daar nou bij?'

'Je zei dat je al je geld zou weggeven als je daarmee dingen kon veranderen. Je zei dat het allemaal niet meer uitmaakte.'

'Je moet niet zoveel piekeren, Addison. Ik ben helemaal niet ziek. Echt niet. En je weet dat ik nooit lieg.'

'Ik lieg ook nooit. Maar soms geef ik wel eens een ontwijkend antwoord. En jij ook.'

Ze zweeg even en zei toen: 'Je bent een interessante vent.'

'Is dat zo?'

'Ja, en dat is maar goed ook.'

'Wat is maar goed ook?'

'Dat je interessant bent.'

'Dat snap ik niet.'

'Dat maakt niet uit. Ik snap het wel. Nu stil zijn. Ik moet even nadenken.'

Er was verder niemand meer op de weg, behalve wij en de sneeuwploegen. De felgele zwaailichten op het dak van die voertuigen verleenden de sneeuw een gouden gloed. Het gele licht gleed langs de muren van de gebouwen in de straat en verjoeg wolfachtige schimmen.

57

Toen ik veertien was, zag ik eens op een zwoele avond in juni allemaal vuurvliegjes in het grote park. Honderden zweefden in stilte door het donker. Ik kende vuurvliegjes van toen ik nog op de berg woonde, maar hier in de stad vond ik hun verschijning mysterieus. In mijn fantasie waren het kleine luchtschepen, met aan boord minuscule passagiers die van hun wereld naar een andere wereld vlogen, een die door hun eigen kleine soort bevolkt werd, en die daarbij onze wereld passeerden en hun ogen uitkeken omdat ze het hier zo raar vonden. Dat was de eerste en de laatste keer dat we vuurvliegjes in de stad zagen, alsof ze hier niet door de natuur naartoe gebracht waren, maar waren gematerialiseerd door toedoen van een of andere kracht die ons met die lantaarntjes wilde waarschuwen voor iets belangrijks, of ons er juist naartoe wilde geleiden.

Later die nacht, toen Vader en ik door een steegje liepen, hoorden we een man die ons met een zwakke trilstem riep. 'Help me. Ik kan niets meer zien. Ze hebben me verblind.'

We vonden hem op de grond naast een afvalcontainer, en omdat we aannamen dat hij inderdaad blind was, durfden we het aan om naar hem toe te gaan en hem bij het licht van onze zaklantaarns

te onderzoeken. Hij was rond de vijftig, droeg een duur maar ver-
kreukeld pak dat nu onder de bloedvlekken zat. Hij was op zijn
hoofd geslagen. Zijn gezicht was zo toegetakeld en opgezwollen dat
ik er bang van werd. Bloed sijpelde uit zijn kapotgeslagen lip en
welde op uit zijn mond, rond twee kapotgeslagen tanden. Zijn ogen
volgden niet het licht of beweging, maar richtten zich naar onze
stemmen, alsof hij wilde zien wat hij hoorde. Hij was sterk genoeg
om met enige ondersteuning overeind te komen, maar hij was te
zeer toegetakeld om op eigen kracht te lopen. We hadden handschoenen aan, zoals gewoonlijk, en we hielpen hem, Vader rechts
van hem en ik links. Een paar straten verderop was een ziekenhuis,
en in die zwoele nacht brak ons het angstzweet uit bij de gedachte
dat iemand ons zou zien voordat we er waren.

Terwijl hij tussen ons in voortschuifelde, zei hij met enige ver-
ontwaardiging dat dit een veilige buurt was, dat hij nooit bang was
geweest om zelfs op dit late uur nog een blokje om te gaan. De drie
mannen hadden hem in dit onverlichte steegje staan opwachten. Ze
waren vlak voor hem gaan staan, hadden een pistool tegen zijn buik
gedrukt, hadden hem vastgepakt en hem het duister in gesleept. Hij
had twaalfhonderd dollar op zak gehad, plus creditcards, hij droeg
een horloge dat meer dan vijftienduizend dollar waard was, een diamanten ring van vijfduizend dollar, en hij dacht dat de straatrovers
hem met rust zouden laten als hij alles afstond wat hij bij zich had
zonder zich te verzetten. Hij kende een man die een paar jaar terug op straat was overvallen en toen weinig van waarde bij zich had.
Zijn belagers waren daardoor zo gefrustreerd geraakt dat ze hem
ernstig mishandelden. In zijn eigen geval waren ze in woede ont-
stoken doordat hij zoveel bij zich had, veel meer dan ze eerlijk acht-
ten, en ze beschuldigden hem ervan zijn rijkdom op een of andere
manier ten koste van anderen vergaard te hebben, met zijn dure pak
en zijn Gucci-schoenen, en uit afkeuring van zijn grote materiële
voorspoed sloegen ze hem in elkaar. Hij had een tijd bewusteloos
op de grond gelegen, hoe lang wist hij niet, en toen hij bij kennis
kwam, had hij het gevoel dat zijn hoofd in stukken was geslagen en

alleen nog door zijn huid en haar bijeen werd gehouden. Ook merkte hij dat hij niets meer kon zien.

We verzekerden hem dat zijn blindheid van tijdelijke aard was, hoewel we dat natuurlijk niet zeker wisten, maar zijn ogen leken helder en vertoonden geen letsel. We vergezelden hem naar de ingang van het ziekenhuis en vertelden dat we niet met hem naar binnen konden gaan, al zeiden we niet waarom dat zo was. 'U staat vlak voor de deur,' zei Vader. 'Het is een automatische deur. Als u twee stappen naar voren doet, gaat de deur open, en binnen zal iemand u dan verder helpen.' Toen het slachtoffer onderweg vroeg hoe we heetten, hadden we geen antwoord gegeven. Nu verraste hij me door zijn hand uit te steken en mijn gezicht aan te raken, omdat hij wilde weten hoe zijn twee Samaritanen eruitzagen. Als we in deze zomernacht met onze bivakmuts over straat waren gegaan, zou dat zijn opgevallen, en daarom hadden Vader en ik een lichte jas met grote capuchon aan, in de hoop dat niemand ons gezicht dan zou zien. Bijna onmiddellijk nadat de man mijn gezicht had aangeraakt, trok hij zijn hand terug. Omdat zijn gezicht gehavend was, bebloed, vervormd door de builen die waren ontstaan, kon ik de nuances van zijn gelaatsuitdrukking niet goed onderscheiden, maar wel zag ik dat hij vreselijk bang werd. Zonder nog een woord te zeggen, stommelde hij vooruit, de hydraulische deuren gingen sissend open, hij strompelde naar binnen, en wij renden snel weg, alsof we hem niet hadden geholpen maar degenen waren die hem in elkaar hadden geslagen.

Een paar weken later, toen we na middernacht in de bibliotheek de krant lazen, kwamen we een bericht tegen over iemand die op straat was beroofd en die de twee mannen zocht die hem toen hadden geholpen. We wisten dat hij het was doordat er twee foto's bij het artikel stonden – een was genomen nadat hij was hersteld van zijn wonden en waarop we hem niet herkenden, de andere was in het ziekenhuis door een politieman genomen. Hij had zijn gezichtsvermogen teruggekregen, heette Robert Pattica en wilde ons graag voor onze hulp belonen. We hoefden geen beloning en besloten niet te reageren. Gezien het feit dat meneer Pattica mijn gezicht had aangeraakt en iets wist van mijn afwijkende voorkomen, twijfelden we of er geen andere motieven in het spel waren.

Bijzonder aan het artikel was wat meneer Pattica over vuurvliegjes zei. Toen hij mijn gezicht had aangeraakt en weliswaar blind was, zag hij desalniettemin vuurvliegjes voor zich zoals hij die zich herinnerde uit zijn jeugd op het platteland, en hoewel ze hem bekend voorkwamen, had het ook iets vreemds, omdat hij ineens op een geheel nieuwe manier tegen ze aankeek; ze deden hem denken aan kleine luchtschepen die in stilte door het donker zweefden. Het visioen was zo overdonderend geweest dat hij het niet meer van zich af kon zetten, en hij had besloten zijn huis in de stad te verkopen, een andere baan te zoeken en terug te gaan naar het plaatsje waar hij was opgegroeid, waar veel natuur was en veel vuurvliegjes te zien waren. Voor het incident had hij nooit beseft dat hij die zo miste.

Vader en ik wisten niet wat we daarvan moesten denken.

We wisten zeker dat meneer Pattica ontzettend zou zijn geschrokken als hij mijn gezicht had kunnen zien, en hij zou er dan als een haas vandoor zijn gegaan of me zijn aangevlogen. In de loop der tijd hadden we al zoveel meegemaakt dat we er niet meer in geloofden dat mensen ons met open armen zouden ontvangen als we lieten zien wie we waren. De enige bovengronder die Vader vriendelijk tegemoet was getreden, was de vriend die hem een sleutel van de voedselbank had gegeven, en zelfs die persoon kon het niet opbrengen om hem meer dan eens per jaar te zien, niet te lang, om met eigen ogen te constateren dat hij nog leefde.

Maar hoe zat dat met die vuurvliegjes? Hoe kon meneer Pattica de vuurvliegjes hebben gezien die ik diezelfde nacht nog had waargenomen, en hoe kon hij hetzelfde beeld voor ogen hebben gekregen dat ik had gehad – kleine luchtschepen in het donker? De enige verklaring die we konden bedenken, was dat hij door de klappen die hij had gekregen niet alleen tijdelijk blind maar ook helderziend was geworden.

We mochten van geluk spreken dat zijn kortstondige helderziendheid hem had afgeleid van wat hij door de aanraking met mijn gezicht over mijn uiterlijk te weten had kunnen komen.

Natuurlijk beseften we ons wel degelijk dat onze verklaring tamelijk vergezocht en niet overtuigend was. Maar deze wereld steekt zo ingewikkeld in elkaar en is zo raadselachtig, diep en complex, dat de mensen meestal hoogst onwaarschijnlijke verklaringen verzinnen om vreemde ervaringen te duiden. Ons hele bestaan als denkende wezens is zo overdonderend dat er geen verklaring voor gegeven kan worden. Elke menselijke cel, met daarin duizenden eiwitketens, steekt complexer in elkaar dan een 747 of het grootste cruiseschip, zelfs complexer dan die twee bij elkaar. Het leven op aarde in zijn schier oneindige verscheidenheid is onderwerp van studie, maar hoewel de wetenschap steeds dieper in de materie doordringt, ontgaat de ware betekenis ons.

De wonderen en mysteries zijn oneindig: vuurvliegjes en speeldozen, sterren die in aantal alle zandkorrels op alle stranden ter wereld overtreffen, minuscule eitjes waaruit rupsen ontstaan die hun genetische structuur aan vlinders doorgeven, en dat sommige harten donker zijn en andere vol licht.

58

Om 1.40 uur in de nacht zette Gwyneth de auto aan de zuidkant van het kathedraalcomplex neer, vlak bij de doorgang in de muur die toegang gaf tot de woning van de aartsbisschop.

'Hier?'

'Ja.'

'Wat gaan we hier doen?' vroeg ik.

'Op bezoek.'

Ze draaide zich om, reikte naar achteren en pakte een waszak die met een touwtje dichtzat.

'Waar is dat voor?' vroeg ik.

'Voor het gemak.'

De ijskoude, verkruimelende lucht, de ijskristallen die als ontelbare scholen vissen door het donker gleden, de straat als een stille witte zee...

We klommen over de sneeuw heen die door een sneeuwploeg naar de kant van de weg was verplaatst, ploegden over het besneeuwde trottoir en stapten als eersten door de maagdelijk witte laag op het trapje dat naar een veel bredere trap onder een zuilengang liep.

Toen ze de sleutel aan het spiralende groene koordje tevoorschijn haalde, zei ik: 'Meen je dat?'

'Wat?'

'Dit is niet meteen wat ik had verwacht.'

'Wat had je dan verwacht?'

'Weet ik veel. Dit in elk geval niet.'

'Nou, hier moeten we wel zijn,' zei ze.

'Tjonge. Laten we onze schoenen dan uitdoen.'

'Dat hebben we ook niet gedaan toen we bij Simon naar binnen gingen.'

'Dat was gewoon een bungalowtje, en toen hadden we haast.'

'Nu hebben we ook haast,' zei ze, 'en wie zegt dat de bungalow van die arme Simon minder gewijde grond was dan dit hier?'

Toch ritste ik mijn schoenen open en trok ze uit, en zij deed hetzelfde. We waren met onze sportschoenen door de sneeuw gegaan, zij met de zilverkleurige waarop ze als een echte Mercurius door de bibliotheek had gerend.

De sleutel paste, het slot gleed open, en we kwamen in een ruime, ronde hal met een marmeren vloer. Naast de deur lichtten de toetsen van het alarmpaneeltje zachtgroen op. Het geluid was uitgeschakeld, zoals was beloofd, en boven de woorden ALARM GEACTIVEERD knipperde een lampje om aan te geven dat iemand het gebouw had betreden. Gwyneth had haar handschoenen uitgedaan en ze in een jaszak gestopt en hield nu in haar linkerhand het papiertje dat haar voogd haar had gegeven. Ik richtte mijn zaklantaarn op de code, en met haar rechterhand toetste ze de vier cijfers in en sloot af met een sterretje. Het knipperlichtje ging uit.

Vertrouwen. Onze verstandhouding was gebaseerd op vertrouwen. En ik vertrouwde haar volkomen. Toch kreeg ik van de zenuwen een droge mond.

Er kwamen geen trappen in de hal uit. We liepen naar een grote salon en schenen met onze zaklantaarns alle kanten op. Dit was een van de vertrekken waarin de aartsbisschop zijn gasten ontving, want hij zag het als zijn verantwoordelijkheid om contact te houden met prominente figuren op het gebied van de politiek, de zakenwereld, de kunstwereld en de diverse geloofsgemeenschappen.

Er waren verschillende smaakvol ingerichte zithoeken, met Perzische kleden en exclusief antiek meubilair. Er hingen prachtige schilderijen van Bijbelse taferelen, er stonden marmeren beeldhouwwerken van Bijbelse figuren, waaronder een van de Heilige Maagd, en hier en daar stonden kleine iconen. Ook hing er een groot portret van Jezus, geschilderd door een kunstenaar die de details op opmerkelijk treffende wijze had weten te vangen en die op zo'n weergaloze wijze diepte in zijn werk had gebracht, dat ik ademloos naar het schilderij stond te kijken.

Een deur in de hoek van de salon gaf toegang tot een trap. We liepen naar de tweede verdieping. Boven aangekomen deden we een deur open die toegang gaf tot een antichambre. Er stonden twee stoelen, en het vertrek werd verlicht door een flakkerende elektrische kaars in een lampenglas dat bij een altaar stond, gewijd aan Maria.

Ik fluisterde: 'We mogen hier helemaal niet komen.'

'Maar we zijn er nu toch.'

'Waarom?'

'We moeten twee dingen doen voordat we naar mijn voogd terug kunnen.'

Ik herinnerde me dat hij haar had gevraagd of hij haar binnenkort weer zou zien, en dat ze toen gezegd had dat dat wel de bedoeling was.

'Twee dingen? Wat dan?' vroeg ik.

'Vertrouw me maar,' zei ze, en met die woorden draaide ze zich om naar de deur van het appartement.

Ik had verwacht dat de deur dicht zou zitten en dat we niet verder konden omdat we er geen sleutel van hadden, maar de deur bleek niet op slot.

Toen we naar binnen gingen, bleken er een paar lampen te branden. Hierdoor bleef Gwyneth aarzelend staan, maar toen betraden we toch een wereld die totaal verschilde van de vertrekken op de begane grond, vertrekken die duidelijk deel uitmaakten van de residentie van een prins van de Kerk.

Het woonvertrek leek ingericht door een binnenhuisarchitect die een elegante, contemporaine stijl hanteerde. Het meubilair was gestoffeerd met exotische goudkleurige zijde, met uitzondering van twee stoelen, die rood waren. De zittingen hadden afgeronde randen, de armleuningen waren groot en rond, en de poten waren aan het oog onttrokken, zodat de meubels een paar centimeter boven de grond leken te zweven. Tafels waren gelamineerd met gelakte houtsoorten, met tinten die varieerden van zilver- tot goudkleurig, er lagen oude scharlaken kussens, en aan de muur hingen grote abstracte doeken. Het interieur zou niet hebben misstaan in woningen van schrijvers, avant-gardistische kunstenaars en filmsterren die hun smaak zouden omschrijven als 'eenvoudige glamour'.

Het verbaasde me dat er in het vertrek niets stond wat naar het geloof verwees. Maar het meest opvallend waren de twee marionetten op de schouw. Ze waren met behulp van decoratieve metalen standaards in een zittende houding neergezet, met het gezicht naar elkaar toe, aan weerszijden van een schilderij waarin verschillende zwarte vegen tegen een witte achtergrond met een brede kwast op het doek waren aangebracht, met daaroverheen spetters blauwe verf, als het bloed van een of ander buitenaards wezen.

59

Rechtsachter in de woonkamer leidde een gang naar de rest van het appartement. Uit een deuropening viel een schijnsel de spaarzaam verlichte gang in. Door de lichtval en de dichte vleug van het lichtgrijze wollen tapijt leek het alsof er allemaal steentjes op de vloer lagen. Uit die kamer kwamen twee ernstige mannenstemmen.

Gwyneth voelde dat ik onrustig werd en fluisterde: 'Een programma.'

Ik begreep haar niet en fluisterde: 'Hè?'

Omdat ze bekender was met het fenomeen televisie dan ik ooit zou worden, zei ze rustig en stellig: 'Gewoon tv. Het nieuws of een talkshow.'

Omdat het voor de hand lag dat de aartsbisschop nog wakker was, vond ik dat we beter onmiddellijk weg konden gaan.

Zij dacht daar anders over, liep terug naar de koude open haard en fluisterde: 'Kom. Schiet op. Je moet me helpen.'

Toen ik naar haar toe ging, deed ze de waszak open en legde die op de schouw.

'Maar dat is diefstal,' zei ik.

'Nee. Dit is een schoonmaakactie.'

Hoewel ik wist dat ze niet loog, hield ik rekening met de mogelijkheid dat ze ondoordacht handelde.

'Ze weten dat ik hier ben,' fluisterde ze. 'Dat weten ze.'

De marionetten zaten nog steeds met het gezicht naar elkaar toe en hadden hun fijngestreepte ogen niet op ons gericht.

'Ik denk dat het beter is wanneer ik ze niet aanraak, Addison. Wil jij ze pakken en ze in de zak doen?'

'Maar hoezo is dit geen diefstal?'

'Ik zal hem ter vergoeding een vette cheque sturen als je er zo op aandringt. Maar pak ze nu maar. Alsjeblieft.'

Half verbijsterd, nauwelijks in staat te geloven dat ik hier was en dat ik deze taak op me nam, probeerde ik een van de poppen te pakken, maar die zat vast aan de metalen standaard waar de smoking overheen viel. Toen ik probeerde de pop met standaard en al op de tillen, merkte ik dat het metalen frame aan de schouw was vastgeschroefd.

'Schiet op,' zei Gwyneth gespannen.

Ik stroopte de smoking op tot ik het touw vond waarmee de marionet op zijn plaats gehouden werd. Terwijl ik de knoop eruit probeerde te krijgen, kwam de aartsbisschop binnen.

Hij droeg twee koffers, en toen hij ons gewaarwerd, liet hij die abrupt uit zijn handen vallen. Een ervan viel door de klap om. Hij vroeg: 'Wie zijn jullie, wat zijn jullie aan het...' Toen Gwyneth zich naar hem omdraaide, herkende hij haar. 'Jij.'

Hij droeg geen soutane, rochet, stool, pectorale, of priesterboord, noch was hij gekleed in een eenvoudig zwart priestergewaad, noch in een pyjama. In zijn comfortabele suède schoenen, zijn kaki broek en zijn donkerbruine wollen sweater op een beige overhemd had hij een willekeurig iemand kunnen zijn, een onderwijzer of een accountant, die een vroege vlucht wilde halen om lekker op vakantie te gaan.

Hij was lang, zag er goed uit, en had het knappe maar bleke gezicht met scherpe gelaatstrekken als een van de malafide advocaten die in bepaalde bladen adverteerden en cliënten zochten voor het aanspannen van rechtszaken. Voor zijn leeftijd had hij nog een dikke bos haar, krullend, nog steeds meer blond dan grijs.

Hij kwam niet meteen naar ons toe. Als hij een stap in mijn richting deed, zou ik een stap achteruit doen. Op deze afstand kon hij mijn ogen niet goed zien, die verscholen gingen achter de gaten van mijn bivakmuts. Ik was het voorval bij de rivier nog niet vergeten, toen de man met het vriendelijke gezicht op me af was gekomen, een honkbalknuppel in de hand. In een rek bij de open haard zag ik onder meer een lange pook, die misschien meer schade kon aanrichten dan een Louisville Slugger.

'Waarschijnlijk bevindt zich onder mijn confraters een handlanger van de duivel, en misschien wel meer dan één,' zei hij.

'Uwe Eminentie, aartsbisschop Wallache,' zei Gwyneth met een hoofdknikje, alsof we officieel waren uitgenodigd.

Vader en ik lazen de kranten nooit van a tot z, en ik hield het kerknieuws niet bij, maar de naam Wallache zei me wel iets. Ik had die naam zes jaar geleden gehoord, in de crypte van de kathedraal. Twee mannen, die onzichtbaar voor me bleven, troffen elkaar daar in een stil hoekje om een geheim te bespreken dat me destijds niets zei, maar waarvan ik nu besefte dat het sloeg op degene die door het Vaticaan was aangewezen als de volgende aartsbisschop.

Je gaat me toch niet vertellen dat Wallache het wordt?

Ik ben bang van wel.

Het lijkt wel of ze allemaal gek zijn geworden.

Je houdt je mond hierover, hè? Anders kan ik het wel schudden. Dit is strikt geheim.

Maar ze kennen Wallaches achtergrond toch wel? En hij toch helemaal?

Ze lijken Wallache op zijn woord te geloven.

Nu zei aartsbisschop Wallache: 'Ik neem aan dat jullie hier niet op dit tijdstip naartoe gekomen zijn om mijn zegen te ontvangen.' Er verscheen een glimlach op zijn advocatengezicht, een die ik niet voor mogelijk had gehouden, zo'n warme glimlach waarvan elke jury gecharmeerd zou zijn geraakt. 'Waren jullie net de marionetten aan het bewonderen?'

'Waarom hebt u die boosaardige dingen hier neergezet?' vroeg Gwyneth.

'Ik geef toe dat het onderwerp macaber is en dat ze een duistere voorgeschiedenis hebben, maar ze zijn met vakmanschap gemaakt. Bovendien heb ik ze gekregen, en het getuigt niet van goede manieren om een aangeboden geschenk te weigeren.'

'Een geschenk van Edmund Goddard,' zei ze. Ze sprak de naam met onverholen minachting uit.

'Mag ik daar een kanttekening bij plaatsen? Wanneer je elke dag in het gezelschap van godvrezende lieden verkeert en de boodschap van Christus verspreidt onder hen die daar behoefte aan hebben, bestaat het gevaar dat je de wereld te zonnig beziet en dat je uit het oog verliest dat het kwaad immer aanwezig is en dat we de strijd ertegen nooit mogen opgeven. Door aan het kwaad herinnerd te worden, blijf je op je hoede voor de dwalingen die immer op de loer liggen.'

Gwyneth zei: 'Dus daarom hebt u ze maar op de schouw gezet, om niet te vergeten dat het kwaad wel degelijk bestaat en dat iedereen eraan ten prooi kan vallen.'

'Ja, precies.'

'Werkt het? Is het u gelukt steeds op het rechte pad te blijven sinds ze in uw bezit zijn?'

Weer gleed er een glimlach om zijn mond, wat hem natuurlijk leek af te gaan, zoals een ervaren koorddanser hoog boven de verzamelde menigte moeiteloos zijn kunsten vertoont. 'Als ik zo vrij mag zijn zelf een vraag te stellen, zou ik graag willen weten wat jullie met die poppen van plan zijn.'

'Ik wil ze gaan verbranden. Ik heb de andere vier ook al verbrand.'

'Je wilt symbolen van het kwaad vernietigen, en daarmee doe je precies hetzelfde als zij.'

Ze reageerde niet.

De aartsbisschop gebaarde naar mij en vroeg: 'Wie is die gemaskerde metgezel van je? Heb je die meegenomen om je te beschermen?'

Gwyneth ging niet op zijn vragen in en zei: 'Ik neem deze twee marionetten mee om ze te verbranden. Als u de politie wilt bellen om ze te vertellen dat u die dingen altijd in huis hebt gehad om u bewust te zijn van het kwaad en te voorkomen dat u een dwaalweg zou inslaan, zal ik u niet tegenhouden. Misschien geloven ze u zelfs wel. De meesten althans. Het is inmiddels al zo lang geleden dat die moorden zijn gepleegd, bijna vijfentwintig jaar, dat de meeste mensen vergeten zijn wat Paladine zijn gezin allemaal heeft aangedaan. Maar bij de politie vergeten ze dat soort dingen meestal niet. Ze zullen vast willen weten waarom Goddard die poppen aan u heeft gegeven.'

Hij was te diplomatiek om te laten merken dat hij zich gekwetst voelde en was er niet de persoon naar om iemand tegen de haren in te strijken. Hij keek op zijn horloge en zei: 'Ik heb die dingen niet meer nodig. Je mag ze verbranden, maar je mag ze niet meenemen. Dat is een gashaard. Het rookkanaal staat open, en er is een goede trek. Zie je die afstandsbediening die daar bij dat rek ligt? Daarmee kun je het vuur aansteken.'

Gwyneth pakte het apparaat, en nadat ze op een knop had gedrukt, likten er blauw-oranje vlammen om de realistisch uitgevoerde keramische houtblokken.

'Het hout van de taxus is zo buigzaam,' zei de aartsbisschop, 'omdat het de olie vasthoudt die er van nature inzit, zelfs nog tientallen jaren nadat het is gekapt en bewerkt. Die poppen zullen goed branden en vrij snel tot as vergaan.'

Ik richtte me weer op de marionet die ik had willen losmaken.

'Jij niet,' zei aartsbisschop Wallache.

'Wat zegt u, meneer?'

'Jij niet. Zíj moet ze pakken en ze in de vlammen gooien. Anders bel ik echt de politie.'

'Dan houd ik u tegen,' zei ik.

'Meen je dat nou? Dat lijkt me sterk. Ik kan mensen tamelijk goed inschatten, of ze nu een masker dragen of niet, en jij lijkt me eerder een lam dan een leeuw.'

'Ik doe het wel,' zei Gwyneth. 'Ik ben niet bang.'

'Hij houdt me toch niet tegen,' zei ik.

'Ik heb geen idee waar hij allemaal toe in staat is. Ik gooi ze zelf wel in het vuur.'

Ik dacht dat ik de marionetten in mijn richting zag kijken, maar toen ik naar ze keek, staarden ze nog steeds naar elkaar.

60

Gwyneths handen trilden, waardoor het haar extra moeite kostte om de knoop uit het touw te krijgen waarmee de marionet aan de metalen standaard vastzat. Toen het haar uiteindelijk gelukt was, hield ze de pop aan zijn armen vast en tilde hem van de schouw. Ze was zo bang dat ik ook onmiddellijk angstig werd.

De aartsbisschop zei: 'Hij bijt niet, hoor.'

Toen Gwyneth een stap naar achteren deed en zich bukte om de marionet in het vuur te gooien, slaakte ze een kreet, alsof ze gestoken werd. Ze liet de pop vallen en deed nog een stap achteruit.

'Wat is er?' vroeg ik.

'Hij bewoog.'

'Ik zag niks.'

Ze wreef met haar linker handpalm over de rug van haar andere hand, en met haar rechter handpalm over de rug van haar linker, alsof ze de getatoeëerde hagedissen over haar handen voelde kruipen en die stil wilde laten zitten door ze te strelen.

'Ik hield hem aan zijn bovenarmen vast. Ik voelde... dat hij zijn spieren aanspande.'

'Maar dat ding is van hout,' zei de aartsbisschop met hoorbaar genoegen. 'Het heeft geen spieren.'

De marionet lag op zijn rug, een arm langs zijn zij en de andere over zijn borst, een been gebogen. De hoge hoed was afgevallen, waardoor het gekerfde en geverfde haar te zien was. De scharnierende mond zakte open, en de hoekig gesneden tanden leken op de tanden van een val die op scherp stond.

Gwyneth strekte voorzichtig haar rechterbeen om het boosaardige ding in de haard te schoppen.

'Nee, nee. Dat is niet toegestaan,' zei de aartsbisschop.

'Er zijn helemaal geen regels.'

'Mijn regels,' zei hij, en hij hield zijn mobieltje omhoog, dat hij tevoorschijn had gehaald. 'Ik heb het alarmnummer al ingetoetst. Ik hoef alleen nog maar op de belknop te drukken. Gebruik je handen, meisje.'

Met de bedoeling een gebaar te maken deed ik een stap in de richting van Wallache, maar Gwyneth zei: 'Addison, nee. Je ogen.'

Toen ik mijn hoofd boog en een stap achteruitdeed, vroeg de aartsbisschop: 'Wat is er met je ogen?'

Gwyneth haalde haar handschoenen uit haar jaszak.

'Blote handen,' eiste de aartsbisschop.

Ze wierp hem een vernietigende blik toe, maar hij zwaaide alleen maar met zijn mobieltje.

Gwyneth stopte de handschoenen weg, aarzelde een hele tijd, bukte zich toen plotseling en griste de kwaadaardige marionet uit de haard. Even leek het alsof ze moeite moest doen om zich uit de greep van het ding los te worstelen, en ik kon niet zien of de pop haar duim inderdaad met zijn handen beet had of dat mijn fantasie me parten speelde, maar toen belandde de pop in het vuur. Onmiddellijk vatten zijn kleren vlam.

Misschien was het een gevolg van de buigzaamheid van het met olie verzadigde hout, maar de marionet leek in doodstrijd te kronkelen en draaide en trok met zijn armen en benen en leek ze uit te strekken naar de keramische houtblokken, alsof hij uit de haard wilde klimmen en de verzengende vlammen op ons wilde overbrengen en de hele kamer in brand wilde zetten.

Ik kon mijn ogen niet van de kronkelende pop afhouden. Plotseling klonk er een geluid als klompen die keihard op marmer roffelden. Ik keek op naar de andere marionet, die nog op de schouw zat. Hoewel ik ervan overtuigd was dat het geluid daarvandaan was gekomen, bewoog de gruwelijke creatie zich niet maar zat hij nog steeds roerloos met de benen recht vooruit, de handen op de knieën. De schouw zat tamelijk hoog, maar ik was net lang genoeg om te zien dat er op het marmer een paar schilfers van de zwarte verf lagen waarmee de schoenen van de pop waren gelakt, zo kunstig dat het net was of ze van leer waren.

De andere marionet lag nu roerloos op de houtblokken, en slierten onwelriekende zwarte rook maakten zich als geesten van de krimpende vorm los, gingen omhoog de nacht in, uit eigen beweging of door de trek van de schoorsteen.

Toen ik naar Gwyneth keek, zag ik dat ze met haar linkerhand in haar rechterduim kneep, en toen ze daarmee ophield, zag ik dat haar duim bloedde.

'Ze moet verbonden worden,' zei ik tegen de aartsbisschop.

'Nee, Addison. Er is niets aan de hand. Het is maar een klein sneetje.'

Wallache en zijn mobieltje trotserend liep ik naar de overgebleven marionet, trok het touw kapot waarmee hij aan de metalen standaard zat en haalde hem van de schouw.

Midden in mijn gezichtsveld verscheen een inktvlek, die zich naar de zijkanten verspreidde, maar ik was niet blind geworden, want in die duisternis zweefde de speeldoos waarvan Vader jaren geleden het opwindsleuteltje had opgeborgen. De bovenkant werd felverlicht, zonder dat te zien was waar het licht vandaan kwam, en er stonden vier dansende figuurtjes op, net als eerst. De prins en de prinses waren van hun plek verstoten, en hun plaatsen waren ingenomen door Gwyneth en mij, in hun kleding. Zij danste met Pan, de kruising tussen een mens en een bok, en ik hield de kikker met de grote ogen in mijn armen. De vier figuurtjes walsten op kille, ijle muziek langs het vastgelegde traject. De bosgod bleef op een gegeven moment staan en drukte zijn gezicht in het decolleté van zijn danspartner, zij gooide haar hoofd achterover alsof ze in extase raakte, de kikker grijnsde en ontblootte daarbij zijn messcherpe tanden, iets wat een echte kikker niet had, en uit zijn mond kwam een slangachtige zwarte tong. Het figuurtje dat mij voorstelde, boog zich naar hem toe om de tong in zijn mond te laten glijden.

Ik had het idee dat het visioen me vasthield en dat ik me uit eigen beweging moest losrukken. Als ik dat niet had gedaan, denk ik dat ik niet als toeschouwer naar mijn evenbeeld op de speeldoos was blijven kijken, maar dat ik op een gegeven moment in het tafereel zou zijn getrokken, met het geschubde demonische beest in mijn armen, verzonken in een kus met verstrengelde tongen.

Hoewel ik de indruk had dat ik minstens een minuut lang afwezig was geweest, had het verontrustende visioen waarschijnlijk slechts een fractie van een seconde geduurd, want Gwyneth noch Wallache leek iets te hebben gemerkt. Ik gooide de marionet op de smeulende resten van de andere pop, en de slierten vieze zwarte rook stegen nu niet langzaam op maar sprongen het rookkanaal in, alsof ze aan een of andere kosmische spoel vastzaten die op hoge snelheid werd rondgedraaid.

De aartsbisschop zei: 'Wat denk je nou met dit zinloze ritueel te hebben bereikt?'

We gaven geen antwoord, keken niet eens op maar hielden onze ogen gericht op de haard, tot de zwarte rook grijs was geworden en de verkoolde marionetten tot een wirwar van ineengeschrompelde armen en benen waren gekrompen. Op een gegeven moment barstten hun lijven in de blauwe vlammen, en in de aldus ontstane spleten lagen kooltjes rood te gloeien.

'Zijn jullie nu klaar?' vroeg Wallache. 'Of willen jullie ook nog een kussen verbranden, of misschien een complete stoel?'

'We zijn klaar,' zei Gwyneth.

'Mooi. Want ik heb haast, als jullie het niet erg vinden.'

'Een lastminuteboeking?' vroeg ze, wijzend op de koffers.

'Alsof jou dat wat aangaat.'

'U kunt nergens naartoe, uwe Eminentie.'

'Ik ben opgegroeid in een streek met nog veel meer sneeuw dan nu. Hier kom ik met de auto wel doorheen.'

'Dat bedoel ik niet. Zou u al het geld van mijn trustfonds willen ruilen voor uw goede werken? U kunt het geld nu krijgen, als u wilt.'

De glimlach gleed van zijn gezicht, en hij zei: 'Je bent demonisch.'

'Als u ver genoeg rijdt, zult u wel een vliegveld vinden dat open is,' zei ze. 'Maar hoe moet het met uw kudde als u er niet meer bent?'

Hij leek zich gedwongen te voelen iets tot zijn verdediging aan te voeren. 'Er zijn genoeg goede priesters in dit bisdom die voor de parochianen kunnen zorgen als ik weg ben.'

'Ja,' zei ze instemmend, 'genoeg góéde priesters.' Uit de toon waarop ze dat zei, maakte ik op dat ze hem niet tot die categorie rekende.

Net als bij het gesprek dat ze met Goddard in de steeg achter zijn galerie had gevoerd, kon ik het gesprek niet volgen omdat ik blijkbaar iets had gemist. Hoewel ik niet wist waar Wallache naartoe ging en waarom, leek Gwyneth dat wel te weten of het intuïtief te begrijpen.

De aartsbisschop, die inmiddels weer de zekerheid zelve was, zei: 'Als je je vandalistische daden wilt opbiechten, Gwyneth, en naar ik aanneem ook nog heel wat andere zaken, zal ik daar een passende penitentie voor bedenken.'

'Ik heb andere regelingen getroffen,' zei ze. Ze gooide de sleutel van de residentie op de grond en verliet het appartement, op de voet gevolgd door mij.

In de antichambre zei ik: 'Je duim moet verbonden worden.'

'Dit kan net zo goed,' zei ze, en ze trok een wollen handschoen over haar rechterhand.

Ik liep achter haar aan de trap af terwijl ze ook haar linkerhandschoen aantrok. Ik zei: 'Kennelijk vind je dat hij niet geschikt is voor zijn functie, zijn positie.'

'Dat is niet wat ik denk, het is gewoon de waarheid.'

We liepen de salon door, waar de in verf en brons en steen gevatte vaderen des geloofs met een treurige blik op ons neerkeken, en ik zei: 'Maar waarom is hij daar dan niet geschikt voor?'

'Onder zijn gezag zijn er mensen geweest die hun kerkelijke geloften op een afschuwelijke manier hebben gebroken. Weliswaar beging hij niet dezelfde wandaden als zij, maar hij zorgde ervoor dat hun misstappen in de doofpot werden gestopt, niet zozeer in het belang van de Kerk, als wel in het belang van zijn eigen carrière, zonder enige gerechtigheid voor de slachtoffers. En hij heeft dat op zo'n manier aangepakt dat hij zo goed als geen sporen heeft nagelaten.'

Ik dacht dat ik wist waarnaar ze verwees, en als het waar was wat ik dacht, hoefde ik geen nadere details te horen.

Buiten strekte de straat zich uit als de witte bedding van een rivier, en sneeuwvlokken kolkten in wilde stromen door de lucht.

61

Gwyneth reed bij de residentie van de aartsbisschop weg. Eerst gaf ze zoveel gas dat de Land Rover steeds wegslipte, ondanks de four-wheeldrive en de sneeuwkettingen. Toen ze het gaspedaal daarop nog dieper intrapte, hielp dat niet echt. Minder gas geven bleek wel te helpen. Toen de auto weer stabiel reed en we gelukkig niet zo hard jakkerden als een bankrover op de vlucht, hoefde ik me niet meer zo verkrampt aan de stoel vast te houden en liet ik mijn tegen het dashboard gedrukte voeten weer zakken.

'Boos worden lost niets op,' zei ik.

'Ik wou dat het andersom was, want dan zou ik alle ellende in de wereld wegbozen.'

Ze had niet gezegd waar we naartoe gingen. Weer leek ze een volkomen willekeurige route te nemen, maar nu wist ik inmiddels dat er een zekere basis aan haar innerlijke wegenkaart ten grondslag lag.

'Waar gaat hij naartoe?' vroeg ik.

'Wallache? Geen idee.'

'Net leek je het nog wel te weten.'

'Het enige wat ik weet, is dat hij in een kringetje ronddraait, en waar hij ook naartoe gaat, hij zal ook daar datgene vinden waar hij voor op de vlucht is.'

'En waar is hij dan voor op de vlucht?' Toen ze geen antwoord gaf, zei ik: 'Soms krijg ik het idee dat je iets weet wat ik niet weet, maar wat ik eigenlijk wel zou moeten weten.'

Ik hoorde de glimlach in haar stem toen ze antwoordde: 'Addison Goodheart, wat heb je toch een toepasselijke naam. Wat ben je toch heerlijk naïef.'

Ik liet haar woorden een tijdje in mijn hoofd rondgaan, en na een minuutje zei ik: 'Volgens mij was dat niet beledigend bedoeld.'

'Beledigend bedoeld? Hoe kan het ooit beledigend bedoeld zijn wanneer een meisje zegt dat ze van je houdt?'

Ik kan je wel vertellen dat ik die woorden helemaal binnenstebuiten keerde en de laatste zin grondig onder de loep nam, omdat ik bang was dat me ook deze keer weer iets ontging. Uiteindelijk zei ik: 'Je zei niet dat je van me hield. Je zei dat ik heerlijk naïef was.'

'Jij bént gewoon je naïviteit. Dat is net zo'n fundamenteel aspect van jou als water dat is van de zee.'

Hoewel de wereld uit woorden bestaat, die aan de oorsprong ervan ten grondslag liggen, kan ik met geen mogelijkheid beschrijven wat er op dat moment door me heen ging. Er bestaan geen woorden waarmee ik kan uitdrukken hoe groot mijn vreugde was, hoezeer mijn geest vleugels kreeg, hoe diep mijn dankbaarheid was, hoeveel vertrouwen ik in de toekomst had.

Toen ik weer in staat was iets te zeggen, zei ik: 'Ik hou ook van jou.'

'Weet ik.'

'Ik zeg dat niet zomaar.'

'Weet ik.'

'Omdat jij dat ook tegen mij zei, bedoel ik.'

'Weet ik. Je houdt van me. Weet ik.'

'Weet je dat echt?'

'Dat weet ik echt.'

'Hoe lang weet je dat al?'

'Vanaf het moment dat we elkaar in de bibliotheek tegenkwamen. Jij stond daar in de schaduw bij Charles Dickens en je zei: "We houden elkaar met onze excentrieke regels in gijzeling."'

'Volgens mij heb ik toen ook gezegd dat we voor elkaar geboren waren.'

'Ja, dat klopt. Maar toen je dat andere zei, leek mijn hart bijna uit mijn lijf te springen. Wanneer we van iemand houden, worden we door het noodlot in gijzeling gehouden, want als we die persoon kwijtraken, zijn ook wij geheel verloren. Toen je zei dat we elkaar in gijzeling hielden, verklaarde je je liefde, net zo duidelijk als maar kon.'

Wat is het toch merkwaardig dat je zowel in extase als in grote angst niet in staat bent een woord uit te brengen, bij angst misschien nog in mindere mate.

Uiteindelijk vroeg ik: 'Bestaat er zoiets als liefde op het eerste gezicht?'

'Volgens de grote dichters wel. Maar hebben we dichters nodig om dat te kunnen zeggen?'

'Nee. Ik niet.'

'Ik ook niet.'

Ik staarde door de voorruit zonder de vlokken of de ondergesneeuwde stad te zien. Er was niets te zien, niets wat de moeite waard was, behalve haar gezicht.

Ik wilde haar zo graag aanraken, gewoon mijn hand tegen haar gezicht leggen, maar ze kon het niet verdragen te worden aangeraakt, en ik wilde graag in haar ogen kijken, maar ik durfde het niet aan dat ze in mijn ogen zou kijken. Onze excentrieke trekjes waren meer dan gewoon bijzondere karaktereigenschappen; ze waren genadeloze kenmerken van ons beider bestaan. Onze situatie was eigenlijk hopeloos en zou me tot wanhoop moeten drijven. Maar los van wat we wel en niet met elkaar konden doen, hadden we nog steeds onze gevoelens voor elkaar, en doordat ik op dat moment wist dat mijn gevoelens voor haar wederzijds waren, ervaarde ik zo'n genade dat ik niet de indruk had dat mijn geluk op welke wijze dan ook verstoord kon worden.

'We moeten naar Walter om het meisje te halen,' zei ze.

'Het meisje zonder naam? Waarom?'

'Alles gebeurt zo snel. Maar voordat we naar Walter gaan, wil ik zien waar je woont.'

'Hè? Nu, bedoel je?'

'Ja, nu. Ik wil zien waar je je achttien jaar lang voor de wereld verborgen hebt gehouden.'

62

Op een keer in april, toen ik twaalf was, net nadat ik een boek had gelezen over een muntje dat geluk bracht, gingen Vader en ik bovengronds. Het was al na middernacht, en ondanks de lichte geur van uitlaatgassen kon je de lente ruiken. Er hing verandering in de lucht, en de bomen in de parken en de plantsoenen liepen al uit.

In het paviljoen in het park, op het podium van de muziekkoepel, zag ik een muntje liggen, waar een straaltje maneschijn op viel. Ik raapte het op, niet omdat we ontzettend arm waren, wat weliswaar het geval was, en ook niet omdat we veel behoefte hadden aan geld, wat niet waar was, maar vanwege het boek dat ik net had gelezen. Ik liet het aan Vader zien, zei tegen hem dat het muntje ons misschien wel geluk zou brengen, en begon hardop te fantaseren wat voor wonderbaarlijks ons nu allemaal zou overkomen.

We hadden allebei een levendige fantasie, maar dit spelletje kon hem niet bekoren. In de warmte van de lente, toen we langzaam om het paviljoen heen liepen en naar het gras keken dat bleek in de maneschijn lag, naar het geboomte waar het nog steeds donker was, naar het duistere water waar de volle maan bovenop leek te drijven, vertelde Vader me dat dat soort geluk niet bestond. Als je daar namelijk in geloofde, zag je het heelal kennelijk als een soort roulette waarbij we niet krijgen wat we hebben verdiend, maar alleen datgene wat het heelal belieft uit te keren. Het heelal is echter geen ronddraaiend rad van fortuin, maar een kunstwerk, in zichzelf volledig en afgebakend door de eeuwigheid.

Omdat we binnen de tijd leven, zei Vader, denken we dat het verleden gebakken en geserveerd en opgegeten is, dat het heden doorlopend vers uit de oven komt, en dat de toekomst nog niet eens in de mengkom zit. Alle weldenkende natuurkundigen die bekend zijn met de kwantummechanica, zei hij, wisten dat alle tijd simultaan bestond, iets waarvan ik de waarheid later zou doorgronden. Bij het ontstaan van het universum, zei Vader, was alle tijd al aanwezig, ons complete verleden en heden en toekomst, alles en iedereen bestond al op dat moment. Maar wat nog verbazingwekkender is, is dat het universum dusdanig in elkaar steekt dat vanaf het allereerste begin ook de ontelbare manieren vastgelegd waren hoe de dingen konden lopen, zowel de mogelijkheden die rampzalig waren als de glorieuze momenten. Niets is voorbeschikt, en toch zijn al onze mogelijke keuzes draadjes in het oneindige weefsel der dingen. We beschikken over een vrije wil, ook al zijn de gevolgen van onze wil voorspelbaar. Vader zei dat we het idee hebben dat de tijd verstrijkt omdat onze geest niet in staat is te bevatten dat het verleden, het heden en de toekomst tegelijkertijd bestaan en dat de hele geschiedenis gelijk met het universum ontstond.

Om zijn betoog te verduidelijken zei Vader dat ik me het universum moest voorstellen als een reusachtig schilderij dat in meer dan drie dimensies was uitgevoerd. Sommige wetenschappers denken dat er elf dimensies zijn, andere houden het op minder, weer andere op meer, maar niemand kan dat met enige zekerheid zeggen, en dat zal ook altijd zo blijven. Als je in een galerie te dicht op een schilderij staat dat in slechts twee dimensies is uitgevoerd, kun je de penseelstreken en bepaalde details heel goed zien, maar het grote geheel of de bedoeling van de kunstenaar ontgaat je. Je moet een stapje terug doen, soms een paar stappen, om het werk in zijn totaliteit te kunnen waarderen. Om het universum, onze wereld, en al het leven op aarde te kunnen begrijpen, moet je uit de tijd stappen, wat voor een mens geen optie is, omdat we deel uitmaken van dat schilderij, we zijn figuren op het doek die het grote geheel ervaren als een achtereenvolgende reeks gebeurtenissen en episodes. Maar omdat we een bewustzijn hebben en kunnen nadenken, kunnen we van onze ervaringen leren en de wereld extrapoleren en ons op die manier een beeld van de waarheid vormen.

In een universum waarin het verleden, het heden en de toekomst allemaal tegelijk zouden bestaan, helemaal, van het begin tot het einde, met alle mogelijke variaties binnen elk leven met elkaar verweven, bestaat er geen geluk dat je per toeval in de schoot geworpen wordt, alleen keuzemogelijkheden en gevolgen. Een muntje dat in de maneschijn ligt te glimmen, is en blijft niets meer dan een muntje, al mag het bestaan ervan – geslagen door denkende wezens, met als oogmerk het faciliteren van handel in het heden en het doen van investeringen in de toekomst – op zich een wonder heten, als je genoeg fantasie hebt om wonderen toe te laten. Hij zei dat het muntje ons geen geluk zou brengen, en zelfs als het een miljoen was geweest, zou het op zich geen geluk brengen, en ons leven zou er in wezen niet door veranderen. Wat ons overkwam, kwam voort uit onze daden, en op basis daarvan mochten we meer hoop koesteren dan er ooit door stom toeval mogelijk was.

Ik was in die nacht in april nog maar twaalf, maar ik was al in enige mate wijs voor mijn leeftijd door de wrijving die ik had ervaren tussen mij en de bovengrondse wereld. Toen Vader me die betekenis van het begrip 'geluk' ontnam, was ik niet terneergeslagen maar juist ontzettend blij. Dat muntje had op zich niets te betekenen, maar wel wat ik met dat muntje deed. Ik legde het weer op het podium in de muziekkapel, op de plek waar ik het had gevonden, in de hoop dat degene die het na mij zou vinden, tot hetzelfde inzicht zou komen, met behulp van iemand als mijn vader, of door zijn eigen hart.

Meer dan veertien jaar later was ik ervan overtuigd dat Gwyneth niet door toedoen van Vrouwe Fortuna mijn pad had gekruist. Zij en haar liefde voor mij waren een van de ontelbare manieren waarop de dingen konden gaan, maar nu was het gegaan zoals het gegaan was, als gevolg van de talloze beslissingen die zij en ik hadden genomen gedurende alle afzonderlijke momenten van ons leven, momenten die we nooit meer terug konden halen.

Ik kon haar alleen maar kwijtraken als ik of zij vanaf nu verkeerde keuzes zou maken. Maar ik had meer vertrouwen in de manieren waarop het goed zou komen dan in de manieren die van het stomme toeval afhankelijk waren.

63

In het hoofdvertrek van mijn ondergrondse woning liep Gwyneth langs de boeken die op de planken stonden en las de titels op de ruggen. 'Ik wist dat je boeken zou hebben, en ik wist ook wat voor soort boeken.'

Haar aanwezigheid hier was het meest betoverende wat er in deze nacht vol wonderen gebeurde. Dat ik blij was, straalde ik vanonder mijn bivakmuts uit; het was te horen in mijn stem, te zien in de manier waarop ik bewoog en me gedroeg. Het meisje was zich daar volledig van bewust, en zij werd er op haar beurt weer blij van. Ik kon mijn ogen niet van haar afhouden, en uit respect voor mij keek ze niet mijn kant op.

'Je moed stemt me nederig,' zei ze.

'Mijn moed? Dat zou ik niet zo zeggen. Ik ben door de omstandigheden van mijn bestaan een lafaard. Bij de minste of geringste dreiging zetten we het altijd op een lopen.'

'Om in deze krappe vertrekken te moeten leven, zonder zon, achttien jaar lang, waarvan de laatste zes zonder gezelschap, altijd in de wetenschap dat het nooit beter zal worden, om dat dag in dag uit vol te houden zonder volslagen gek te worden... Daar is meer moed voor nodig dan ik zou kunnen opbrengen.'

Zo had ik het nog nooit bekeken, en ik wist even niet wat ik daarop moest zeggen.

'Wat wil je meenemen, Addison?' vroeg ze.

'Meenemen?'

'Wat vind je het meest waardevol? Dat kun je dan maar beter meenemen. Als we straks weggaan, kom je hier nooit meer terug.'

Ik kon haar niet helemaal volgen, en ik dacht dat ik haar misschien niet goed verstaan had. 'Nooit meer terug? Maar waar moet ik dan wonen?'

'Bij mij.'

'In dat appartement met die piano, bedoel je?'

'Nee. Daar gaan we ook niet meer naar terug. Dat is voorbij. Dat is allemaal voorbij. We gaan nu naar iets nieuws.'

Tot dat moment zou ik nooit hebben vermoed dat een intens gevoel van geluk kon samengaan met angst, maar het was wel degelijk angst wat ik voelde, zonder dat het geluksgevoel verdween. Ik begon te trillen, niet uit angst of verrukking, maar vanuit een zekere neutrale verwachting.

'We hebben de komende uren heel wat te doen,' zei ze. 'Dus schiet maar op en beslis wat je mee wilt nemen, dan kunnen we gaan.'

Heb vertrouwen, dacht ik bij mezelf, en dat deed ik.

Tussen twee boeken op een van de planken stak een envelop met een foto erin, een eenvoudig kiekje waar ik niet zonder kon. Uit een bijzonder boek op een andere plank haalde ik een systeemkaartje waarop Vader woorden had geschreven die een speciale betekenis voor me hadden. Ik stopte de kaart in de envelop en deed die in een binnenzak van mijn jas.

Ik liep achter Gwyneth aan naar de uitgang van de hangmatkamer – tevens keuken – en daar draaide ik me om en bleef even staan. Ik had meer dan twee derde van mijn leven in die raamloze vertrekken doorgebracht, en voor het merendeel waren dat gelukkige, hoopvolle jaren geweest. Het voelde alsof die betonnen muren duizenden gesprekken tussen Vader en mij hadden opgenomen en dat ik maar geduldig en aandachtig genoeg in die ruimtes hoefde te gaan zitten om te horen wat we allemaal gezegd hadden. Niets in deze wereld, zelfs niet het meest alledaagse moment van ons leven, is zonder betekenis, en niets daarvan is voor altijd verdwenen.

Ik zag dat ik vergeten was het licht uit te doen. Even overwoog ik terug te gaan om het licht te doven, maar dat deed ik toch maar niet. Ik liet de lampen branden, zoals het licht in een altaar ook altijd blijft branden. Ik liep achter Gwyneth aan en stelde me voor dat de peertjes in die lampen gezegend waren met een onvoorstelbaar lange levensduur en dat een avontuurlijk persoon over duizend jaar de regenwaterriolen zou exploreren en die schuilplaats zou ontdekken. Hij zou dan het licht zien branden, zou de boeken vinden die in perfecte staat bewaard waren gebleven, en hij zou weten dat in dit nederige onderkomen heel wat gelukzalige uren waren doorgebracht.

64

De sneeuw striemde in het schijnsel van de koplampen door de nacht, de straten waren verlaten, met uitzondering van de sneeuwschuivers die de straten schoonveegden. De stadsbewoners hadden zich in hun warme, comfortabele huizen teruggetrokken, de wind joeg tegen de voorruit en tegen het portier naast me...

Gwyneth volgde een route die ik kende, en een paar minuten nadat we op weg waren gegaan, ging haar mobieltje. Ze keek op het schermpje, zette de luidsprekerstand aan en zei: 'Ik zou willen dat Simon u voor altijd najaagt, maar hij verdient zijn rust.'

'Wat ontroerend dat je zoveel geeft om een werkschuwe verlopen zuipschuit die op het laatst ook nog in zijn broek heeft gepist.'

Ryan Telford klonk schor, en ondanks zijn ferme taal had hij een trillerige stem.

Toen ze niets zei, hernam Telford het woord: 'Je had gelijk, hij wist inderdaad niet waar dat negende appartement van je is. Het enige nuttige dat we uit die rare kwast hebben gekregen, was hoe jullie elkaar hebben leren kennen.'

Gwyneth verstijfde maar zei nog steeds niets.

'Hij heeft een jong meisje in een container gevonden. Waarschijnlijk was hij toen zo lazarus dat hij niet goed wist wat hij deed.

En omdat hij haar leven gered heeft, heb jij hém gered. Je zwakke punt, Juffertje Muis, is dat je een sentimenteel kreng bent.'

'Waar bent u?' vroeg ze.

Hij gaf geen antwoord op haar vraag en zei: 'Op internet is het een fluitje van een cent om oud nieuws op te duiken.'

Hij zweeg even. Het geluid dat hij voortbracht, deed vermoeden dat hij het moeilijk had, alsof hij probeerde iets zwaars op te tillen of een deksel van een potje te krijgen dat te vast zat. Hij vloekte binnensmonds.

Gwyneth wachtte af.

De conservator zei: 'Op internet las ik een serie artikelen waarin stond naar welk ziekenhuis het meisje was gebracht, dat ze vervolgens onder bescherming van justitie kwam, dat ze in coma lag en in een vegetatieve staat verkeerde. Daar hielden de verhalen op, alsof de pers daarna een black-out had of zo, niets meer over haar lot. Is ze overleden? Leeft ze nog steeds, met de hersenen van een worteltje?'

Toen Telford weer zweeg, gaf Gwyneth haar mobieltje aan mij, zodat ze met beide handen kon sturen. Ze trapte het gaspedaal flink in.

De conservator bromde wat, produceerde weer dat ingespannen geluid en haalde vervolgens een paar keer hortend en stotend adem. 'Weet je nog dat ik je over die twee jongens van Goddard heb verteld, die bij de politie hebben gezeten?'

'Dat weet ik nog.'

'Een van die twee kent mensen die goed bevriend zijn met de rechter die in die artikelen werd genoemd. In feite hebben ze de goede man in hun zak. Ze kunnen hem altijd bellen, overdag of 's nachts, voor welke zaak dan ook, en hij doet dan net of hij het heerlijk vindt om ze te helpen, ook al schelden ze hem de huid vol.'

Gwyneth ging zo abrupt een bocht om, en zo hard, dat ik tegen het portier smakte en het mobieltje bijna liet vallen.

Telford zei: 'Deze keer hoefde rechter Gallagher geen bokkensprongen te maken om ze tevreden te stellen. Het enige wat ze wilden weten, was wat er met het meisje gebeurd was dat in de gerechtelijke dossiers de naam N.N. 329 had gekregen.'

'Als je maar van haar afblijft,' zei Gwyneth. 'Waag het niet.'

De conservator leek zich weer fysiek in te spannen, alsof hij op een stoel was vastgebonden en probeerde zich van zijn ketenen te bevrijden, al was dat natuurlijk niet logisch.

Hij zei: 'Als je hier niet snel naartoe komt, zal ik met N.N. 329 doen wat ik vijf jaar geleden met jou had willen doen. Ik krijg van haar niet zo'n paal als van jou, muisje. Ze heeft een bleke kop en zal niet eens weten hoe goed ik het kan als ik haar flink pak.'

'Ze is nog maar een kind.'

'Maar ze is mooi genoeg, en ze hebben haar goed te eten gegeven, hebben elke dag oefeningen met haar gedaan, zodat haar spieren goed op spanning zijn.'

'Ik ben al onderweg,' zei Gwyneth.

'Dat mag ik voor haar hopen.'

'Twintig minuten.'

'Weet je zeker dat je niet meer tijd nodig hebt?'

'Twintig minuten,' zei ze stellig.

'Wordt het eenentwintig, ben je te laat.'

Hij verbrak de verbinding. Ik drukte de uit-knop op Gwyneths mobieltje in.

'Jij hebt traangas,' zei ze. 'Ik heb de taser.'

'Zij zullen wapens hebben.'

'Wij hebben het voordeel van de aanval.'

'Mijn vader is voor mijn ogen neergeschoten.'

'Dan moeten we het geluk mee hebben.'

'Dat soort geluk bestaat niet.'

'Dat is waar,' zei ze. 'Dat soort geluk bestaat niet.'

65

Dat we elkaar zouden vinden in de chaos van het leven, die meer mensen uit elkaar drijft dan verbindt, dat we zoveel in elkaar herkenen, dat we elkaar van alle twijfel en zwakte naar een hoger plan zouden tillen, naar vastberadenheid en kracht, dat we verliefd op elkaar zouden worden ondanks het feit dat we onze liefde niet fysiek konden bezegelen, dat het een liefde was die twee geesten en harten en zielen met elkaar verbond: dit zeldzame geschenk was onbetaalbaar. En het complexe proces van oorzaak en gevolg dat eraan ten grondslag lag, oversteeg in ingewikkeldheid en schoonheid het meest exclusieve Fabergé-ei, of zelfs een complete verzameling ervan.

Om die liefde te waarborgen en jarenlang een fractie van de vele doorgangen en heiligdommen te kunnen verkennen, mochten we nu geen enkele foute beslissing nemen, geen van beiden, maar moesten we elk moment op de meest effectieve wijze het juiste doen.

We reden langs een sneeuwschuiver die waarschijnlijk kapot was. Het zwaailicht op de cabine stond aan, maar het gele schijnsel was naar één punt gericht en draaide niet rond. De koplampen waren uit, er zat niemand achter het stuur, het portier hing open, de motor was uit, sneeuwvlokken smolten op de nog steeds warme motorkap, en het grote voertuig stond half op het trottoir op een heuveltje van samengedrukte sneeuw en helde naar een kant over.

Enkele minuten later, in een woonwijk, zag ik tot mijn verbazing dat bij veel huizen het licht nog aan was. In sommige gevallen zouden mensen vergeten kunnen zijn de kerstverlichting buiten uit te doen voordat ze naar bed waren gegaan, al brandde er bij de mensen die hun huis met lampjes versierd hadden ook binnen nog licht en was het duidelijk dat de bewoners nog op waren, net als bij veel andere huizen het geval was. De schrijver F. Scott Fitzgerald zei dat de ziel om drie uur 's nachts op zijn donkerst was, en dat de zestig minuten tussen drie en vier zonder uitzondering de donkerste van de stad waren, ook letterlijk. Vannacht niet.

In de straat met kale esdoorns was de sneeuw aan de kant geschoven en was er geen ruimte meer tussen de geparkeerde auto's om de Land Rover neer te zetten. Voor het huis van gele baksteen zette Gwyneth de auto op de weg stil, en nadat ze de handrem had aangetrokken, stapten we uit. De Rover blokkeerde de helft van de weg.

Het poortje in het smeedijzeren hek, het trapje naar de veranda, de voordeur: overal leek een grote dreiging vanuit te gaan. De kille wind blies de sneeuw in onze rug en leek ons naar binnen te willen duwen om de hel te betreden die daar te vinden was. Telford wist dat we kwamen, dus van stiekem naar binnen glippen kon geen sprake zijn.

Voordat Gwyneth aanbelde, zei ik: 'Misschien is dit het moment, voor deze ene keer, in weerwil van wie we zijn, misschien is dit het moment om de politie te bellen.'

'Telford heeft nu niets te verliezen. Als hij politie ziet, haakt hij af en blaast hij de boel op. En wat voor agenten sturen ze erop af? Kunnen we er dan van op aan dat het mensen zijn die naar eer en geweten handelen? En komen ze überhaupt wel? Zouden ze in zo'n nacht als deze wel op pad gaan? Vanaf nu, Addison, staan we er alleen voor, helemaal alleen, net als iedereen. Nog twee minuten voor de afgesproken tijd.'

Ze belde aan.

Toen er niemand kwam, deed ze de deur zelf open. We gingen naar binnen. In de boogvormige doorgang tussen de hal en de woonkamer lag Walter dood op de grond. Hij was door meerdere schoten om het leven gebracht.

In de woonkamer waren de lampen aan, de kaars voor het altaar ter ere van de Heilige Maagd Maria flakkerde, de stemmen op tv spraken op rustige toon – Walter en zijn zus keken op dit tijdstip vaak tv – en Janet lag in een grote plas bloed. Ze was een tragere dood gestorven dan haar broer.

Walters vrouw Claire, wier brute moord al jaren geleden had plaatsgevonden, glimlachte onverstoord op de twee foto's in de lijstjes van gedreven zilver.

Gwyneth kon haar angst niet geheel achter haar make-up verbergen. De dikke mascara kleurde haar tranen zwart.

De nieuwslezer zei iets over een verbod op al het internationale vliegverkeer van en naar de Verenigde Staten, maar we hadden geen tijd om deze ingelaste uitzending te bekijken, omdat de trap ons gebood te komen, zoals veroordeelden door de trap naar de galg worden getrokken.

Boven kwamen we langs de openstaande deur van de slaapkamer van de kinderen, waar verpleegster Nora samen met de kinderen vermoord was. Er waren nu geen kinderen meer te zien, geen Nora. Ze waren verdwenen en hadden hun lichamen achtergelaten.

In het vertrek waar het naamloze meisje werd verpleegd, zat Ryan Telford op de rand van het bed waarin Cora anders zou hebben geslapen. Hij leunde voorover, met zijn armen op zijn bovenbenen, zijn handen tussen zijn knieën, en hij hield een pistool vast. Toen we binnenkwamen, keek hij ons glimlachend aan, maar er lag geen vreugde in zijn lach. Het was de koortsachtige grijns van een hondsdolle jakhals.

66

Telfords haar hing nat en slap neer, alsof hij net onder de douche vandaan was gekomen, maar het bleek dat zijn haar vettig nat was van zurig zweet. In zijn bleke, glimmende gelaat leken de zwarte stippen van zijn bloeddoorlopen ogen op de portalen naar het duistere rijk van zijn geest. Op zijn hamroze lippen lag een grijze waas, alsof hij zelf ook geprobeerd had een gotische look te creëren.

'Muisje, je bent een heerlijke masturbatiefantasie.'

'U niet,' zei ze.

'Wie is die gemaskerde man, chère amie?'

'Herkent u hem niet, met zijn capuchon en zo? Dat is de dood.'

'Volgens mij draagt de dood nooit een bivakmuts.'

Zijn stem klonk net zo schor als door de telefoon, en misschien iets zwakker.

'U ziet er niet best uit,' zei Gwyneth.

'Dat kan ik alleen maar beamen.'

Zijn overhemd was doorweekt van het zweet en plakte aan zijn lijf, en zijn broek zat onder het bloed, niet zijn bloed.

Gwyneth liep naar het bed van het naamloze meisje, keek naar Telford en zei: 'U zat in Japan.'

'Zaken doen in het Verre Oosten is niet meer wat het geweest is.'

'U bent voortijdig teruggekomen.'

'Niet vroeg genoeg.'

Omdat ik bang was dat we ingesloten zouden worden, vroeg ik: 'Waar zijn uw twee... partners?'

'Die lafbekken zijn ervandoor gegaan omdat ze bang werden.'

'Nadat ze een heel gezin hadden uitgemoord,' zei ik.

'Daar draaien ze hun hand niet voor om. Maar toen ik weer zo'n aanval kreeg, zijn ze er als een stel mietjes vandoor gegaan.'

'Aanval?'

Weer die vreugdeloze lach. 'Dat zie je straks vanzelf wel.'

Gwyneth legde haar taser op het nachtkastje.

'Ik heb er ook niet zo'n zin in,' zei Telford, en hij legde zijn pistool naast zich op het bed.

'Wanneer zijn de symptomen begonnen?' vroeg ze.

'Aan het eind van de ochtend een beetje licht in het hoofd. Halverwege de middag een beetje misselijk. Rond etenstijd koorts. En toen bam.'

'Het gaat snel.'

'Razendsnel.'

In de bezoekjes die ik de afgelopen tijd aan de bibliotheek had afgelegd, had ik geen kranten gelezen. Fragmenten van dingen die ik de laatste twee nachten van tv opgevangen had vielen ineens samen, en ik kon de gesprekken tussen Gwyneth en Goddard en de aartsbisschop met terugwerkende kracht plaatsen.

In de tijd die ik op de wereld heb rondgelopen, heb ik er maar steeds weinig deel van uitgemaakt. In dit geval was onwetendheid de prijs die ik voor mijn afgezonderde bestaan moest betalen.

Gwyneth maakte aanstalten om het bedhek van het meisje naar beneden te doen.

'Beter om haar niet aan te raken,' adviseerde Telford haar.

'Ik wil haar meenemen.'

'Ik heb haar aangeraakt. Zo'n beetje overal. Lief ding. Lekker sappig. Daardoor zal ze nu wel sterven.'

Gwyneth sloeg het laken en de deken terug. Het pyjamasje van het comateuze meisje was losgeknoopt, en de pyjamabroek was naar beneden getrokken, tot op haar knieën.

Ik wendde mijn blik af.

'Ik heb haar alleen maar aangeraakt. Meer kon ik niet opbrengen,' zei de conservator. 'Maar het was heerlijk, die intimiteit.'

Plotseling sloeg hij zijn armen om zich heen en klapte voorover, waardoor hij bijna van het bed tuimelde. Hij produceerde weer dat jammerende geluid, alsof hij een grote krachtsinspanning moest leveren, maar door de telefoon had het minder gekweld geklonken, en het ging nu langer door. Hij keek alsof hij vanbinnen verscheurd werd en de greep op zichzelf dreigde te verliezen. Iets wat geen braaksel was en afschuwelijk stonk, droop uit zijn mond.

Hij had weer zo'n aanval.

Gwyneth boog zich over het bed, knoopte de pyjamajas van het meisje dicht en trok haar broek omhoog. 'Addison, in de la van het nachtkastje vind je een flesje alcohol, een pak watten en een rolletje tape. Kun je die voor me klaarzetten?'

Ik deed wat me gevraagd was, blij dat ik me nuttig kon maken. Ik gebruikte mijn linkerhand, omdat ik met rechts het spuitbusje met traangas vasthield.

Toen Telford enigszins was bijgekomen, ging hij rechterop zitten en veegde zijn mond aan zijn mouw af. De tranen die op zijn oogharen zaten en over zijn wangen rolden, hadden een bloedrode kleur. Hij keek om zich heen alsof hij zich niet kon herinneren waarom hij hier was en hoe hij hier verzeild was geraakt.

Gwyneth haalde de plastic canule uit de linker onderarm van het meisje en liet het slangetje van het infuus loshangen. Ze zei: 'Misschien is het niet nodig, maar toch doen we het maar voor de zekerheid.' Met alcohol depte ze de plek op de arm schoon waar de canule in de huid had gezeten.

Telford vroeg: 'Wat zijn dat voor hechtingen in haar zij?'

'We hebben haar twee dagen geleden van de kunstmatige voeding gehaald,' zei Gwyneth.

'Ik vond dat niet fijn om te zien. Ik hoefde gelijk niet meer. Verder is het een lekker klein ding. Een beetje slap doordat ze de hele tijd gelegen heeft, maar alles bij elkaar toch om te smullen.'

'Het is nog maar een kind.'

'Hoe lekker wil je het hebben?'

Gwyneth legde een watje op de plek op de onderarm die ze net had ontsmet en bevestigde dat met wat tape.

Op ruzieachtige toon zei Telford: 'Jezus, zeg, dat kreng is hersendood en besmet. Waar ben je nou helemaal mee bezig? Wat heeft het voor zin? Waarvoor doe je al die moeite?'

'Omdat ze bijzonder is,' zei Gwyneth.

Hij pakte het pistool waarvan hij had beweerd dat hij te moe was om het te gebruiken, en zei: 'Bijzonder? In welk opzicht?'

Ze gaf geen antwoord, maar trok de deken van het bed en gooide het laken over het voeteneinde, zodat het in pyjama gestoken meisje van top tot teen te zien was.

'In welk opzicht is ze bijzonder?' drong Telford aan.

Gwyneth draaide het meisje op haar rechterzij, met het gezicht van ons af, en zei: 'Addison, help me eens met deze deken.'

Telford richtte het pistool op het plafond, alsof hij onze aandacht eiste. 'Ik zei wat.' Misschien was hij nog zwakker dan hij leek, en het wapen was mogelijk te zwaar voor hem, want zijn pols verslapte steeds, en het pistool slingerde alle kanten op. 'Wat is er zo bijzonder aan dat sletje?'

'Omdat iedereen bijzonder is,' zei Gwyneth.

'Ze is een sletje, meer niet.'

'Als dat waar is, heb ik het waarschijnlijk mis.'

'Je snapt er helemaal niks van, als je dat maar weet.'

Samen legden Gwyneth en ik de deken op het bed. We lieten de helft over de rand hangen.

'U bent ook bijzonder,' zei ze tegen Telford.

'Wat is dat voor onzin?'

'Dat is geen onzin. Ik heb alleen maar hoop.'

Ze draaide N.N. 329 naar ons toe, op de deken, en rolde haar door op haar linkerzij, heel dicht bij de rand.

'Hoop? Waar hoop je dan op?'

'Ik hoop dat u de tijd die u nog rest zult gebruiken om uzelf te redden.'

We sloegen het afhangende deel van de deken over het meisje heen en stopten het achter haar min of meer in.

'Je weet dat ik stervende ben, kreng. Daar gaat je hoop.' Hij deed pogingen om van het bed op te staan en zwaaide als een dronkaard met zijn armen en benen. 'Ik moet jullie iets vertellen.'

Gwyneth pakte de rand van de deken en trok dat over het comateuze meisje, waardoor ze helemaal in de deken gewikkeld was.

Telford strompelde een paar passen naar voren en zocht met zijn linkerhand steun aan het andere bed.

Ik hield de spuitbus met traangas in de aanslag. Gwyneth zei: 'Nee. Dan wordt hij helemaal wild. Dan is er geen houden meer aan.'

'Geil muisje van me, weet je waar ze helemaal wild zijn? Noord-Korea. Maniakken zijn het. Doorgedraaide klootzakken. Op tv zeiden ze dat ze daar iets ontwikkeld hebben, een soort twee-in-een.'

Gwyneth zei: 'Addison, schuif je armen onder haar door en til haar van het bed. Nu.'

Ik wilde de spuitbus liever niet wegdoen. Het zou best kunnen dat hij helemaal wild zou worden als zijn ogen begonnen te branden, maar misschien was dat een goede zaak, ook al had hij een pistool.

'Doe het nu, Addison.'

'Hé, Lone Ranger, heb je me wel gehoord? Het is een soort twee-in-een.'

'Ik heb het gehoord,' verzekerde ik hem. Gwyneth hield de spuitbus voor me vast.

'Een combinatie van het ebolavirus én vleesetende bacteria, Lone Ranger, en dan compleet doorgekweekt, echt heel krachtig spul, verspreidt zich door de lucht, en het effect schijnt erger te zijn dan atoombommen. Dat spul eet je van binnenuit op. Lekker, hè?'

Ik schoof mijn armen onder het meisje door en tilde haar op.

Doordat ik zo bang was, was ik sterker dan normaal, en het verbaasde me dat ze zo licht voelde.

Het pistool viel uit Telfords hand en plofte op het bed neer. Het zweet gutste van zijn gezicht, zijn tranen werden steeds bloederiger, hij leunde met zijn volle gewicht op het bedhekje, niet om het wapen te bemachtigen, maar om Gwyneth in haar gezicht te spuwen. De lobbige, walgelijke fluim bevatte meer dan alleen speeksel.

67

In deze gevallen wereld zijn er dingen waar je op hoopt zonder dat je verwacht dat ze zullen uitkomen, niet alleen omdat het stomme toeval niet bestaat en nooit bestaan heeft, maar ook omdat ze zo kostbaar zijn dat je ze niet waardig bent, ook al doe je je hele leven goede werken. Als zo'n hoop dan toch uitkomt, als dat kostbare op je pad komt, is het een genade die je geschonken wordt, en de rest van je leven moet je daar dankbaar voor zijn. Het meisje dat ik bij lamplicht ontmoette bij Charles Dickens – dat was een genade die mij geschonken werd. Ze was alles wat ik wilde, alles waar ik ooit naar kon verlangen.

Daar stond ik, hulpeloos, met N.N. in mijn armen, en Telford spoog Gwyneth in haar gezicht, een smerige fluim die hij welbewust voor dit moment had bewaard. Hij lachte bibberig, en er lag voldoening in, een duizelig genoegen, een soort extase. 'Een pistool is te gemakkelijk, muisje. Je zult op precies dezelfde manier als ik doodgaan.'

Ze greep een hoek van het bovenste laken en veegde haar gezicht schoon, maar ik wist dat ze zichzelf daarmee niet kon redden.

'Sterf net als ik, net als ik.' De conservator perste elk woord eruit als de lucht die uit het samengeknepen uiteinde van een ballon ontsnapt. Hij was een mens en tegelijkertijd een monster, een monster en een clown die zichzelf vermaakte, en als hij niet zo zwak was geweest, zou hij van opwinding een rondedansje hebben gemaakt.

God sta me bij, bijna had ik het comateuze meisje laten vallen om het pistool te pakken en hem dood te schieten. In mijn hoofd klonk het aanzwellende geraas van een tientallen meters hoge waterval, ik zag zwarte vlekken voor mijn ogen, mijn botten bevroren, want ik werd overvallen door een intense woede waar ik bijna door verteerd werd, maar ik liet het meisje niet vallen.

Gwyneth zei: 'Laten we haar hier weghalen,' en ik zei: 'De badkamer, warm water, zeep, ga jezelf wassen,' en zij zei: 'Schiet op, schiet op, weg, kom, nu.'

Telford kreeg weer een van zijn aanvallen. Zijn hele lijf trok samen. Hij klapte voorover op het bed, en uit zijn mond kwam een dampende massa, niet iets wat hij had gegeten, maar een vitaal deel van zijn lijf. Onder het geluid van ingewanden die zich ledigden en het geratel van botten, zakte hij ineen, gleed op de grond en verdween uit het zicht.

'Schiet op,' zei ze, 'schiet op', en ze liep de kamer uit, langs de badkamer met warm water en zeep, de gang door, naar de trap, en er kwam niets anders in me op dan achter haar aan te gaan. Mijn benen waren slap doordat ik het gewicht van het meisje moest torsen en doordat ik doodsbang was.

Toen ik de trap afliep, rook ik de stank die uit de open haard van de aartsbisschop kwam, de walgelijke geur van de smeulende marionetten van Paladine.

Halverwege bleef ik staan, en waarschijnlijk merkte Gwyneth dat, want terwijl ze doorliep naar beneden zei ze: 'Dat is niks, ze zijn hier niet, dat is pure zinsbegoocheling, net als dat getik op zolder. Kom.'

De hal door, langs het zielloze lichaam van Walter. De voordeur, de veranda, de poort in het gietijzeren hek, elk punt op de route was net zo dreigend als eerst.

Gwyneth deed de achterklep van de Land Rover omhoog, en ik

legde het in een deken gewikkelde meisje voorzichtig in de laad-ruimte.

Verderop waren een paar mensen bezig hun ondergesneeuwde auto uit te graven. Ze schepten de sneeuw met een zeker fanatisme weg, en niemand keek op om te kijken wat we aan het doen waren.

Ik deed de achterklep dicht en zei: 'Heb je schoonmaakdoekjes of zo in het dashboardkastje? Dan rij ik wel.'

'Je weet niet eens hoe dat moet. Ik red me wel, Addison.'

Ze ging achter het stuur zitten, wat mij geen andere keuze liet dan op de passagiersstoel plaats te nemen, en toen gingen we op weg. Maar waar gingen we heen?

68

Wie en wat wij waren, wij die ons verborgen hielden, en waarom we eigenlijk bestonden, verklaarde het mysterie van de muziek die zomaar vanuit het niets te horen was.

Dagen na die afschuwelijke nacht in de stad, toen ik de rust had gekregen om na te denken, besefte ik dat Vader die prachtige maar droevige melodie nooit had gehoord die soms tot in mijn driekamerschuilplaats onder de grond doordrong. Ik had hem al minstens een jaar eerder in de rivier te ruste gelegd toen ik de pianoklanken voor het eerst hoorde.

Soms klonk de nocturne maar één keer, betoverende klanken die elkaar in kristalheldere lijnen opvolgden, en ik richtte me dan op de briljante melodische structuur. Mijn hart kreeg vleugels door de pure emotie die in de muziek lag. Ik herkende de diepe droefenis die de componist tot uiting probeerde te brengen, en ik wist dat hij iemand verloren moest hebben, maar tegelijkertijd bewonderde ik het talent en de wijze toewijding waarmee hij de bittere emotie had omgevormd tot de melancholieke klanken die degene die hem was ontvallen tot eer strekten. In andere gevallen hoorde ik het stuk een paar keer achter elkaar, soms wel vijf keer, en door die herhaling vroeg ik me niet langer af wie de componist was en waarom hij het stuk geschreven had, maar sprak de muziek voor zichzelf en herkende ik de gevoelens van verlies die ik zelf had.

Als Vader nog had geleefd toen het fenomeen begon, als hij die nocturne had gehoord en net als ik niet wist waar de muziek vandaan kwam, zou hij een analytische vraag hebben gesteld: met welk medium kun je pianomuziek door de stad sturen, diep de grond in, zonder gebruik te maken van draden of van draadloze techniek, zodat de klanken zonder radio, versterker of luidsprekers te horen zijn? Fascinerende gesprekken zouden tot allerlei speculaties hebben geleid, speculaties tot mogelijke theorieën, en uiteindelijk tot een werkhypothese, die na verloop van tijd misschien onjuist zou blijken te zijn, waarna het hele proces weer van voren af aan zou beginnen.

Vader kon nooit vanuit een hypothese tot een verklarende theorie komen, omdat hij nooit de ware aard van het verborgene kende. Wie we zijn en waarom we bestaan, verklaart het onbekende en uitzonderlijke medium waarlangs de muziek van Gwyneth tot me kwam, als afsluiting van een tijdperk. Als ik Gwyneth niet was tegengekomen, als haar biologische vader niet iemand was geweest met diepe inzichten en werkelijke barmhartigheid, als Teague Hanlon niet zijn beste vriend was geweest, zou ik misschien nooit hebben begrepen wie we zijn en zou ik uiteindelijk als gevolg van zinloos geweld aan mijn einde zijn gekomen.

In die nacht toen Telford stierf, ontdekte ik wat ik was en wie ik ben. Wat zou kunnen zijn geweest maar nooit plaatsvond... Nou ja, alles werd allemaal weer mogelijk.

69

Het sneeuwde aan een stuk door, en het leek anders dan ooit tevoren, niet doordat het met bakken uit de lucht kwam, als een tropische regenbui, maar door wat ik nu wist van de genadeloze pestepidemie. Door die informatie was ik in staat mijn waarneming bij te stellen, zodat deze neerdalende witheid niet alleen een gevoel van vrede bij me opriep, zoals anders, maar zelfs een gevoel van eeuwige vrede.

De hoopvolle verwachting van de mensheid ligt in grote steden, al wil ik niet beweren dat die uitsluitend daar te vinden is, maar ook in een klein plattelandsstationnetje. Een dorpje, een provinciestadje, de hoofdstad van het land, een wereldstad: allemaal plekken waarin de mensheid hoopvolle verwachtingen koestert. Net als in elke willekeurige wijk. Een leven in afzondering kan ergens toe leiden, wat bij mij het geval leek, maar dat leven wordt pas compleet als het gedeeld wordt met anderen. Hoewel ik een buitenstaander was die nergens in de stad welkom was, was de stad mijn thuis, en ik hoorde bij de inwoners, ook al wilden ze dat liever niet, en deze dichte sneeuw zou net zo goed as van een crematorium in een concentratiekamp kunnen zijn, en uit de neerdwarrelende vlokken zou een verzengende droefheid kunnen spreken.

Het naamloze, comateuze meisje lag achter in de Land Rover in een deken gewikkeld. Gwyneth reed. Ik zat naast haar en piekerde. Ik nam het mezelf kwalijk dat ik Telford niet had doodgeschoten, en bad om kracht tegen de wanhoop.

Gwyneth vroeg: 'Hoe vaak ben jij verkouden?'

In de huidige situatie leek me dat een rare vraag. 'Hoe bedoel je?'

'Ik dacht dat ik geen Chinees had gesproken.'

'Hoe vaak ik verkouden ben?'

'Is er een woord bij dat je niet kent?'

'Ik word nooit verkouden,' zei ik.

'Hoe vaak heb je de griep gehad?'

'Nooit. Hoe zou ik de griep kunnen krijgen of verkouden kunnen worden? Ik heb praktisch geen contact met anderen, zieke mensen of wat dan ook. Ik heb praktisch mijn hele leven in afzondering geleefd.'

'En hoe zit dat met de man die je Vader noemde? Verkouden, griep?'

'Niet in de jaren dat ik hem kende. Hij had net zo weinig contact met anderen als ik.'

'Kiespijn?'

'Nee. We poetsen onze tanden en we flossen, heel getrouw.'

'Dan hebben jullie zeker heel bijzonder flosdraad, en een tovertandenborstel. Geen enkel gaatje?'

'Waar gaat dit heen?'

'Heb je jezelf ooit gesneden?'

'Natuurlijk wel.'

'Is die wond toen gaan ontsteken?'

Voordat ik haar antwoord kon geven, werd ik afgeleid door de Helderen. We reden door een woonwijk, waar ze zo nu en dan te zien waren, zoals overal elders, maar plotseling verschenen ze in groten getale. Een in een blauw operatieschort wandelde over een gazon waar kinderen een sneeuwpop hadden gemaakt. Ze hadden oranje plastic schijfjes voor de ogen gebruikt, een tennisbal voor de neus, en iets wat leek op toetsen van een speelgoedpiano voor de tanden. Een andere Heldere in witte operatiekleding liep dwars door een muur van een huis naar buiten, zonder dat er een gat in de muur ontstond of hij gewond raakte. Twee Helderen in een groen operatietenue lieten zich van een dak glijden en zweefden door een tuin naar beneden. Ze leken zich allemaal vlak boven de gevallen sneeuw voort te bewegen, zonder erdoorheen te hoeven ploegen. Hoog in een kale boom zag ik een lichtgevende vrouw in een blauw operatieschort, alsof ze op wacht stond, en ze draaide haar hoofd in onze richting toen we dichterbij kwamen. Ondanks de grote afstand en ondanks het feit dat er geen gevaar bestond dat we elkaar recht in de ogen zouden kunnen kijken, wendde ik mijn blik af, zoals Vader me altijd had geadviseerd.

'Hoe lang moet je er nog over nadenken?' vroeg Gwyneth.

'Waarover?'

'Of je ooit een snijwond hebt gehad die is gaan ontsteken,' zei ze.

'Niet, want ik deed er altijd jodium op en een verbandje erom.'

'Je bent heel zorgvuldig wat je gezondheid aangaat.'

'Dat moet wel. Ik kan niet naar een dokter toe.'

'Waar ben je bang voor, Addison?'

'Jou kwijtraken,' zei ik onmiddellijk.

'Waar was je het meest bang voor voordat je mij kende?'

'Vader kwijtraken.'

'En wat nog meer?'

'Dat Vader in elkaar geslagen zou worden en ernstig gewond zou raken. Dat ik zelf in elkaar geslagen zou worden.'

'Er was vast nog wel meer waar je bang voor was.'

'Dat anderen zouden lijden. Een man die in zijn rug geschoten was, gaf me zijn Rolex. Hij is voor mijn ogen gestorven. Dat was afschuwelijk. Soms durf ik in de bibliotheek geen krant te lezen omdat er zoveel gruwelijke verhalen in staan.'

'Ben je bang voor de agent die je vader heeft vermoord?'

'Nee. Ik word pas bang voor iemand als ik de moordzucht in zijn ogen zie.'

We hadden het nog niet vaak over Vader gehad. Ik had haar niet verteld dat hij door agenten was vermoord.

Omdat ik de aanwezigheid van mysteries in het leven als een gegeven zag en haar liever geen vragen stelde die ertoe zouden kunnen leiden dat ze zich van me afkeerde, ook al had ze haar liefde voor me verklaard, vroeg ik niet hoe ze dat wist.

'Is er iets wat haat bij je opwekt?' vroeg ze.

Ik dacht even na. 'Alleen datgene waar ik bang voor ben.'

'Waar je bang voor bent. Dat is een opmerkelijk antwoord in deze wereld vol haat.'

Voordat ik daarover na kon denken, gingen we een bocht om en kwamen we op een brede avenue, waar we door drie Helderen heen reden en een bijeenkomst van hun soort bereikten die me deed denken aan die nacht vijf jaar geleden, een jaar nadat Vader was doodgegaan, toen ik getuige was van een groots spektakel, iets wat ik de Convocatie had genoemd. Het licht in de stad leek mat door de dichte sneeuw die viel, en de torenflats doemden op in die witte nevel. De gebouwen zo'n honderd meter van ons af leken op schimmen in een doffe spiegel, slechts afspiegelingen van andere gebouwen die iets dichterbij stonden. Vanuit die witte waas verschenen Helderen van beiderlei kunne en diverse etnische achtergronden, rechtstandig door de lucht zwevend en langzaam neerdalend als lichtgevende ornamenten die door onzichtbare handen werden opgehangen. Ze waren gekleed in witte schoenen en witte of blauwe of groene kledij, alsof ze vanuit een onbekende dimensie in de onze gleden. Als ze de grond raakten, begonnen ze onmiddellijk te lopen, met de vastberaden tred van ziekenhuispersoneel op een drukke eerstehulpafdeling.

Tot een paar minuten geleden werd ik altijd blij als ik Helderen zag. Hoewel ik vermoedde dat ze met hun ogen een of andere kracht of kennis uitstraalden die me tot in mijn kern zou raken, zonder dat ik er onmiddellijk door in steen zou worden veranderd, was ik altijd gelukkiger als ik ze zag dan wanneer ze er niet waren. Maar nu werd ik er niet vrolijk van. Gewoonlijk, als je al kunt zeggen dat in deze wereld ooit iets gewoon is, keken sommigen van hen ernstig voor zich uit, en anderen glimlachten. Deze keer viel er bij geen der Helderen een glimlach te bekennen en straalden ze een onmetelijk, ontroostbaar verdriet uit. Door de diepe schoonheid van hun lichtgevende verschijning sloeg de kou me om het hart, en uiteindelijk begreep ik iets van wat Vader had bedoeld toen hij zei dat de Helderen weliswaar niet kwaadaardig waren, in tegenstelling tot de Nevelen, maar dat ze op hun eigen manier verschrikkelijk waren, omdat ze een exceptionele kracht bezaten.

Ik deed mijn ogen dicht, omdat ik al die schoonheid niet aankon, en na een ogenblik zei Gwyneth: 'Heb je ooit last van je keel gehad, hoofdpijn, last van je darmen, aften, hooikoorts?'

'Doet dat ertoe?'

Ze zei: 'Je zult niet de pest krijgen.'

'Ik ben nu veel vaker bovengronds en loop meer risico besmet te raken, net als jij. Ik wou dat je je gezicht had gewassen.'

'Heb vertrouwen,' zei ze.

70

Al voor mijn tijd in de stad had Vaders weldoener hem de sleutel van de voedselbank gegeven. Ik had nooit te horen gekregen wat voor positie die man bekleedde, en de enige naam waarmee we hem aanduidden, was Onze Vriend. Hoewel die onbekende zich om ons lot bekommerde en hij mijn vader elk jaar een of twee keer zag, een paar minuten lang, zonder hem onmiddellijk aan te vliegen, was Onze Vriend bang dat hij gewelddadig zou worden als hij een langduriger onderhoud met Vader zou hebben. Omdat Onze Vriend na elke ontmoeting depressief werd en dan op de rand van de wanhoop balanceerde, vond Vader dat hij de man zo weinig mogelijk lastig moest vallen en dat ik al helemaal geen contact met de man hoefde te hebben zolang Vader nog leefde.

Toen die zwarte dag eenmaal was aangebroken dat Vader aan zijn eind kwam en ik hem op de bodem van de rivier te ruste had gelegd, deed ik wat hij me had opgedragen en schreef ik een briefje. Die nacht liet ik dat briefje bij de voedselbank achter. Ik had geschreven: *Vader is overleden. Ik heb met zijn lichaam gedaan wat hij me gevraagd had te doen. Hij wilde dat ik u zou vertellen hoezeer hij u liefhad om uw tolerantie en hoezeer hij uw vrijgevigheid waardeerde. Ik weet dat u hem had gezegd dat de sleutel voor mij zou zijn als hij er*

niet meer was, maar hij wilde desondanks dat ik u vroeg of ik de sleutel
mocht houden. Uit de voedselbank of de kringloopwinkel zal ik nooit
meer meenemen dan ik nodig heb, ik zal proberen ervoor te zorgen dat
niemand me daar betrapt, ik zal me nooit aan anderen vertonen, om-
dat ik weet dat mensen dan bang worden, want het zou me ernstig spij-
ten als ik wie dan ook van de voedselbank ooit zou kwetsen of de voed-
selbank zelf in diskrediet zou brengen. Ik mis Vader ontzettend, en ik
denk niet dat dat ooit anders zal worden, maar ik zal het wel redden.
Hij wilde dat ik u zou verzekeren dat ik het wel zal redden.

Omdat Vader me had verteld dat Onze Vriend gevoel voor humor had, en omdat ik wist dat hij zou snappen wat ik bedoelde, on-
dertekende ik het briefje met *Zoon van Het.*

Vader had gezegd dat ik het briefje in een gesloten envelop moest
achterlaten in de kleinste van de twee kantoortjes van de voedselbank, in de middelste la van het bureau dat daar stond. We hadden
met onze weldoener afgesproken dat alle berichten altijd zo snel
mogelijk beantwoord zouden worden. Toen ik terugkwam, vond ik
een andere gesloten envelop, met daarin een antwoord. *Beste jon-*
gen, met droefenis heb ik kennisgenomen van je bericht. Ik heb je vader
altijd in mijn gebeden bedacht, en zolang ik leef, zal ik voor hem – en
voor jou – blijven bidden. Natuurlijk mag je de sleutel hebben. Ik zou
willen dat ik meer voor je kon doen en je meer tot steun kon zijn, maar
ik ben zwak en heel bang. Dagelijks verwijt ik mezelf dat ik laf ben en
dat ik tekortschiet in mijn naastenliefde. Misschien heeft je vader je ver-
teld dat ik mijn hele leven al last heb van depressies, hoewel ik er altijd
weer bovenop kom. Op elke ontmoeting met je vader volgde een periode
van diepe wanhoop, van hevige neerslachtigheid, ondanks het feit dat
hij een groot hart had en liefhebbend van aard was, en nog regelmatig
zie ik hem voor me in dromen, waaruit ik dan doodsbang ontwaak. Dit
is uitsluitend aan mijn eigen tekortkomingen te wijten en is hem uiter-
aard niet aan te rekenen. Aarzel niet contact op te nemen als je iets no-
dig hebt. Elke keer dat ik je kan helpen, is een kans om mijn ziel te lou-
teren. Moge God je zegenen.

Omdat ik wist dat Vader trots op me zou zijn geweest als ik Onze Vriend zou respecteren in diens onfortuinlijke depressieve inslag door me zo veel mogelijk zelf te redden, vroeg ik hem de daaropvolgende zes jaar niet om hulp. Om de paar maanden liet ik een briefje achter om hem te laten weten dat ik nog leefde en dat alles goed ging.

De nacht waarin Gwyneth de confrontatie met Ryan Telford aanging om het naamloze meisje te redden, ontmoette ik Onze Vriend, die achteraf gezien toch niet zo'n grote onbekende was geweest. Nog altijd denk ik met veel genegenheid aan hem terug, en ik zou willen dat ik hem een briefje kon sturen om hem te laten weten dat het goed met me gaat, maar het is inmiddels al weer heel wat jaren geleden dat hij is gestorven.

71

Om de uit de lucht neerdalende Helderen niet te hoeven zien, deed ik mijn ogen dicht tot Gwyneth de auto stilzette en de motor uitdeed. Toen ik mijn ogen opende, zag ik dat we in een smal straatje waren, op de oprit van een garage, voor twee rolluiken.

'Waar zijn we, wat gaan we doen?' vroeg ik.

'Dat zul je vanzelf wel zien. We blijven hier niet lang, maar we kunnen het meisje niet achterlaten. Bovendien komt ze bij kennis.'

'Komt ze nu bij kennis?'

'Straks.'

We stapten uit, Gwyneth deed de laadklep open, en ik nam het in een deken gewikkelde kind weer in mijn armen.

Ik volgde Gwyneth, die om het huis heen naar de garage liep. Mijn laarzen zakten bijna helemaal weg in de sneeuw, ik hield mijn hoofd gebogen, omdat mijn ogen door de felle koude wind begonnen te tranen. Ik voelde me nietig en was vervuld van angst door de aanwezigheid van zoveel Helderen in de avenue, en ik durfde niet omhoog te kijken.

Tussen de garage en de achterkant van het twee verdiepingen tellende stenen huis was alles ondergesneeuwd. De ramen waren zo donker dat het net was of ze zwart geschilderd waren. Het terrein was ommuurd en deed denken aan een kleine luchtplaats van een gevangenis. De veranda strekte zich niet uit over de gehele breedte van het huis; links ervan bevonden zich twee smalle schuine luiken, waarmee een klein buitentrappetje was afgedekt dat naar een kelder leidde. Kennelijk werden we verwacht, want iemand had de sneeuw van de luiken geveegd. Gwyneth deed ze open.

Ik liep achter haar aan naar beneden, en we kwamen in een warme kelder waar het rook naar warme koffie. Tussen de plafondbalken hingen kale peertjes in oude keramische fittingen, waardoor er lichte en donkere strepen in de kamer vielen. De ruimte werd gebruikt om dingen in op te slaan, maar het was er niet volgestouwd of rommelig. Er waren keurig gelabelde kartonnen dozen neergezet, en oude meubels, waaronder een aftandse fauteuil. Tegen de muur stond een inklaptafel met daarop een koffiezetapparaat en een volle koffiekan.

Gwyneth zei dat ik het naamloze meisje in de fauteuil moest leggen, en nadat ik dat gedaan had, trok ze voorzichtig de deken weg en legde die opgevouwen op een paar op elkaar gestapelde kartonnen dozen.

Op pantoffels, gekleed in een flanellen broek, een lichtblauw vest en een blauw-wit geblokt shirt schuifelde Teague Hanlon uit de schaduwen en zette twee koffiebekers op een van de drie metalen vaten van diverse afmetingen die als primitieve pauken bij elkaar stonden. 'Gwynie drinkt haar koffie altijd zwart zonder suiker. Jij ook, vertelde ze me.'

'Dat klopt,' verzekerde ik hem, al vroeg ik me af hoe zij dat wist.

'Hoe gaat het met het kind?' vroeg hij.

'Die komt zo bij kennis,' zei Gwyneth.

Op dat moment begon het meisje als een jong poesje te piepen, alsof ze uit een gewone slaap ontwaakte en net een fijne droom had gehad waarin ze liever nog een tijdje zou zijn gebleven.

'Dit is erg moeilijk voor me,' zei meneer Hanlon. 'Ik hoop dat je daar begrip voor zult hebben, Gwynie.'

'Natuurlijk begrijp ik dat.'

Meneer Hanlon liep naar de deur waardoor we binnen waren gekomen en deed die met een dubbele grendel op slot.

Gwyneth pakte haar koffie en nam er een slokje van, haar blik geconcentreerd op het meisje gericht. 'Je mag je masker wel afdoen om koffie te drinken, Addison. We zullen geen van beiden naar je kijken.'

Om de bivakmuts af te doen moest ik eerst mijn capuchon losmaken en die afdoen, en dan zou mijn gezicht geheel onbedekt zijn, iets wat ik alleen durfde in mijn kamers diep onder de grond. De gedachte om totaal weerloos te zijn, bracht me zo van mijn stuk dat ik bijna bedankte voor de koffie.

Maar ik had het koud, niet doordat ik even door de sneeuw had gelopen, maar doordat ik aan de pest en de dood moest denken. Ik had een sterke behoefte aan een dampende bak van het geurende brouwsel. Als Gwyneth zei dat er geen risico te duchten was, kon ik haar alleen maar geloven.

Zo gauw ik de bivakmuts had afgedaan, deed ik mijn capuchon weer op en maakte die losjes vast.

De sterke koffie smaakte me prima, en ondanks het feit dat ik handschoenen aanhad, warmde ik mijn handen aan de beker.

Met zijn hoofd diep gebogen, als een penitentie doende monnik zonder habijt, liep meneer Hanlon terug naar het koffiezetapparaat om ook voor zichzelf koffie in te schenken.

Het kind bracht een hand naar haar gezicht en liet haar vingertoppen over haar gelaat gaan, alsof ze niet alleen verward maar ook blind was en zich op de tast wilde identificeren. Ze ging verliggen, liet haar hand weer zakken en begon ongegeneerd te gapen. De bijna drie jaar lange coma leek net zo makkelijk van haar af te glijden als een nachtje slaap. Ze deed haar ogen open, groot en grijs en glashelder, en keek onmiddellijk naar Gwyneth. Met schorre stem zei ze: 'Mama?'

Gwyneth zette haar beker weg, liep naar het meisje toe en knielde voor haar neer. 'Nee, lieverd. Je moeder is er niet meer. En ze komt ook niet meer terug. Je bent nu veilig. Niemand zal je nog iets doen. Je bent veilig bij mij.'

Nog steeds met gebogen hoofd bracht meneer Hanlon nog een beker. 'Ze zal een droge mond hebben. Ik heb thee voor haar gezet, met suiker. Het is al afgekoeld; ze kan het zo drinken.' Zo gauw Gwyneth de beker van hem had aangenomen, liep hij terug naar het koffiezetapparaat en bleef daar met de rug naar ons toe staan.

Ik vermoedde dat hij dat niet alleen voor ons maar ook voor zichzelf deed, en ik vroeg me af waarom hij nu zo anders deed dan toen in de bioscoop.

Terwijl ik van mijn koffie nipte en vanonder mijn capuchon Gwyneth en het meisje in de gaten hield, drong het tot me door dat wat er in deze kelder gaande was, zich buiten het gewone menselijke ervaringsgebied afspeelde, net als de Nevelen en de Helderen. Het kind was van het ene moment op het andere uit haar coma ontwaakt, was volledig bij kennis en kon haar spieren gewoon gebruiken, helemaal niet zoals dat bij anderen het geval zou zijn geweest. Ze kon de beker zelf vasthouden om eruit te drinken. Gwyneth sprak zo zacht tegen haar dat ik vaak niet kon horen wat ze zei, en hoewel het meisje niet antwoordde, luisterde ze aandachtig en hield haar lichtgrijze ogen voortdurend op Gwyneth gericht, die haar haar van haar voorhoofd streek en haar gezicht en haar armen streelde, liefdevol, om haar op haar gemak te stellen.

Sneller dan mogelijk leek, kwam het meisje overeind nadat ze haar beker had weggezet. Ze leunde tegen Gwyneth aan, al had ze die steun misschien niet echt nodig.

Tegen meneer Hanlon zei Gwyneth: 'Hebt u de kleren voor haar geregeld waar ik u om gevraagd had?'

Hij draaide zich naar ons om, maar kwam niet dichterbij. 'Die liggen op een stoel bij de keukentafel. Ik heb het licht boven niet aangedaan, voor het geval… iemand achter jullie aan gaat. Ik heb alleen het licht van de afzuigkap aangelaten, maar dat moet voldoende zijn. Op het toilet zijn geen ramen, dus daar kun je gerust licht aandoen.'

Het kind gaf Gwyneth een hand en stond onzeker op haar benen, die ze in bijna drie jaar niet gebruikt had en die haar nauwelijks konden dragen. Ik keek de twee na tot ze de trap op waren gegaan en hun schaduwen achter hen over de treden en stootborden gleden.

In een wereld vol verbazingwekkende gebeurtenissen en mysteries komen ook wonderen voor.

Om niet te dichtbij te komen liep meneer Hanlon langs de muren van het vertrek. Bij elk meubelstuk en elke kartonnen doos bleef hij nadenkend staan, alsof hij aan het rondsnuffelen was in een winkel waar hij nooit eerder geweest was en de uitgestalde koopwaar met een kritische blik bekeek.

'Addison, ik neem aan dat je weet wat er in de wereld aan de hand is.'

'De pest, bedoelt u?'

'De pest, inderdaad. Hierdoor zal de eeuwige oorlog tussen de mensheid en bacteriën worden beslist.'

Ik dacht aan Telford en zei: 'Het zal heel erg worden.'

'Dat is nog zwak uitgedrukt. In de laatste berichten werd gezegd dat ze bij het ontwikkelen van het wapen, het virus, hadden gemikt op een effectiviteit van 98 procent. Uiteindelijk heeft het al hun verwachtingen overtroffen. En toen liep het uit de hand.'

'Ik maak me ernstige zorgen om Gwyneth. Telford was stervende toen hij haar in het gezicht heeft gespogen.'

Meneer Hanlon keek verbaasd op, wendde zijn hoofd onmiddellijk weer af. 'Waar heeft Telford haar gevonden?'

'Hij was al bij het kind voordat wij er waren. Ze is ook besmet.'

Hij zweeg, niet omdat hij niets te zeggen had, maar omdat hij niet wist waar hij moest beginnen. Toen: 'Hoewel ik altijd op betere omstandigheden had gehoopt, is het me een eer om je hier uiteindelijk bij me thuis te mogen ontvangen. De naam Addison Goodheart doet je meer recht dan Zoon van Het.'

72

Teague Hanlon, die niet alleen de voogd van Gwyneth was, maar ook de weldoener die Vader een sleutel van de voedselbank en de daaraan gerelateerde kringloopwinkel had gegeven, bleek niet de exclusieve advocaat die ik me oorspronkelijk had voorgesteld. Ooit had hij als marinier aan het front gestreden, maar nu was hij priester en rector van St. Sebastian's, de man tot wie Gwyneths vader en mijn vader zich hadden gewend toen ze in moeilijkheden zaten, de man die de moeder van rechter Gallagher had ingeschakeld om ervoor te zorgen dat het naamloze meisje aan Gwyneth werd toevertrouwd. Bij hem overlapten onze levens elkaar.

In deze afschuwelijke nacht waren we in de kelder van de pastorie achter de St. Sebastian, en pater Hanlon had de priesterboord om die hij droeg als hij in functie was.

Voordat hij had onthuld wie hij was, was ik één brok emotie geweest, en nu stroomde ik van emotie over. Ik ging op de rand van de leunstoel zitten, zocht naar een adequate reactie maar kon aanvankelijk niets bedenken. Ondanks de heftige emoties bleef ik overeind. Nog voor ik kon lopen, had ik me al bekwaamd in het stoïcisme. Ik had alleen maar een momentje nodig om tot mezelf te komen en in die diepe wateren de juiste woorden naar boven te halen.

Ik zei: 'U hebt ons al die jaren van eten voorzien.'

'Dat eten was niet van mij. Dat werd allemaal geschonken.'

'U hebt ons kleren gegeven.'

'Tweedehands spullen, ook allemaal geschonken.'

'U hebt ons geheim bewaard.'

'Dat is wel het minste wat je van een biechtvader mag verwachten.'

'U hebt Vader nooit iets aangedaan.'

'Ik heb zijn gezicht maar een paar keer gezien.'

'Maar u hebt hem nooit kwaad gedaan.'

'Ik kon het maar één keer verdragen hem recht in de ogen te kijken.'

'En u hebt hem geen kwaad gedaan.'

'Ik had mezelf ertoe moeten zetten hem veel vaker te ontvangen.'

'Maar elke keer dat u hem zag, werd u ernstig depressief.'

'Daar had ik al last van voordat ik jou leerde kennen, en de man die jij Vader noemde.'

'Ja, maar alleen al van de gedachte aan ons raakte u in een diepe depressie. Dat hebt u me zelf geschreven. U kreeg nachtmerries van ons, en toch hebt u ons al die tijd onderhouden.'

Hij sloeg zijn handen voor zijn ogen en prevelde iets in het Latijn, niet tegen mij, maar mogelijk in gebed. Ik luisterde, en al begreep ik niet wat hij zei, toch was het me duidelijk dat hij zich ellendig voelde.

Ik kwam overeind, deed een paar passen in zijn richting, maar bleef staan, want ik was zo anders dat het niet aan mij was om mensen te troosten. Integendeel zelfs. Net als die keer toen Vader op genadeloze wijze werd vermoord en ik vanonder een suv lag toe te kijken, voelde ik me tekortschieten, van geen enkel nut, en ik schaamde me voor mijn hulpeloosheid.

De Latijnse woorden verkruimelden in zijn mond en vielen in gebroken lettergrepen van zijn lippen. Hij bleef steken in zijn gebed, haalde hortend en stotend adem en maakte gekwelde geluiden die een uiting konden zijn van verdriet en walging tegelijk.

Gezien de ervaringen die ik in de zesentwintig jaar van mijn leven had opgedaan, kon ik alleen maar bedenken dat mijn aanwezigheid zulke krachtige, ongecontroleerde emoties opriep. Ik zei: 'Ik ga wel weg. Ik had hier nooit moeten komen. Stom. Ik ben stom geweest. En roekeloos.'

'Nee. Wacht. Ik heb een momentje nodig om tot mezelf te komen. Geef me alsjeblieft een kans.'

Hij had ons zoveel gegeven dat ik het aan hem verplicht was om hem willekeurig welke gunst te verlenen.

Toen hij zijn emoties weer onder controle had, liep hij naar de deur waardoor we het huis waren binnengekomen en leek hij de sloten te controleren om er zeker van te zijn dat hij de deur had vergrendeld. Hij bleef staan luisteren naar de storm, met zijn rug naar me toe, en uiteindelijk zei hij: 'Het is een oostenwind, net als de wind die de zeeën spleet.' Hij kreeg kennelijk nog een associatie, en hij citeerde: '"Want wind zaaien zij, maar een wervelwind zullen ze oogsten."'

Hoewel ik heel wat wilde zeggen, wist ik dat ik beter mijn mond kon houden. Zijn hoofd en zijn hart waren met elkaar in tegenspraak, en alleen hij kon ervoor zorgen dat ze weer in balans kwamen.

Hij zei: 'De Noord-Koreanen, althans degenen van hen die nog in leven zijn, hebben een tijdje terug verklaard dat vogels de ziekte niet krijgen maar die wel overbrengen. Het is onmogelijk om alle vogels in quarantaine te stoppen.'

Er zijn films gemaakt en boeken geschreven over asteroïden die hele planeten verwoestten, verhalen waarbij de rillingen je van ontzetting over de rug liepen. Maar uiteindelijk was er geen klomp van een miljoen kilo uit de ruimte nodig om de menselijke beschaving om zeep te helpen. Eén persoon kon uit de weg geruimd worden als hij honing at waaraan slechts een paar druppels nectar van de oleander waren toegevoegd, en de hele mensheid kon op uiterst efficiënte wijze worden uitgeroeid door iets wat nog kleiner was, een nietige bacterie die met kwaadaardige bedoelingen was opgekweekt.

Nog steeds met zijn gezicht naar de deur zei de pastoor: 'Je vader wist niet wat hij was, maar er was dan ook geen enkele reden voor hem om dat uit te vinden. Weet jij wat je bent, Addison?'

'Een gedrocht,' zei ik. 'Een misbaksel, een monster, een gruwel.'

73

De wind rukte aan de kelderdeur waar pastoor Hanlon met zijn gezicht naartoe stond, en alsof hij wist wat er in me omging, zei hij:
'Het lijkt er misschien op dat het de wind is die de stevigheid van
deze deur beproeft, maar in deze nacht aller nachten is het waarschijnlijk iets wat veel erger is dan de wind. Dit zijn niet de tijden
waarover de apostel Johannes in de Openbaring schrijft. Armaged-
don zou het uur van de afschuw én van de glorie zijn, maar er ligt
geen glorie in wat ons te wachten staat, geen laatste oordeel, geen
nieuwe aarde, alleen een bittere tragedie op onvoorstelbaar grote
schaal. Dit is het werk van de mens in al zijn verdorvenheid en zon-
digheid, die zijn honger naar macht in dienst van massavernietiging
heeft gesteld. Waarschijnlijk onderbreken de duisterste geesten in
een nacht als deze hun gewone bezigheden en gaan ze juichend de
straat op.'

De heerlijke koffiegeur werd nu verdrongen door de afgrijselijke
stank van de smeulende marionetten. Ik dacht aan wat Gwyneth
gezegd had toen we het meisje uit het huis met de gele bakstenen
hadden gehaald, en ik zei: 'Zo rook het in het huis van de aartsbisschop toen we de marionetten in de open haard hadden gegooid.
Maar die stank is bedrieglijk. Buiten is niets te zien.'

'Wees daar maar niet zo zeker van,' zei hij, en hij wees naar de deurkruk, die zo woest heen en weer ging dat het niet alleen de wind kon zijn die eraan rukte. 'Wat nu naar binnen wil, zal twijfel zaaien. Wist je dat er in het laatst opgemaakte testament van de kunstenaar Paladine stond dat er een marionet bij hem in zijn doodskist moest worden gelegd?'

'Er waren maar zes marionetten, en Gwyneth heeft ze alle zes opgespoord.'

'Deze was heel anders dan de andere zes. Paladine had hem geheel naar zijn eigen gelijkenis uitgesneden en geverfd, en er wordt gefluisterd dat de gelijkenis verbluffend was. Zijn moeder was de enige van zijn familie die nog in leven was, en zij heeft alles van hem geërfd, een vrouw met ongezonde interesses en vreemde overtuigingen, die ze wellicht op haar zoon had overgebracht. Ze liet hem precies volgens zijn wensen begraven, op een obscure begraafplaats die vooral lieden trekt die graag in ongewijde grond begraven willen worden, aarde die niet door de Kerk is gezegend.'

De walgelijke geur was sterker geworden, en hoewel de deur nu niet meer rammelde en de deurkruk niet meer heen en weer ging, zei ik: 'Misleiding.'

'Je moet leren inzien wat je bent, Addison, zodat je niet langer meer door twijfel verscheurd wordt en niet meer zo kwetsbaar bent.' Hij tuurde naar zijn handen, de binnenkant omhooggericht. 'Twijfel is vergif. Het leidt tot een gebrek aan vertrouwen in jezelf, en in alles wat goed en waar is.'

De wind joeg in hevige vlagen om het huis, en hoewel de pastorie een stevig gebouw was dat al jarenlang menige storm had getrotseerd, kraakte het dak vervaarlijk.

Pastoor Hanlon liet zijn handen zakken en deed een paar stappen in mijn richting zonder me daarbij aan te kijken. 'Je bent geen monster, geen gedrocht, misbaksel of gruwel. Je hebt jezelf wel eens in de spiegel bekeken, neem ik aan.'

'Ja.'

'Vaak?'

'Ja.'

'En wat zag je?'

'Ik weet het niet. Niks. Ik ben er blind voor, denk ik.'

Hij drong aan: 'Waarom wek je zoveel haat en woede op bij anderen? Waarom reageren ze zo heftig?'

'Vader en ik hebben het daar heel wat keren over gehad, maar uiteindelijk kwamen we er niet uit. Het moet iets zijn wat met ons gezicht te maken heeft, vooral met onze ogen, ook met onze handen, iets wat anderen onmiddellijk opvalt als ze ons zien, maar het is iets wat wij zelf niet kunnen zien. Er zijn veel mensen die bang zijn voor spinnen, toch? Maar als spinnen zouden kunnen nadenken, zouden ze absoluut niet snappen waarom ze met zoveel minachting werden behandeld, want spinnen zien niets bijzonders aan elkaar.'

'We zijn al heel dicht bij de waarheid,' zei de pastoor. 'Maar je moet jezelf niet met een spin vergelijken.' Hij liep naar me toe, ging voor me staan, zonder op te kijken. Met beide handen pakte hij een van mijn gehandschoende handen vast. 'De man die jij Vader noemde, heeft me verteld hoe je ter wereld bent gekomen. Je biologische vader was een rusteloos en onverantwoordelijk type, misschien zelfs crimineel van aard, en je hebt hem nooit gekend. Je moeder was weliswaar een beschadigde vrouw maar toch niet geheel verloren. Je bent voortgekomen uit een man en een vrouw, net als wij allen, maar je verschilt op één cruciaal punt van de rest van ons. Mogelijk ben jij ter wereld gekomen omdat er een tijdperk aanbrak waarin iemand als jij nodig was.'

'Wat is dat cruciale punt dan?' vroeg ik. Met ingehouden adem wachtte ik het antwoord af. Ik was me ervan bewust dat ik verschilde van de rest van de mensheid, iets wat een blijvende invloed op mijn leven had gehad, iets waardoor ik een buitenstaander was geworden, al wist ik niet precies waarin ik dan precies van alle anderen verschilde. In deze mysterieuze wereld vormde ik zelf het centrale mysterie van mijn bestaan.

'Hoewel je uit het samengaan van man en vrouw bent voortgekomen, sta je niet in de lijn van Adam en Eva, net als je tweede en betere vader. Door genade die buiten mijn bevattingsvermogen ligt, buiten het bevattingsvermogen van wie dan ook, ben je niet behept met de erfzonde. Je straalt een zekere puurheid uit, een onschuld die anderen ogenblikkelijk aanvoelen, zoals een wolf het spoor van een konijn kan ruiken.'

Ik ontkende dat ik een dergelijke puurheid uitstraalde, maar ik hield mijn mond toen hij me hoofdschuddend in mijn hand kneep.

'Addison, ik durf je niet aan te kijken, en die angst is groter dan waar dan ook voor, omdat ik niet alleen jou zie, maar ook wat je bent en wat ik niet ben. Als ik jou aankijk, kijk ik in mezelf, iets wat ik anders niet zou kunnen. Elk zondig aspect van mijn leven zie ik terug in een bonte caleidoscopische voorstelling van kwalijke momenten uit mijn verleden, meer dan ik uit mijn geheugen zou kunnen opdiepen, ook al zou ik een leven lang mijn geweten kunnen onderzoeken. Als ik jou aankijk, zie ik wat er zou moeten zijn, en ik weet dat ik niet ben zoals ik zou moeten zijn, en ik herken alle keren in mijn leven dat ik de fout in ben gegaan, elke keer dat ik wat onvriendelijk deed, elke keer dat ik gemeen was. Alle leugens en alle zondige gedachten komen ogenblikkelijk en allemaal op hetzelfde moment terug.'

'Nee,' zei ik. 'U bent een goed mens.'

'Misschien een beter mens dan sommige andere, maar verre van volmaakt. In mijn jonge jaren, in die onconventionele oorlog, toen de vijand nooit openlijk zichtbaar was, begon ik soms uit angst te schieten, zonder dat ik wist of er wel voldoende reden was om het vuur te openen...'

'Maar, meneer de pastoor, zelfverdediging...

'... is je nooit aan te rekenen, maar soms wist ik gewoon dat het niet gerechtvaardigd was om te schieten, dat ik moest wachten, dat ik de situatie nader moest analyseren en meer informatie nodig had, maar ik heb dat allemaal naast me neergelegd. Wie zich aan angst overgeeft, begint te twijfelen. In elk hart huist wellust en hebzucht, jongen, en bittere afgunst. Misschien afgunst nog wel het meest, de ergste van alle emoties. Zelfs toen ik al priester was, had ik zondige ambities, verlangde ik naar lof en status, iets wat ik zwaarder liet wegen dan de wens om mensen bij te staan, te redden en te dienen.'

Ik wilde zijn biecht niet aanhoren. Toen ik hem vroeg of hij alsjeblieft wilde ophouden en zijn mond wilde houden, deed hij er het zwijgen toe. Nog steeds hield hij mijn hand vast. Hij trilde. Ik ook. In hevige mate.

Als ik inderdaad van anderen verschilde zoals hij zei, zou ik liever een gedrocht zijn geweest, een monster dat zo lelijk was dat ik anderen door mijn mismaakte gezicht onmiddellijk tot buitensporig geweld aanzette. Het was veel erger om een spiegel voor hun ziel te zijn, om te weten dat als ze me aankeken, ze zich ogenblikkelijk bewust werden van alles wat ze in hun leven fout hadden gedaan, zowel de onbeduidende misstappen als de kapitale vergrijpen, dat ze de pijn voelden die ze anderen hadden aangedaan en dat ze zichzelf doorgrondden op een manier die ze niet geacht werden aan te kunnen tijdens hun leven, een manier die niemand kon doorstaan als hij geen geest was, buiten het aardse leven stond en niet meer in staat was nog meer fouten te begaan.

De pastoor deed zijn hoofd omhoog, en hoewel ik nog steeds mijn capuchon ophad, was er genoeg licht, zag hij mijn gelaatstrekken en keek hij me recht aan. Op zijn gezicht kwam zo'n intense uitdrukking van mentale ontreddering en diep berouw dat ik, hoewel hij niet in woede ontstak, zeer met hem te doen had en het intens betreurde dat ik zo'n ontregelend effect op anderen had. Ik werd bang voor ons allebei.

Geschokt wendde ik mijn blik af. 'U bent de eerste die ik tegenkom die me niet meteen aanvliegt als hij me ziet, of Vader, gewoon door onze verschijning.'

'Het komt door de radeloosheid en de zelfhaat door de fouten die ze zelf hebben begaan dat ze jullie iets wilden aandoen, om een eind te maken aan dat pijnlijke zelfbewustzijn. Ik heb dezelfde aandrang, en ik vecht ertegen, hoewel ik ernstig betwijfel of ik er ooit met dezelfde kracht tegen kan vechten als je moeder deed. Acht hele jaren.'

Met die woorden wierp hij een nieuw licht op mijn jeugd en mijn moeder, en met ontsteltenis zag ik haar nu als een vrouw die zo'n hoogstaande moraal had – en zoveel van me hield – dat ze probeerde de intense geestelijke en emotionele kwelling te doorstaan die pastoor Hanlon net had beschreven.

'En als je moeder iets van een heilige in zich had, zou je kunnen stellen dat de vader van Gwyneth ook een heilige was. Hij verdroeg haar niet alleen dertien jaar om zich heen, maar hij hield ook zielsveel van haar en zou het nog veel langer hebben volgehouden als hij niet was vermoord.'

Het huis kraakte in al zijn voegen, de wind rukte zo hard aan de kelderdeur dat het leek of de scharnieren het elk moment konden begeven, de deurkruk ging rammelend heen en weer, maar op dat ogenblik van inzicht maakte het me niet uit wat daarbuiten rondraasde of zich op ons zou kunnen storten.

74

Mijn levensgeschiedenis is het soort verhaal waarin namen er eigenlijk niet toe doen, en volledige namen al helemaal niet, alle voornamen plus de achternaam, althans niet voor elke persoon die ten tonele verschijnt. Als een verhaal als dit niet in de eerste maar in de derde persoon verteld zou worden, door een schrijver die twee eeuwen eerder geleefd had, dan zou hij of zij nog minder namen hebben gebruikt dan ik, en sommige personages zouden alleen zijn aangeduid met hun beroep, zoals Aartsbisschop of Pastoor. Als er in die tijd een koning ten tonele werd gevoerd, heette die alleen maar Koning, en de koningin zou de naam Koningin dragen, meer niet, en de dappere kleine kleermaker zou in het verhaal Kleine Kleermaker hebben geheten. In een nog verder verleden zouden dieren alle rollen in het verhaal hebben vervuld, en ze zouden zijn aangeduid met wat ze waren, bijvoorbeeld Schildpad en Haas, Kat en Muis, Lammetje en Visje, Kipje en meneer Vos. Dat deed men toen zo, omdat het leven in die tijd eenvoudiger was en men nog duidelijk voor ogen had wat goed en kwaad was. Ik zal die lang vervlogen tijd het Tijdperk van Helderheid noemen. Geen schrijver zou het nodig hebben geacht de jeugdtrauma's van de schurk van het verhaal nader te belichten om aan te tonen hoe slecht hij wel niet was, omdat het algemeen bekend was dat het leiden van een verdorven leven een keuze was die iederéén zou maken die een verdorven bestaan boven de waarheid stelde. Ik heb zesentwintig jaar in de Moderne Tijd geleefd, waarin men stelde dat de psychologie van de mens zo'n complexe zaak was en de menselijke beweegredenen zo cryptisch en zo moeilijk te doorgronden waren, dat alleen deskundigen ons konden uitleggen waarom mensen deden wat ze hadden gedaan, en uiteindelijk wilden de deskundigen liever geen definitief oordeel vellen over de daden die iemand had gepleegd. Maar hoewel dit een verhaal óver de Moderne Tijd is, heb ik het niet vóór de mensen uit die periode geschreven. Hoewel we weten wat Gwyneths vader heeft gedaan, en dat hij een onvoorwaardelijke liefde voor haar koesterde, en hoewel ik hem tot nu toe niet met een naam heb opgezadeld, lijkt het me dat ik toch zijn naam moet noemen, juist omdat de man niet kenmerkend voor zijn tijd was, geen symbool, en ook om aan te geven dat hij een baken was in een steeds duisterder wordende wereld. Achternamen doen er niet meer zoveel toe, dus ik zal alleen zijn voornaam noemen: Bailey. De naam komt van het Middel-Engelse woord *baile*, wat 'de buitenste muur van een kasteel' betekent.

Bailey was in de verloskamer aanwezig toen zijn dochter werd geboren en zijn vrouw in het kraambed overleed. De reacties van de dienstdoende arts en verpleegsters waren niet zo heftig als die van de vroedvrouw en haar dochter die bij mijn geboorte hebben geholpen, maar Bailey voelde bij het ziekenhuispersoneel wel degelijk een vreemde spanning en een zekere antipathie jegens de baby, niet zoiets hevigs als afschuw, maar meer een bepaald ongemak, een gebrek aan tederheid en sympathie, bijna alsof ze het kind stilzwijgend uit de weg gingen.

Zijn geliefde vrouw was overleden. Hij werd een speelbal van tegenstrijdige emoties, van verdriet en blijdschap, die geen van beide op dat moment echt gepast waren, maar omdat hij mensen altijd goed had kunnen inschatten, ging hij ook nu op zijn intuïtie af. Wat het medische team in lichaamstaal en handelingen uitstraalde, verwarde hem eerst, en vervolgens begon hij zich zorgen te maken. Als de arts en de verpleegsters niet zo waren ontdaan door de dood van zijn vrouw en de onsuccesvolle poging om haar te reanimeren, en als ze zich vol overgave op het kind hadden gericht, zo vermoedde hij, dan zou hun reactie op de kleine Gwyneth misschien zelfs nog minder liefdevol zijn geweest. Hij hield zich voor dat ze geen enkele reden hadden om iets tegen het kind te hebben, een prachtig en hulpeloos en bijzonder sereen meisje, en dat zijn bezorgdheid voor de veiligheid van het kind enkel een reactie was op de onverwachte en verpletterende dood van zijn vrouw. Maar hij geloofde zijn eigen verklaring maar half.

De ingebakerde baby was in een kuipje gelegd, een soort capsule van email, om gewogen te worden en daarna overgebracht te worden naar de kraamafdeling. Zo gauw bleek dat de pogingen om zijn vrouw te reanimeren geen zin meer hadden, liet Bailey haar hand los en ging hij naar zijn dochtertje. Toen hij haar in zijn armen nam en in haar nog ongerichte ogen keek, kende hij zichzelf in een mate waarin hij zichzelf nog nooit had gekend, en hij kreeg zoveel berouw van bepaalde dingen die hij in het verleden had gedaan dat hij bijna wilde gaan knielen.

Hij verzette zich tegen de vloedgolf aan emoties, en met zijn immer scherpe geest probeerde hij te bedenken hoe het kon dat Gwyneth zo'n overdonderende invloed op hem had. Volgens pastoor Hanlon was Bailey niet alleen een goed mens maar ook buitengewoon eerlijk en respectabel, succesvol zonder zich daarop te laten voorstaan. Als hij corrupt was geweest, of gewetenloos en ambitieus in zijn pogingen zo rijk mogelijk te worden, zou hij misschien zoveel ernstige redenen voor berouw hebben gehad dat hij het meisje op haar hoofd zou hebben laten vallen, onmiddellijk en ter plekke, en als excuus hebben aangevoerd dat hij enorm van slag was door de dood van zijn vrouw. Maar in plaats daarvan hield hij haar stevig vast, ervan overtuigd dat ze buitengewoon dierbaar was, niet alleen doordat ze zijn dochter was, maar ook om redenen die hij niet kon uitleggen.

Het effect dat ze op hem had, weet hij mogelijk aan een of andere bovennatuurlijke gave die ze had, maar waarvoor ze nog te jong was om die te kunnen hanteren. Misschien was ze een telepaat of een empaat, als dat woord bestond, een helderziende of iemand die gedachten kon lezen. Hij wist niet welke van die mogelijkheden het geval was, en óf dat überhaupt het geval was, maar hij wist wel dat ze iets bijzonders had. Hij dacht dat het explosieve gewetensonderzoek dat ze bij hem had teweeggebracht, waarschijnlijk niet hetzelfde was wat de arts en de verpleegsters hadden ervaren. Als hun iets was overkomen dat zo overweldigend en intens was, zouden ze veel heftiger hebben gereageerd, niet stil en ontwijkend, maar veel vijandiger. Toen Gwyneth nog met de navelstreng verbonden was met haar moeder, zo dacht hij, en in de onmiddellijke minuten nadat die was doorgesneden, had ze misschien een minder sterk effect op anderen als toen ze zelf was gaan ademen en haar hart niet langer gelijk op ging met dat van haar moeder en de elektrische hersenactiviteit steeds levensvatbaarder werd.

Een deel van het ziekenhuispersoneel vond Bailey excentriek, en de rest vond hem hooghartig toen hij erop stond dat zijn dochter niet naar de kraamafdeling werd overgebracht, maar dat ze een eigen kamer moest krijgen waar hij bij haar kon zijn en haar kon verzorgen, bijgestaan door een verpleegster. Maar ondanks het feit dat men hem excentriek of hooghartig of zelfs geestelijk labiel vond door het verdriet dat hij had te verwerken, werd hij met respect behandeld en werden zijn eisen ingewilligd omdat iedereen hem zo aardig vond, en eigenlijk vooral doordat zijn stichting miljoenen aan het ziekenhuis geschonken had. Niemand van het personeel of het bestuur wilde riskeren dat het ziekenhuis al die miljoenen in de toekomst zou mislopen.

Zo gauw hij kon, belde Bailey pastoor Hanlon op, de priester van zijn parochie. Zonder zich nader te verklaren, vroeg hij of de pastoor een buitengewoon vrome non kende, iemand die al vroeg in haar leven de geloftes had afgelegd en wier ervaringen van de wereld grotendeels beperkt waren tot haar klooster en tot het gebed, het liefst iemand die was toegetreden tot een contemplatieve en geen actieve orde, vooropgesteld dat zo iemand überhaupt toestemming kreeg om het klooster te verlaten. Bailey wilde dat zo'n betrekkelijk onschuldig persoon diezelfde avond nog naar het ziekenhuis kwam om hem met de zorg voor zijn pasgeboren dochter zonder moeder te helpen, want hij vertrouwde geen enkele verpleegster en wilde het kind niet alleen met iemand van het ziekenhuispersoneel in een kamer laten.

Ook in die tijd al waren er in de stad steeds minder religieuze ordes dan in het verleden. Het aantal nonnen dat in kloosters te vinden was, was minder dan in het verleden, toen de kerk nog meer invloed had. Maar dankzij Baileys vrijgevigheid en de overredingskracht van pastoor Hanlon viel de keuze op zuster Gabriël van de Zusters van Liefde van de Heilige Augustinus, hoewel ze niet tot een contemplatieve maar tot een actieve orde behoorde. Ze was een rustige ziel, die toch bekend was met de wereld en die zo goed kon omgaan met zelfs de meest wereldlijke types dat iedereen het prima vond wat ze deed.

Bovendien was zuster Gabriël als gevolg van haar meditatie en contemplatie een mystica met een bewustzijn dat de vijf zintuigen ontsteeg. Toen ze Gwyneth zag, raakte ze even van slag, maar ook ontsproot er een grote blijdschap in haar hart, zodat ze de verzengende introspectie kon verdragen die alleen al door het aangezicht van het kind werd opgewekt en er tegelijkertijd door verheven werd. Al op de derde dag nadat het kind geboren was, zei de non tegen Bailey dat zijn dochter in een staat van absolute puurheid ter wereld was gekomen, dat ze op de een of andere manier niet belast was met de erfzonde die de eerste mens in het paradijs aan de rest van de mensheid had doorgegeven. Hoe dat kon, wist zuster Gabriël niet, aangezien het duidelijk was dat Gwyneth was voortgekomen uit het samengaan van een man en een vrouw, maar ze was er zo van overtuigd dat, zou ze van de moeder-overste te horen hebben gekregen dat ze de dingen niet in het juiste perspectief zag en dat het een zonde was om aan haar idee te blijven vasthouden, ze er toch geen afstand van gedaan zou hebben, omdat dit een waarheid was die haar tot in haar diepste wezen raakte. Ook Bailey wist dat het waar was, het moment dat ze het hem vertelde.

Gwyneth werd van het ziekenhuis overgebracht naar huis, en zuster Gabriël kwam elke dag langs om met de zorg voor het meisje te helpen. Na vier jaar vond ze dat Bailey het wel alleen af kon, omdat Gwyneth intellectueel en emotioneel ver op haar leeftijdsgenoten voorliep en ze zich bewust was van de grootse gave van haar onschuld, van de noodzaak die gave te koesteren, terwijl ze tegelijkertijd wist hoe moeilijk dat zou zijn en dat de wereld vijandig stond tegenover iemand als zij. Zuster Gabriël koos daarna voor een contemplatief en beschermd kloosterleven en waagde zich nooit meer buiten de muren van het klooster.

In die vier jaar was Bailey zo vaak ongewild geconfronteerd geweest met zijn geweten, iets wat gebeurde als hij alleen al naar het meisje keek, dat hij een grondig inzicht kreeg in zichzelf en in de fouten die hij in het verleden gemaakt had. Hij bereikte een staat van perfecte boetedoening, zodat hij het fijn vond om haar om zich heen te hebben, en zij genoot ook van zijn gezelschap, zoals normaal is voor de band tussen vader en dochter.

Tegen die tijd had hij zich uit zijn makelaardijpraktijk teruggetrokken en had hij zijn investeringen herverdeeld zodat het beheren ervan grotendeels aan anderen overgelaten kon worden. Hij richtte zich meer op Gwyneth en startte curieus genoeg een tweede carrière als schrijver, onder pseudoniem. Hij had daar ontzettend veel succes mee, ondanks het feit dat hij nooit aan promotietours en publiciteitscampagnes meedeed.

Als verklaring voor Gwyneths teruggetrokken bestaan, bijna als een non, vertelde Bailey het personeel, vrienden en bekenden dat zijn dochter kwakkelde met haar gezondheid en een gevaarlijke immuunziekte had. In werkelijkheid was ze nooit ziek en had ze zelfs nog nooit een griepje of hoofdpijn gehad. Later zei hij dat ze een sociale fobie had, al was dat niet waar. Het meisje vond het juist heerlijk om alleen te zijn en wierp zich op literatuur, muziek en stu-

die. Net als haar vader geloofde ze dat haar leven er een in af-
wachting was, dat er ooit een dag zou aanbreken waarop haar le-
vensdoel duidelijk zou worden, en dat ze ondertussen geduld moest
betrachten.

Toen ze ontdekte hoe ze haar ware aard kon verhullen en gewoon naar buiten kon gaan, wilde haar vader daar eerst niets van
weten. Maar Gwyneth was een vasthoudend type, en ze liet zien
dat het kon lukken wat ze voor ogen had. In tijdschriften zag ze foto's van de Paladine-marionetten en herkende daarin het kwaad.
Dat was het perfecte masker waarmee ze haar ware aard verborgen
kon houden, zodat anderen haar niet al te lang zouden aanstaren.
Als het haar zou lukken niet aangeraakt te worden, om te voorkomen dat anderen erachter kwamen wat ze was, kon ze voorzichtig
naar buiten gaan. Tot dan toe had ze praktisch haar hele leven tussen de muren van het huis doorgebracht.

Toen ik vroeg waarom ze het uiterlijk van de marionetten had
gekopieerd, zei ze dat ze dat deed om haar sociale fobie te over-
winnen, dat ze het nodig achtte iets agressiefs uit te stralen. Ze was
bang voor anderen, en dacht dat ze iedereen op afstand kon houden als ze een beetje angstwekkend overkwam. Destijds wist ik dat
dat niet het hele verhaal was en dat ze iets voor me verborgen hield.
Het ware verhaal was dat zij en ik van hetzelfde laken een pak waren. Ik bleef overdag weliswaar ondergronds en kwam alleen
's nachts boven de grond, zij kon zich veilig door de stad bewegen
door haar ware aard achter een dikke laag make-up te verbergen.
Dat ze zulke vreemde, verontrustende ogen had, zwart met rode radiairen, net als de ogen van de marionetten, was het gevolg van het
feit dat ze contactlenzen droeg, geen sterkte omdat ze van zichzelf
prima kon zien, speciaal voor haar vervaardigd door een bedrijf dat
allerlei accessoires produceerde voor de film- en toneelwereld, en
ook voor het groeiend aantal mensen dat hun saaie alledaagse leventje wilde ontvluchten door zich op een speciale manier uit te
dossen, niet alleen om zich uit te leven in een bepaalde fantasie of
om naar bijeenkomsten van fans van bepaalde games te gaan, maar

ook steeds meer om hun leven buiten de kantooruren gestalte te geven.

Veel daarvan hoorde ik van pastoor Hanlon in de kelder van de pastorie, terwijl het huis om ons heen kraakte en de storm aan de deur rammelde, als het tenminste de storm was en niet een monsterlijke hand. Later vertelde Gwyneth me zelf ook nog het een en ander over haar levensgeschiedenis.

Ik zat nog steeds met een aantal vragen. Zeker niet de minst urgente was: *wat nu?*

Dit was misschien niet de laatste winter van de wereld, maar het zag ernaar uit dat het naar alle waarschijnlijkheid wel de laatste winter was die de inwoners van de aarde zouden meemaken. De epidemie die vanuit Azië door mens en vogel was verspreid, had mogelijk een effectiviteit van honderd procent onder degenen die besmet werden. Als we inderdaad waren wat we nu geloofden dat we waren, hadden we niets te vrezen van de ziektes van deze gevallen wereld.

Ik vroeg: 'Als Gwyneth en ik – en het kind – niet zullen sterven aan wat die idioten de wereld in hebben gestuurd, wat is dan onze toekomst en hoe moeten we die zekerstellen?'

Pastoor Hanlon kreeg geen kans om te reageren, want op dat moment kwam Gwyneth terug met het meisje.

75

Gekleed in een trui en jeans en gympen, met een jas over een arm geslagen, kwam het naamloze zesjarige meisje de keldertrap afgelopen, helemaal bij kennis, met een brede glimlach om haar mond. Aan niets was meer te zien dat ze jarenlang in coma had gelegen. Haar lieve glimlach leek de storm het stilzwijgen op te leggen, of wat het ook was wat toegang tot het huis probeerde te krijgen, want de deur hield op te rammelen en de pastorie kraakte niet meer.

Achter het kind verscheen Gwyneth, in dezelfde kleding als eerst, maar nu zonder de make-up. Ze straalde geen licht uit zoals de Helderen, maar ik kan je wel vertellen dat ze desalniettemin straalde, want er bestaat geen ander woord om de wattage van haar schoonheid aan te geven, haar huid zo helder als regenwater, ogen die in deze winter van de wereld een zomerse hemel weerkaatsen, en ze straalt dan wel geen licht uit, dit meisje van vlees en bloed, maar stralen doet ze wel. De slangenpiercing in haar neus was verdwenen, de rode kraal in haar mondhoek ook, en haar lippen waren niet meer zwart, maar rozerood, de tint die je ook wel bij rozen ziet.

Over het kind zei Gwyneth: 'Ze heet Moriah', en toen ik vroeg hoe ze dat wist, antwoordde het kind: 'Dat heb ik haar verteld.' Toen ik Moriah vroeg: 'Weet je wat er met je gebeurd is?', antwoordde ze: 'Nee, van het verleden weet ik niets meer', en ik zei: 'Hoe kun je je dan herinneren hoe je heet?' Ze zei: 'Dat kon ik me niet herinneren. Ik kreeg het ingefluisterd vlak nadat ik bij kennis kwam, een woord in mijn hoofd, *Moriah.'*

Pastoor Hanlon deed zijn ogen dicht, alsof het aangezicht van ons drieën hem te veel werd, hoewel zijn stem niet trilde toen hij zei: 'Addison, Gwyneth en Moriah.'

Gwyneth kwam op me af, ging voor me staan en keek me aan. Mijn gezicht lag in de schaduw van mijn capuchon verborgen.

'Sociale fobie,' zei ik.

'Niet gelogen. Ik was echt bang voor mensen, voor waar ze toe in staat waren. Mijn sociale fobie was geen geestelijke aandoening, maar een keuze.'

We hadden de wereld meer via boeken dan via direct contact met anderen leren kennen, zij gedurende het grootste deel van haar acht-tienjarige leven en ik in mijn zesentwintigjarige leven. Het zou geen verbazing hoeven te wekken dat we grotendeels dezelfde werken hadden gelezen, iets wat we daar in de kelder van de pastorie ont-dekten.

Toen ze het koordje onder mijn kin begon los te trekken, raak-te ze mijn gezicht aan, en een nieuw licht drong in mijn hart door. Met haar zachte, liefdevolle stem begon ze een gedicht van Poe op te zeggen, een van de laatste die hij had geschreven. '"Gaily bedight, A gallant knight, In sunshine and in shadow…"'

Ik vulde aan: '"… Had journeyed long, Singing a song, In search of Eldorado."'

Toen ze het touwtje had losgetrokken, bracht ik een hand naar de capuchon om hem op zijn plaats te houden, omdat ik het plot-seling niet aandurfde om me in het volle licht aan haar te laten zien. Ik vond het moeilijk te geloven dat ik was wat pastoor Hanlon had gezegd dat ik was, en het was veel makkelijker om ervan uit te gaan dat ik een monsterlijk schepsel was, zo afzichtelijk dat een neerge-stoken man die op straat lag dood te gaan mij meer haatte en vrees-de dan de dood.

Ze ging van de eerste stanza van 'Eldorado' over naar de vierde en laatste. "'Over the Mountains of the Moon, Down the Valley of the Shadow, Ride, boldly ride, The shade replied, If you seek for Eldorado.'"

Ik liet mijn hand zakken, en zij trok de capuchon naar achteren. 'Je bent in alle opzichten wonderschoon,' zei ze, 'en je zult voor altijd wonderschoon blijven.'

Geheel vervuld door verwondering zoende ik haar mondhoek, waar het kraaltje had gezeten, en ook de neus waar ze een slangenpiercing had gehad, en haar ogen, die ze niet langer hoefde te verbergen voor een vijandige wereld, en haar voorhoofd, waarachter ze leefde en verlangde en droomde en God kende, en mij liefhad.

76

Zoals altijd het geval leek te zijn: tegen de tijd dat ik me kon voorstellen hoe de nabije toekomst eruit zou komen te zien, wist Gwyneth al wat daarna zou komen, en wat daar weer na, en daarna. Wat haar vooruitziende blik en wijze planning betrof, was het typisch een dochter van haar vader. Voordat ze me in de Land Rover ophaalde bij de vijver in Riverside Commons, nu meer dan acht uur geleden, had ze telefonisch een afspraak in The Egyptian gemaakt, had ze haar voogd verteld dat we eraan kwamen, met het kind, midden in de nacht, en had ze laten doorschemeren dat hij misschien uit hoofde van zijn functie iets zou moeten doen, ook al kwam het misschien wat overhaast over.

Ik was zeer vereerd en dolblij toen Gwyneth op mijn aanzoek inging, en het begon me te duizelen toen ze een gouden halskettinkje afdeed waaraan een ring hing die van een spijker was gemaakt. Óf de spijker was heel oud en afgesleten, óf de punt was rond gevijld. De spijker was tot een perfecte cirkel omgesmeed, en op de kop, die qua vorm de vatting voor een diamantje had, was een kleine lemniscaat gegraveerd, het symbool voor oneindigheid. De kunstenaar, Simon, had het sieraad voor haar gemaakt, omdat hij geloofde dat ze hem had bevrijd van de zelfkruisiging van zijn verslaving.

In een bijgevoegd briefje schreef hij dat ze ooit een man zou ontmoeten die zoveel van haar zou houden dat, als ze door zijn opoffering voor de dood gespaard bleef, hij de spijker recht zou maken en die door zijn eigen hart zou slaan.

'Simon was niet alleen zeer begaafd, maar ook zeer melodramatisch van aard,' zei ze. 'Maar gelijk had hij wel.'

Pastoor Hanlon begon net uit te leggen dat alles op uiterst eenvoudige wijze voltrokken moest worden, toen er boven ons uit het huis een keihard geraas klonk, gevolgd door het ijle gekletter van versplinterend glas, alsof niet één raam maar drie of vier tegelijkertijd sprongen.

Zelfs Gwyneth met haar vooruitziende blik had zo'n frontale aanval op dit late tijdstip niet zien aankomen.

Pastoor Hanlon keek bezorgd naar het plafond van de kelder en zei: 'De deur boven aan de trap kan in de keuken worden afgesloten, maar niet vanaf deze kant.'

Ik pakte een stoel van chroom en rood vinyl, die ooit misschien tot een eetkamerset behoord had, en liep snel naar de trap. Bovenaan zag ik gelukkig dat de kelderdeur naar binnen toe openging. Ik zette de stoel op zijn achterpoten en schoof de rugleuning onder de deurkruk, waardoor de deur werd gebarricadeerd.

Tegen de tijd dat ik weer beneden was, klonken er zware voetstappen in de vertrekken boven ons. Eerst stommelden ze een kant op, daarna een andere kant, alsof de indringer dronken was, of gedesoriënteerd.

'Wie is dat?' vroeg Moriah. 'Wat moet die in huis?'

Ik wist het niet, had geen idee, maar naar de grimmige blik in Gwyneths ogen te oordelen had zij in elk geval een sterk vermoeden.

Tussen het oude meubilair dat in de kelder was opgeslagen, stond een bidbankje dat eerst in de sacristie van de St. Sebastian had gestaan, totdat het op een gegeven moment was vervangen door een nieuw exemplaar. De gestoffeerde knielbank bood plaats aan twee. Pastoor Hanlon stond aan de andere kant ervan, zijn gezicht afgewend, zijn stem krachtig en vol.

Boven ons in het huis viel iets met donderend geraas om, misschien een dressoir of een grote ladekast, en stof dwarrelde tussen de vloerbalken door op ons neer.

Het was uiteraard niet mijn bedoeling de huwelijksceremonie uit te stellen, maar als dit de laatste uren van de wereld waren zoals we die gekend hadden, was niets minder belangrijk dan het was geweest, en eigenlijk was alles belangrijker dan eerst. Daarom zei ik tegen de pastoor: 'Weet u zeker dat we hier goed aan doen? Ik ben niet van uw Kerk.'

'Door je aard ben je van alle kerken en heb je er geen nodig,' zei hij, zonder me aan te kijken. 'Nooit heb ik met minder twijfel een huwelijk ingezegend dan nu.'

Het huis werd als het ware ontdaan van zijn ingewanden. Het klonk alsof er boven ons hoofd dwars door schot- en pleisterwerk bedrading werd losgetrokken, als darmen die dwars door kraakbeen en vlees uit het lichaam werden gerukt. Ik zag voor mijn geestesoog iemand op een kroonluchter springen en er met zijn volle gewicht aan gaan hangen, bungelend als een dolle aap, en ook zag ik de kristallen wild tegen elkaar tikken en als glazen granaten op de grond vallen, terwijl de schakels van de kettingen krakend werden kapotgetrokken en de schroeven aan het plafond ploppend uit de kabeldoos vlogen. Weer schudde het gebouw op zijn grondvesten, alsof er iets zwaars omviel. De lichten verflauwden, flakkerden, en joegen grillige schaduwen als motten door de kelder, maar de lampen bleven uiteindelijk branden.

'Addison, verklaar je Gwyneth aan te nemen tot je wettige echtgenote, in overeenstemming met de regels van de heilige moederkerk?'
'Ja.'

Terwijl de huwelijksceremonie werd voltrokken, leek het of er boven ons een groep psychopaten aan het werk was, slopers met mokers en koevoeten die ramen verbrijzelden, hout versplinterden, vloeren openreten, meubels met destructief genoegen kapotgooiden. We hoorden een serie harde knallen, niet alsof er bommen ontploften, maar alsof straaljagers de geluidsbarrière doorbraken, alsof er grote menigten bezoekers uit een ver koninkrijk werden aangevoerd die met grote vaart door het huis denderden, waarbij elke keer dat iemand binnenkwam reusachtige handen begonnen te klappen. Maar hoewel het boven een hels kabaal was, riep niemand iets, werd er niet gevloekt, schreeuwde niemand het van woede uit, alsof er wezens bezig waren die nooit iets zeiden, behalve om anderen om de tuin te leiden, wezens die op dit late uur van de wereld geen enkele reden hadden om nog langer te liegen, geen doel voor hun tongen.

Ondanks het denderend geraas klonken onze stemmen helder, en al snel zei Gwyneth: '... in voor- en tegenspoed, tot de dood ons scheidt.'

Uiteindelijk ging een van de monsters die de pastorie kort en klein sloegen, naar de gebarricadeerde deur boven aan de keldertrap en rukte er wild aan. De deur rammelde heftiger dan de buitendeur daarvoor had gedaan. Er klonk een hels kabaal toen de deurkruk knarsend tegen het chroom van de rugleuning drukte. Met het geluid van bot in de kom van een tot leven gekomen skelet ratelden de draaipennen in de scharnieren, en de vergrendeling rammelde in de klink die aan de deurpost was bevestigd.

De pastoor sprak geheiligde namen om de ceremonie te bezegelen, waarmee hij Gwyneth en mij met elkaar in de echt verbond, zodat we elkaar tot steun konden zijn in wat er voor ons lag. Wij tweeën waren nu één, altijd één voor de rest van ons leven op aarde en daarna.

Snel kwamen we overeind. Moriah deed haar jas aan, gehaast, mogelijk omdat ze bang was, en liep naar de luiken die naar buiten voerden. Pastoor Hanlon volgde ons, door strepen van licht en schaduwen, terwijl er stof tussen de planken boven ons neerdaalde, en het leek of dat gebeurde om onze nederige afkomst te benadrukken. We bleven staan, en Gwyneth legde haar armen om de pastoor en zei dat ze van hem hield. De pastoor werd niet alleen gekweld door dit gebaar, maar er ook door verheven, en hij straalde niet alleen angst en verdriet uit, maar ook hoop. Ik zei dat hij met ons mee moest gaan, en hij zei dat dat niet ging en dat hij wilde blijven om de stervenden te ondersteunen.

Hij gaf me een verzegelde envelop en zei dat er een schat in zat, en ik stopte die in een binnenzak van mijn jas, bij de envelop met de enige spullen die ik uit mijn drie raamloze kamers had meegenomen.

De luiken leidden naar buiten, waar dwarrelende sneeuwvlokken door een ijskoude wind werden voortgeblazen. We beklommen het trapje, sprintten over de achterplaats en durfden niet achterom te kijken om te zien wat voor vaal schijnsel er nu achter de eerst nog donkere ramen van de pastorie brandde en wat voor groteske vormen en spookachtige schaduwen er achter het glas opdoemden.

Toen we met z'n drieën veilig in de Land Rover zaten, reed Gwyneth achteruit het steegje in, en heel even had ik zicht op de binnenplaats tussen de garage en de muur die het geheel omheinde, de binnenplaats waar we net nog overheen hadden gerend. Sneeuw viel massaal neer, werd door de grillige wind in vreemde kronkelende vormen geblazen; licht en schaduw werkten op de fantasie, die de werkelijkheid tot complete legioenen demonen kon omvormen, maar ik ben ervan overtuigd dat wat ik zag dat ons achtervolgde net zo echt was als de sneeuw waar het doorheen ploegde.

Als het inderdaad een man was, was het een dode met vaalgele ogen die in rafelige vodden gekleed ging. Hier en daar staken versplinterde botten door de kleren heen, als stokjes en strootjes die tussen de scheuren in het pak van een vogelverschrikker staken. Als het inderdaad een dode man was, was het de kunstenaar Paladine, want in de gebogen rechterarm lag, lastig te zien door de ziedende sneeuwstorm, mogelijk een marionet. Als het inderdaad een marionet was, en geen illusie, dan zaten er aan zijn houten handen geen touwtjes waar je aan kon trekken, en toch bewoog de levensgrote pop.

Gwyneth zette de versnelling in drive. De ronddraaiende banden spoten stralen dichtgepakte sneeuw naar achteren, maar toen kregen de wielen grip op de weg. We stoven weg, een stad in vol geesten en schimmen. De hoge torenflats glommen in het nachtelijk duister, maar in de diepte lag een donkere afgrond.

77

Gwyneth draaide een brede avenue op, waar wolkenkrabbers naar een hemel reikten die buiten hun bereik lag en die door de hevige sneeuwval naar boven toe vervaagden. Voor ons strekte zich een praalvertoning uit die zijn weerga niet kende, een tableau vivant met duizenden, tienduizenden oplichtende spelers, wonderbaarlijk en betoverend, maar tegelijkertijd straalde het geheel zo'n gruwelijk drama uit dat de rillingen me over de rug gleden.

Ze had ze natuurlijk altijd al kunnen zien, en nu zag ze ze ook, en daarom minderde ze vaart. Op de oudere torenflats, het soort dat nog door metselaars was opgebouwd, stonden de Helderen zij aan zij op elke richel, oplichtend in hun groene en blauwe en witte operatiekleren, als kaarsen in eindeloze rijen kandelaars, en in de gebouwen van staal en glas stonden ze bij elk raam, op elke besneeuwde richel. Ook op de daken van de lagere gebouwen stonden de Helderen, en op luifels van bioscopen en hotels, op de stenen timpanen boven grote toegangspoorten. Ze keken naar beneden, naar de straat, menigtes met ernstige gezichten, getuigen die toekeken tot er niets meer was waar ze getuige van konden zijn. Zonder daarvoor bewijs te hebben, wist ik dat ze ook op andere avenues en in zijstraten te zien waren, op de daken en in de bomen van woonwijken, in andere dorpen en steden en landen, overal waar mensen ziek zouden worden en zouden sterven.

Vanaf de achterbank zei Moriah: 'Ik ben bang.'

Ik kon niets verzinnen om haar angst weg te nemen. In de uren die ons nog in deze wereld restten, was angst niet te vermijden, angst en berouw en verdriet, en hevige, wanhopige liefde. Overspoeld door dergelijke emoties remde Gwyneth af. De Land Rover kwam midden op straat tot stilstand. Toen ik het portier opendeed en uitstapte, werd ik door een dodelijke vrees overvallen. Rondom me in de hoogte zag ik duizenden staan die naar beneden keken.

Ongehoorzaamheid was er de reden van dat tijd ontstond, zodat levens daarna tot een einde konden komen. Toen Kaïn Abel vermoordde, kwam er weer iets nieuws bij, de wil om macht uit te oefenen door anderen onder druk te zetten en te bedreigen, de macht om een eind aan hun leven te maken en te heersen door anderen bang te maken. De dood, eerst nog een genade en een overgang naar een leven zonder tranen, verloor de heilige glans en werd tot een bot wapen in de handen van wrede mannen. En hoewel het bloed van Abel ooit uit de aarde had opgeklonken, waren we na zoveel millennia aanbeland in een tijdperk waarin er zoveel bloed was verspild dat de aarde ermee doordrenkt was en vers bloed niet langer een stem uit de aarde deed opklinken.

Ik keek om mee heen, omhoog naar de oplichtende menigtes, en ik sprak tot hen vanuit mijn hart, omdat ik wist dat ze mijn hart nog duidelijker zouden kunnen horen dan mijn stem. Ik herinnerde hen aan de vele miljoenen kinderen, aan de vaders die hen liefhadden en de moeders die hen koesterden, aan de eenvoudigen van geest die in hun diepste wezen onschuldig waren, aan de nederigen van aard en de mensen die zo goed en zo kwaad als dat ging een sober en integer leven leidden, mensen die van de waarheid hielden, ook al lukte het hen niet altijd om naar die waarheid te leven, mensen die elke dag een ideaal nastreefden dat ze misschien nooit zouden verwezenlijken, maar waarnaar ze wel verlangden. Er bestond haat tussen de mensen, maar er was ook liefde, bittere afgunst maar ook vreugde om het geluk van anderen, hebzucht maar ook liefdadigheid, woede maar ook mededogen. Maar hoe ik ook mijn best deed om de mensheid te verdedigen, ik wist dat dit oplichtende gehoor niet zou voorkomen wat stond te gebeuren, dat misschien ook niet wilde voorkomen, en nu we het zover hadden laten komen, konden ze ons niet redden maar slechts toekijken. De wereld dreef op onze vrije wil, en als ze van de richels en daken naar beneden zouden komen om datgene teniet te doen wat in gang was gezet, zouden ze de mensheid de vrije wil afnemen, waarna we slechts nog robots zouden zijn, golems met een hart van leem en met slaafse geesten. Als sommigen ervoor kozen om al het menselijk leven van de aardbodem te vagen en als anderen van goede wil niet alle noodzakelijke stappen ondernamen om zich tegen een dergelijke waanzin te wapenen, was duidelijk wat er zou volgen, zoals het ook onontkoombaar is dat er donderslagen op weerlicht volgen. Deze oplichtende menigtes keken niet naar beneden vanuit een wreed soort onverschilligheid, maar met liefde en erbarmen en verdriet dat misschien nog wel groter was dan al het verdriet dat de komende dagen over de stervende aarde zou gaan.

Mijn gezicht was verstrakt door bevroren tranen toen ik vanuit een ooghoek iets op straat zag bewegen. Een Heldere was nedergedaald om drie kinderen naar me toe te brengen van nauwelijks vijf jaar. Ik herkende ze aan hun blauwe plekken en hun littekens, aan het feit dat ze vel over been waren, het gevolg van een gebrek aan voedsel. De tweelingjongens hadden uitgemergelde gezichten gekregen. Ik herkende het meisje aan de schaafwonden in haar hals als gevolg van het ruwe koord waarmee ze bijna was gewurgd. Net als Gwyneth, Moriah en ik waren ze verstotenen die ooit gehaat en bespot werden, maar die nu de gehele aarde hadden geërfd.

De Heldere was dezelfde vrouw die in het negende appartement was geweest toen Gwyneth het pianostuk speelde dat ze ter nagedachtenis aan haar vader had geschreven. Ik wist nog wat ze had gezegd, die nacht dat we elkaar hadden leren kennen, toen ze roerei en toast met rozijnenboter voor me had klaargemaakt. Ik had gevraagd of ze op zichzelf woonde, en toen had ze gezegd: *Er is iemand die regelmatig langskomt, maar daar wil ik het nu niet over hebben.* Deze Heldere was degene die regelmatig langskwam.

De grote menigte Helderen boven me stond zo ver van me af dat ik hun ogen niet kon zien. Ik legde de waarschuwende woorden van Vader naast me neer en keek deze vrouw aan, en hij had gelijk toen hij zei dat ik die ogen afschuwelijk zou vinden, afschuwelijk in de zin dat ze verheven en ontzagwekkend en extatisch waren, blauw en toch zo helder als glas, met een diepte die ik in geen andere ogen had gezien. Het was alsof ik door die ogen naar het eind van de tijd kon kijken. Door mij aan te kijken bracht deze vrouw zoveel ontzag in mijn hart, dat ik bang werd door het overweldigende gevoel van ootmoed dat in me boven kwam, door de intensiteit waarmee ik me geliefd voelde, en ik kon niet anders dan mijn blik afwenden.

De drie kinderen waren zo klein dat ze nog wel bij Moriah achterin konden.

We reden een tijdje zwijgend door en wisten dat we, ongeacht hoe ver we zouden doorgaan, altijd stralende en rouwende menigtes op wacht zouden zien staan, wachters tot het eind.

Plotseling werd het drukker op straat, weliswaar veel minder druk dan je zou verwachten als het mooi weer was geweest, maar drukker dan ik tot nu toe in dit noodweer had meegemaakt. De automobilisten reden roekeloos, alsof ze op hun hielen werden gezeten.

Op Ford Square doemde het grote reclame- en televisiescherm op als een reusachtig raam dat een naargeestig beeld van onze toekomst toonde zoals zich dat al in Azië voltrok, waar de straten bezaaid lagen met lijken en wanhopige mensenmassa's probeerden aan boord van overvolle schepen te komen. Op het nieuws werd gezegd dat er ook in Amerikaanse steden gevallen van de snel om zich heen grijpende pestepidemie waren geconstateerd, en de ziekte verspreidde zich zo snel dat zelfs de meest onverbeterlijke optimist zou moeten toegeven dat er geen ontkomen aan was.

Toen verderop drie sneeuwschuivers over een kruising reden, achter elkaar als een treintje, met grote vaart, zwaailichten aan, zei

Gwyneth: 'Die zijn niet met sneeuwruimen bezig. Die proberen de stad uit te komen.'

We reden achter ze aan, en ze maakten de weg sneeuwvrij voor ons, al was dat niet hun eerste prioriteit.

Al snel kwamen we aan de rand van het centrum, waar we de eerste plunderaars zagen. Voorovergebogen en gejaagd, als wolfachtige moordzuchtige wezens uit een nachtmerrie, kwamen ze in groten getale uit etalages, waarvan de ramen waren ingegooid. Ze duwden winkelwagentjes voor zich uit, trokken als trekpaarden houten karren achter zich aan, stouwden suv's en andere auto's vol met moderne elektronische apparaten en diverse luxegoederen. Sommigen keken angstig en met grote ogen om zich heen, anderen waren zo dartel als kleine kinderen die een speurtocht deden.

Ook hier stonden Helderen toe te kijken.

Tegen de tijd dat we de buitenwijken bereikten, reden de sneeuwschuivers niet meer voor ons. Veel van de geplunderde winkels waren in brand gestoken. Hier hadden de plunderaars het op elkaar gemunt en verdedigden hun buit met wapens en dopsleutels en pikhouwelen. Voor ons rende een brandende man de straat op, zijn armen om een doos met het Apple-logo erop, terwijl de vlammen van zijn jas naar zijn haar oversprongen, waarna hij krijsend in elkaar zakte.

78

Tegen zonsopgang hield het op met sneeuwen. We reden door een gebied waar minder sneeuw was gevallen. De wegen waren verlaten, slechts zo nu en dan kwamen we auto's tegen met radeloze of in paniek geraakte mensen erin, waarvan de meeste niet goed leken te weten waar ze naartoe gingen maar in vliegende haast op pad waren gegaan.

Eerst snapten we helemaal niet waarom het niet drukker was op de weg, waarom duizenden niet op pad waren gegaan om een goed heenkomen te zoeken, ook al wisten ze dat vluchten geen zin had. Toen hoorden we op de radio dat de president de opdracht had gegeven alle hoofdwegen van steden af te sluiten waar internationaal op gevlogen werd, want de eerste golf van pestmeldingen kwam daarvandaan. Men hoopte de epidemie te kunnen indammen. We waren net op tijd de stad ontvlucht.

Dat dergelijke maatregelen zinloos waren, werd duidelijk toen een vlucht cederpestvogels uit een bessenhaag opsteeg en over de weg vloog; ook vogels verspreidden de ziekte, niet alleen reizigers uit Azië die hier per vliegtuig of cruiseschip naartoe kwamen.

We waren moe, maar we wilden liever niet stoppen, omdat we al zo dicht bij onze reisbestemming waren. De vorige avond, toen

Gwyneth me bij de vijver in Riverside Commons had opgepikt en ik voor het eerst in een auto zat, vertelde ze dat haar vader een huis op het platteland had gekocht voor het geval ze ooit de stad uit moest, om wat voor reden dan ook. We hoopten daar voor het donker aan te komen.

Moriah lag op de achterbank te slapen. De drie uitgeputte jonge kinderen lagen achter haar in de laadruimte.

Bij een Mobil-tankstation in een schilderachtig plattelandsplaatsje lag voor de omhooggetrokken rolluiken van de autowerkplaats een man in een kaki broek en shirt, dood en bevuild. Er was verder niemand te zien, maar de benzinepompen deden het nog. We hadden geen creditcard. Ik vermande mezelf, joeg de kraaien bij het lijk weg, vond in de portemonnee van de man het benodigde plastic pasje en ging tanken.

In het winkeltje gooide ik een boodschappenmandje vol met chips, mueslirepen en flessen appelsap, als voorraad voor het laatste stuk van onze reis.

Bailey, de vader van Gwyneth, had haar een uitvoerige routebeschrijving en een kaart gegeven, maar toen ze eenmaal de bestemming op het navigatiesysteem van de Land Rover had ingevoerd, hadden we de papieren aanwijzingen niet meer nodig.

We zullen nooit weten of Bailey intuïtief aanvoelde waarom wezens zoals zijn dochter ter wereld kwamen of dat hij gewoon dacht dat ze in een crisissituatie maar het beste zo ver mogelijk van anderen af kon gaan zitten. De hut stond op een afgelegen plek, op een uitgestrekt terrein dat beheerd werd door het trustfonds. Binnen een jaar na oplevering liet Bailey het smalle onverharde pad met boomstammen barricaderen en liet hij het pad inzaaien met onkruid zodat het zo snel mogelijk door de natuur werd opgenomen.

Ene Waylon, een soort moderne bergbewoner, kwam elke maand drie dagen naar het huis om onderhoudsklussen te doen. Het was niet waarschijnlijk dat hij daar nu ook was, en toen Gwyneth hem niet per telefoon kon bereiken, concludeerden we dat hij waarschijnlijk al ziek was of inmiddels aan de gevolgen van de pest was overleden.

Rond de middag hadden we alle sneeuw achter ons gelaten. We haalden de sneeuwkettingen om de banden weg. In goudkleurige weiden, met op de achtergrond groene naaldwouden, stond hier en daar een eenzaam huis, of een huis en een schuur, bij grasland omgeven door een houten hek. Misschien hadden die woningen ooit iets pittoresks en uitnodigends gehad, maar nu leken ze gevangen in een roerloze omgeving, als in een sneeuwbol zonder sneeuw, zo intensief beschenen door de zon dat nergens een schaduw te zien was. Alle huizen stonden eenzaam en verlaten in het doodstille landschap.

Toen het bijna drie uur was, gaf het navigatiesysteem aan dat de verharde landweg na anderhalve kilometer doodliep. Daarna zouden we te voet verder moeten.

We hadden twee derde van die afstand afgelegd toen de honden verschenen. Labradors, Duitse herders, golden retrievers en diverse gemengde rassen kwamen uit de velden en bossen tevoorschijn en renden op ons af. Ze renden in de berm met de auto mee, keken grijnzend en kwispelstaartend opzij naar ons. Het waren er zo'n twintig, en we wisten niet van wie ze waren of waar ze vandaan waren gekomen, maar aan hun vrolijke gedrag zagen we dat ze geen bedreiging vormden.

De weg eindigde bij een reeks metalen paaltjes die zo dicht naast elkaar op de weg waren gezet dat de Rover er niet tussendoor kon. Erachter lag een onverharde weg vol kuilen en stenen die er weinig toegankelijk uitzag.

Toen we uitstapten, merkten we dat de honden zonder uitzondering uitgelaten en aanhankelijk waren. Hijgend maar zonder te grommen of te blaffen verdrongen ze zich om onze voeten en bedelden met hun liefdevolle ogen om een aai, een klopje. De vier kinderen vonden het heerlijk om de honden aan te halen, en voor het eerst zag ik de drie jongere kinderen glimlachen.

We hadden alleen maar mueslirepen en voorverpakte boterhammen met pindakaas om mee te nemen, en daarmee stopten we dan ook onze zakken vol.

De route die op de kaart stond aangegeven, ging dwars door het groen. De honden leken het idee te hebben dat ze als gids waren ingehuurd, want ze renden met z'n allen voor ons uit en keken steeds achterom om te zien of we er wel aankwamen.

Toen het onverharde pad een bocht maakte, kwamen we de mannen met geweren tegen.

79

Meer dan tien meter verderop stond een jeep dwars op het pad. Bij de achterkant stonden vier mannen bij elkaar, in camouflagepakken en met automatische geweren in de hand, maar toen ze ons zagen, verspreidden ze zich en namen een verdedigende positie in. Drie van hen verschansten zich achter het voertuig.

De vierde riep dat we moesten blijven staan. Hij zei dat we niet verder mochten, dat er op hun land geen ziekte was doorgedrongen en dat ze dat zo wilden houden. Maar hoewel ze nog zo veraf stonden dat ze niet zagen dat we anders waren, dacht ik te kunnen zien dat de spreker net zo bleek was als Telford en net zulke grijze lippen had, en ondanks het feit dat het lekker koel was, leken er zweetdruppels op zijn gezicht te parelen, zodat ik tot de conclusie kwam dat ze al waren besmet maar dat verdrongen.

Ik zei dat we niet besmet waren, dat we alleen maar op doortocht waren en dat we naar ons eigen huis wilden, een paar kilometer in westelijke richting, maar ze waren niet genegen me te geloven, en het leek hun zelfs niet uit te maken of het waar was wat ik zei. De leider van het stel vuurde een waarschuwingssalvo van vier of vijf kogels af, niet gericht op ons, en over de koppen van de honden heen. Hij riep dat we terug moesten.

Alsof de schoten een teken waren, kwamen er uit het hoge gras van de weiden aan weerszijden van ons nog meer honden tevoorschijn, iets waar de vier mannen van schrokken. Het was alsof ze niet uit een of andere schuilplaats naar ons toe waren gekomen, maar of ze uit het gewone gras opborrelden. Twintig tot dertig voegden zich bij de honden die ons al vergezelden, tot er uiteindelijk zo'n vijftig honden waren.

De mysteries en wonderen van de stad waren de mysteries en wonderen van de wereld, en ze waren hier net zo goed aanwezig als waar dan ook ter wereld, iets wat we in de komende tijd nog zouden merken. De honden gingen rondom ons staan, als een pretoriaanse garde. Opvallend was dat de dieren zich helemaal stilhielden, en dat ze stuk voor stuk naar de jeep en de schutters keken, niet dreigend, alsof ze de mannen ertoe wilden zetten hun angst opzij te schuiven en zich menselijk op te stellen.

Ik wist niet goed wat we moesten doen, maar toen de honden in beweging kwamen, zei Gwyneth dat we met ze mee moesten gaan. Ze leidden ons de wei in, waar konijnen wegrenden zonder dat de honden zich erdoor lieten afleiden, en zo liepen we in een grote boog om de jeep heen en konden we onze route vervolgen.

De schutters keken zwijgend toe en lieten na ons met een salvo neer te maaien. We weten niet hoe het die mannen verder is vergaan; we hebben ze daarna nooit meer gezien.

In oerbossen waarin het licht van de middagzon in dikke bundels door de takken viel, leidden de honden ons langs kronkelende wildpaadjes. In het schemerduister tussen de naaldbomen stonden velden vol grote varens, als reusachtige groene vleugels die elk moment op de wind konden wegvliegen. De kinderen liepen voor me uit achter Gwyneth aan. Hun gestalten vervaagden tot schaduwen en kwamen weer in de zon tevoorschijn, alsof het bos me eraan wilde herinneren dat wat de mens gegeven was, ook weer afgenomen kon worden.

De blokhut was niet zo eenvoudig als het misschien klinkt. Het was een groot gebouw van dicht tegen elkaar geplaatste boomstammen die waren bepleisterd met kalk die mogelijk enigszins elastisch was. Het dak was van leisteen, en de koperen dakgoten hadden in de loop der tijd een groene tint gekregen. Om het huis heen liep een aaneengesloten veranda.

Toen we op het erf voor het huis stonden, zei Gwyneth dat er binnen een aanzienlijke voedselvoorraad was aangelegd, maar dat ze niet wist hoe we ook nog eens vijftig honden moesten voeden.

Alsof de honden haar opmerking begrepen hadden, trokken ze zich terug en verdwenen in de omringende bossen. Binnen een minuut was het alsof ze er nooit geweest waren. De volgende dagen zouden ze steeds weer terugkomen, maar nooit namen ze iets aan van ons, snoven wel even aan wat we ze gaven, maar aten het niet op, alsof de geur ervan hen niet aanstond. Zo nu en dan verdwenen de honden tussen de bomen, niet allemaal tegelijk maar elk op zijn tijd, en als ze dan terugkwamen, leken ze goed gegeten te hebben en zeer voldaan te zijn. Uiteindelijk zouden we ontdekken hoe dat zat.

80

De tweelingjongetjes heetten Joshua en Justin, en het meisje dat met hen was meegekomen, heette Consuela. Ze bleek geen familie van de twee te zijn. De jongens waren voor straf uitgehongerd omdat ze hun moeder tot last waren geweest. Al snel sterkten ze weer aan, en de wonden die het meisje had opgelopen doordat ze bijna was gewurgd, verdwenen zonder een litteken achter te laten. Moriahs schedel bleef bij haar slaap ingedeukt, maar je zag er niets van omdat haar haar ervoor hing, en ze hield er geen nadelige gevolgen aan over; ze was een slim en levendig meisje dat graag lachte.

Ze wilden dat jaar kerstmis vieren. We hakten een geschikte boom om en hingen die vol met hulst die we uit het bos haalden en met glimmende metalen versierselen die we van blikjes maakten en gezamenlijk verfden.

In de grote kamer stond een Steinway, waarop Gwyneth kerstliedjes speelde. Soms zei ze dat ze een liedje waar we om vroegen niet kende, maar als ze het dan toch probeerde te spelen, vond ze de juiste toetsen, en de melodie klonk zonder enige fout door de blokhut.

Omdat zijn dochter muzikaal was, had Bailey allerlei instrumenten in dit boshuis gezet: twee klarinetten, een saxofoon, twee violen, een cello, enzovoort. We vonden dat ik, en misschien Moriah ook, volgend jaar een ander instrument onder de knie moest hebben gekregen, zodat we met Gwyneth konden samenspelen.

81

Op de ochtend van de zesde januari, toen ik de keuken binnenkwam om te helpen met het ontbijt, zag ik dat de achterdeur openstond. Gwyneth stond bij het hekje van de veranda en tuurde over het veldje naar de rand van het bos. In het vroege ochtendlicht vielen de schaduwen van de bomen op het gras.

Het was mild voor de tijd van het jaar, en Gwyneth was in een sombere bui, iets wat waar we allebei van tijd tot tijd last van hadden. De kinderen kenden zulke stemmingswisselingen niet.

Toen ik naast haar ging staan en een arm om haar heen sloeg, vroeg ze: 'Voel je het ook?'

'Wat?'

Ze gaf geen antwoord, en na een paar minuten wist ik waarom ze zo verdrietig was. Niet de stilte, geen geluid, geen geur of de afwezigheid ervan, ook niet de val van het zonlicht of de kleur van de lucht, niets gaf aan dat een tijdperk ten einde was gekomen en dat een nieuwe tijd was aangebroken. Toch twijfelde ik er geen moment aan dat ze allemaal verdwenen waren. Alle rijkdommen zonder eigenaar, alle pretparken en cafés en dancings zonder bezoekers, alle steden en dorpen zonder een enkele stem, elk schip op zee een spookschip, en hoog boven ons alleen maar vogels die door de lucht vlogen.

'Zo snel al,' zei ze.

Het was niet iets om lang bij stil te staan, maar het was ons gegeven, zoals het allen gegeven was die voor ons waren geweest, de gave om na te kunnen denken, om te kunnen redeneren en beschouwen, en wie die gave had gekregen, moest hem ook gebruiken.

Als er ergens in de stille uitgestrektheid van de aarde anderen waren die konden nadenken, waren ze als Gwyneth en ik, kleine groepen op afgelegen locaties, zich bewust van de wonderen en mysteries die elke dag weer ervaren konden worden.

De volgende dag kwamen de dieren uit het bos tevoorschijn en gingen in het gras om ons huis liggen. Sommige waagden zich zelfs op de veranda. Er waren herten en een familie bruine beren, wasberen en eekhoorns en wolven en konijnen. Honden zaten toe te kijken of speelden met andere diersoorten. Voormalige roofdieren zaten lekker in het vroege zonnetje, naast dieren waar ze vroeger op gejaagd zouden hebben, en keken naar de mistslierten die langzaam in het ochtendlicht oplosten. Ze stoeiden speels met elkaar of renden achter elkaar aan zonder een spoortje van angst of dreiging, en zo is het sindsdien gebleven.

In de eerste acht jaren van mijn leven, toen ik veel tijd in het bos doorbracht, waren dieren nooit bang voor me geweest, en ik had niets van ze te vrezen. Als mijn moeder me diep in het bos zou hebben achtergelaten, wat ze eens van plan was geweest, zou ze tot haar verrassing hebben gemerkt dat zelfs de wolven me goedgezind waren. Toentertijd zag ik het gezelschap van gevleugelde en viervoetige wezens als een natuurlijk gegeven, zoals het in het begin der tijden moet zijn geweest, en zoals het nu weer is.

82

In het diepe oerbos leeft niets wat andere wezens doodmaakt, en er staan nu bomen die niet terug te vinden zijn op de foto's of in de beschrijvingen in de boeken van onze uitgebreide bibliotheek. Aan de nieuwe bomen en struiken groeien tientallen soorten vruchten die voorheen niet bekend waren of in elk geval niet in het tijdperk dat net is afgesloten. Sommige vruchten zijn zoet en geurig, en het zijn deze vruchten die we eten, net als de honden en alle andere wezens doen, van beren tot muizen. Als we een beetje uitgekeken raken op de smaken en geuren van wat de bomen en struiken ons te bieden hebben, bedenken we in een oogwenk nieuwe manieren om de vruchten te bereiden en op te dienen, of anders vinden we nieuwe, andere, net zo lekker.

Soms, als ik naar buiten kijk en een lachend kind op de rug van een bruine beer zie hobbelen, word ik door een oude angst gegrepen, maar dat duurt nooit lang.

83

Op een dag eind januari las ik 'East Coker' weer, het gedicht van T.S. Eliot, en ik zag iets wat me was ontschoten: de krachtige, prachtige metafoor waarmee hij God vergelijkt met een gewonde chirurg wiens bloedende handen een scalpel hanteren waarmee hij zijn patiënten opereert, opdat 'Beneath the bleeding hands we feel / The sharp compassion of the healer's art.' Ik vroeg me af of dat weggezakte beeld toch ergens in mijn onderbewuste was blijven hangen toen ik de Helderen in operatiekledij zag rondlopen, of dat Eliot een nog grotere visionair was dan zijn bewonderaars beweren dat hij was.

84

In ons nieuwe onderkomen staan op de vensterbanken en drempels niet de woorden die Gwyneth bij de deuren en ramen van haar andere woningen had geschreven, want dat is nu niet meer nodig. Ze gebruikte het vroeg-Romeinse schrift, dat via het Etruskisch van het Grieks afkomstig was. In het Latijn zou er hebben gestaan *Exi, impie, exi, scelerate, exi cum omnia fallacia tua*, wat zoveel betekent als 'Ga weg, goddeloze, ga weg, vervloekte, ga weg en neem al je leugens mee.' Misschien werd ze beschermd tegen Nevelen en wat zoal bezit kan nemen van marionetten, speeldozen en mensen, maar Ryan Telford liet zich niet tegenhouden door woorden die met viltstiften op drempels en vensterbanken waren geschreven, mogelijk omdat er niets anders in hem huisde dan zijn eigen kwaad.

85

De vele boeken die ik heb gelezen, bevatten veel ware en wijze dingen, maar in geen enkel boek werd de waarheid rondom het liefdesspel onthuld. Als ik in Gwyneths armen lig, in extase, gaat het in wezen niet om de sensatie maar om de passie, en passie is niet des vlezes maar van de geest en het hart. Geen enkele schrijver heeft me ooit kunnen uitleggen dat het ego daarbij geen enkele rol speelt, dat de wens om aan de ander te geven alle gedachten aan het ontvangen verdringt, dat geliefden met elkaar versmelten, letterlijk vervoerd worden, dat ik haar ben en zij mij is, dat we elkaar niet in verleiding en overgave vinden, maar in de worsteling van de schepping, dat we niet verteerd worden door verlangen maar door verbijstering, dat we voor heel even dezelfde kracht ervaren die het universum tot leven bracht, zodat ook wij leven kunnen scheppen. Ze draagt nu een kind bij zich.

86

Op de Steinway staan foto's in handgemaakte lijstjes, waaronder de foto die ik uit mijn raamloze kamers heb meegenomen in de nacht toen Gwyneth me vertelde dat ik daar nooit meer terug zou komen. Het is een kiekje van mijn moeder, genomen toen ze niet al te veel gedronken had en wat meer geneigd was te lachen dan normaal. Ze is beeldschoon, en in haar ogen en haar gracieuze pose zie je de belofte die nooit is waargemaakt. Ik vond de foto in een vakje van de rugzak die ze aan me meegaf toen ze me het huis uitzette.

Op de vleugel staat ook een foto van de vader van Gwyneth, echt het toonbeeld van vriendelijkheid, met doordringende, intelligente ogen. Zo nu en dan kijk ik een tijdje naar hem, en soms, wanneer ik alleen op de veranda zit of door de bossen wandel, praat ik tegen hem en vertel ik hem wat we gedaan en gelezen en besproken hebben, en ik bedank hem dan, niet alleen dan maar elke dag, want ik zou geen leven hebben als hij er niet geweest was.

Vader en ik namen nooit foto's van elkaar. We hadden geen fototoestel en vonden het niet nodig om gebeurtenissen vast te leggen, want we waren altijd samen en hielden herinneringen levend door ze in gesprekken op te halen. Maar in de envelop die ik in de kelder van de pastorie van pastoor Hanlon gekregen heb, zat een foto van Vader. De pastoor had de foto genomen toen Vader in een leunstoel zat, beschenen door een lamp, met een lichtval zoals je ook wel ziet op van die artistieke portretten van beroemde personen waarmee de grote fotograaf Steichen beroemd is geworden. Vader lijkt op die foto op een acteur die ooit heel beroemd is geweest, Denzel Washington: een lichtbruin getinte huid, een korte volle haardos, een breed en aangenaam gezicht, een glimlach waar engelen mogelijk jaloers op zijn, en donkere ogen waar het complete universum voor eeuwig omheen lijkt te draaien.

Ik heb ook het systeemkaartje in een doorzichtig lijstje gedaan waarop Vader aan beide zijden voor me had geschreven wat volgens hem het enige was wat ik nooit mocht vergeten als hij er niet meer was om me eraan te herinneren. Hij liet me deze woorden na: *Op één uitzondering na is alles op deze wereld vergankelijk, en de tijd wist niet alleen herinneringen maar zelfs complete beschavingen uit en reduceert iedereen en alle monumenten tot stof. Het enige wat overblijft is de liefde, want dat is een energie die zo bestendig is als het licht, die vanuit de bron naar buiten stroomt, naar de steeds uitdijende grenzen van het heelal, dezelfde energie waaruit alle dingen zijn ontsproten en waarmee alle dingen zullen voortbestaan in een wereld na deze wereld, die uit tijd en stof en vergeten bestaat.*

Ik heb dit verslag geschreven voor mijn kinderen en hun kinderen en de kinderen van hun kinderen, opdat ze zullen weten hoe de wereld ooit geweest is en hoe het is geworden zoals het nu is. Niet alleen maken mensen elkaar niet langer dood, en dieren ook niet, maar ook lijkt er geen dood meer te bestaan. Alleen gras en bloemen en planten sterven af met de wisseling der seizoenen, tot in het voorjaar alles weer opnieuw tot leven komt. Als de dood vergeten wordt, is dat misschien niet zo wenselijk als het op het eerste gezicht lijkt. We moeten de dood in herinnering houden, net als de verleiding van de macht die de dood vertegenwoordigt. We moeten in herinnering houden dat we door het toe-eigenen van de macht van de dood en het botvieren van die macht om anderen te overheersen, een wereld verloren hebben en eigenlijk meer dan een wereld alleen.

Sinds onze komst hier hebben we geen Nevelen of Helderen meer gezien. We vermoeden dat de Nevelen geen toestemming meer hebben om de aarde te bezoeken, en misschien zijn de Helderen hier niet meer nodig. Mocht ik ooit een slangachtige rooksliert door het bos zien zweven of tijdens een sneeuwbui een lichtgevende gedaante in operatiekleding zien neerdalen, dan zal ik weten dat het verbond ergens is verbroken en dat de wereld wederom een tragisch schouwspel is geworden. Tot het zover is, heerst er blijdschap, en daarvoor is het niet nodig, zoals ooit werd gedacht, dat er bij wijze van contrast ook angst en pijn moet zijn om de heerlijkheid ervan te blijven ervaren.

WILDERNIS

door

DEAN KOONTZ

1

Volgens mijn moeder kon ze in elke spiegel waarin ik had gekeken vooral mijn gezicht zien in plaats van het hare, en ook mijn bijzondere ogen, en om die reden wilde ze geen spiegel meer in huis. Ze gooide het ding kapot en veegde de scherven op zonder dat ze ernaar durfde te kijken, want ze zei dat ze op de een of andere manier in elk stukje glas mijn hele gezicht zag, niet slechts een deel ervan. Ze kon mijn aanblik nauwelijks verdragen, ook niet heel even, en meestal keek ze langs me heen of wendde haar blik af wanneer we in gesprek waren. Toen ze dan ook mijn gezicht in al die spiegelscherven herkende, werd het haar bijna te veel.

Mijn moeder dronk weliswaar en gebruikte ook drugs, maar ik ben ervan overtuigd dat het waar was wat ze over de spiegels vertelde. Ze loog nooit tegen me, en op haar eigen getroebleerde manier hield ze van me. Omdat ze zo mooi was, dacht ik dat het voor haar misschien extra verschrikkelijk was dat ze iemand met mijn uiterlijk ter wereld had gebracht.

We woonden midden in een uitgestrekt bergachtig bosgebied in een knus huisje dat aan het eind van een lang zandpad lag, kilometers bij het eerstvolgende huis vandaan. Ze had genoeg geld om de rest van haar leven mee toe te kunnen. Hoe ze daaraan gekomen was, wilde ze nooit zeggen, maar zeker was dat ze daarbij vijanden had gemaakt, die haar zonder twijfel hadden weten te vinden als ze niet op zo'n afgelegen plek was gaan wonen.

Mijn vader was een romanticus die meer van het concept van de liefde had gehouden dan van haar zelf. Hij was een rusteloze man die ervan overtuigd was dat hij elders het ideaal zou vinden waarnaar hij verlangde, en hij ging bij mijn moeder weg voordat ik geboren werd. Mijn moeder noemde me Addison. Ik kreeg haar achternaam, Goodheart.

De nacht waarin ik werd geboren – het was een zware bevalling – hielp een vroedvrouw me in de slaapkamer van mijn moeder ter wereld. Adelaide heette ze. Ze was een vriendelijke, vrome plattelandsvrouw, maar toen ze mij zag, zou ze me hebben verstikt of mijn nek hebben gebroken als mijn moeder niet uit een la van het nachtkastje een pistool had gepakt. Misschien vreesde de vroedvrouw opgepakt te worden op verdenking van poging tot moord of was ze zo bang dat ze sowieso niet langer bij ons in huis wilde blijven, maar feit was dat ze bezwoer het nooit over me te hebben en nooit meer terug te komen. Wat de buitenwereld aanging, was ik doodgeboren.

Ik had alleen de spiegel in mijn kamertje tot mijn beschikking, een hoge spiegel die aan de binnenkant van mijn kastdeur zat. Zo nu en dan bekeek ik mezelf erin, steeds minder vaak naarmate de jaren verstreken. Hoe ik eruitzag, kon ik niet veranderen, en ik had geen idee tot wat voor persoon ik me zou ontwikkelen. Vaak dacht ik daar over na, maar het hielp me geen steek verder.

Naarmate ik ouder werd, kon mijn moeder me steeds minder goed om zich heen verdragen, en soms mocht ik dagen achtereen het huis niet binnenkomen. Ze had een ruig leven achter de rug, en was even gehard als aantrekkelijk. Tot ik geboren werd, was ze voor de duvel niet bang geweest, zonder onnadenkend of roekeloos te zijn. Ze vond het verschrikkelijk dat ze zo slecht tegen mijn aanwezigheid kon. De enige manier waarop ze haar onrust enigszins in bedwang kon houden, was door mij zo nu en dan de toegang tot het huis te ontzeggen.

Vlak na zonsopgang op een dag in oktober, een paar weken nadat ik acht was geworden, zei ze: 'Het is heel slecht van me, Addison, en ik vind het afschuwelijk van mezelf, maar ik moet je echt wegsturen, anders kan ik niet langer voor mezelf instaan. Misschien is het maar voor een dag of twee, ik weet het niet. Ik zal de vlag uithangen als je weer binnen mag komen. Maar nu *kan ik je niet langer om me heen hebben*!'

Als vlag gebruikte ze een theedoek, die ze buiten op de veranda aan een haakje hing. Steeds als ik was weggestuurd, keek ik de volgende ochtend en tegen het eind van de avond of de vlag er hing, en als dat het geval was, juichte ik vanbinnen. Ik vond de eenzaamheid bijna niet te verdragen, al was het een essentieel aspect van mijn bestaan.

Als ik niet binnen mocht blijven – de veranda was dan ook verboden terrein – sliep ik buiten in de tuin als het warm genoeg was. 's Winters sliep ik in een lekker warme slaapzak in de krakkemikkige schuur, op de achterbank van haar Ford Explorer of op de grond. Elke dag zette ze een picknickmand met eten neer; het ontbrak mij aan niets, behalve aan dat wat er het meest toe deed, namelijk gezelschap.

Rond mijn achtste had ik zo vaak door het bos gezworven dat ik me er net zo thuis voelde als bij mijn moeder in huis. Geen enkel wezen in het woud was bang voor me of schrok van me vanwege mijn uiterlijk. Omdat ik geen herinnering aan de vroedvrouw had, was mijn moeder de enige persoon die ik ooit gezien had, en ze had me ervan verzekerd dat een ontmoeting met een ander bijna zeker tot mijn dood zou leiden. Maar alles wat vleugels had of zich op vier poten voortbewoog, veroordeelde me niet. Bovendien was ik tamelijk sterk voor mijn leeftijd, en snel, en ik beschikte over een goed ontwikkeld richtingsgevoel, zodat ik in het bos steeds de weg kon vinden en wist waar ik was. Ik droeg wandelschoenen, een blauwe spijkerbroek en een flanellen hemd, en in mijn broekzak zat een Zwitsers zakmes met verschillende instrumenten. In veel opzichten was ik ouder dan de acht jaren die ik telde. Ik was nog een jongetje, maar heel anders dan veel van mijn leeftijdsgenoten.

De prachtigste kunstwerken die de mensheid had voortgebracht en die ik in fotoboeken had gezien, waren niet zo betoverend als wat ik in het gemengde loofbos tegenkwam. Eiken en esdoorns en berken en kersenbomen. Er stonden ook elzen, die nederige bomen die zelfs ervaren woudlopers soms niet opmerken. Het hout ervan is zo sterk dat de helft van Venetië is gebouwd op elzenhouten palen, die de deinende zee al eeuwen hebben weerstaan. 's Zomers bloeide de acacia prachtig rood. De reusachtige witte bloemen van de aronskelk. En alle sierlijke varensoorten, hulstvaren en koningsvaren en het fraai gevormde blad van de pulcherrimum, en struisvaren met bladeren als pluimballen. Omdat mijn moeder dol was op de natuur en er een complete bibliotheek met naslagwerken over had, wist ik hoe alles heette. Ik hield van het bos, en op die dag in oktober, toen ik het huis uit was gestuurd, zocht ik mijn toevlucht tot de wildernis, die in dat seizoen een zee van warme herfstkleuren was.

Een kleine twee kilometer van mijn huis kwam ik bij een van mijn lievelingsplekken, een rotsformatie van kalksteen die in de loop van millennia door weersinvloeden allerlei golvende vormen had gekregen, alsof de steenmassa was gesmolten. Het geheel was ongeveer twaalf meter in doorsnee, en hier en daar waren gaten ontstaan, die toegang gaven tot uitgeholde ruimtes. Sommige ervan waren toegankelijk via gaten aan de voet van de rots. Als het hard genoeg waaide en de wind uit het noorden kwam, werd de rotsmassa een soort kalkstenen fluit en bracht allerlei spookachtige geluiden voort.

Ik zat op het hoogste punt, twee meter boven de bosgrond, in de zon, die in gouden bundels tussen de bomen door scheen. Het prachtige bos was vol kleur, er waren vogels te horen, vooral junco's en troepialen. De kleine page, de vlinder met de prachtige blauwe vleugels, was inmiddels vertrokken. Ik vond het jammer dat de zomer door de herfst was verdreven, omdat het niet lang meer duurde voordat het minder aangenaam in het bos zou zijn en veel diersoorten minder actief zouden worden of naar het zuiden zouden trekken – of zouden sterven.

Ik keek er niet van op toen er een wolf verscheen, want ik had er al eens een paar door het bos zien sluipen, zo stil dat ze op geesten van wolven leken die allang dood waren. Jarenlang waren wolven uit dit berggebied verdreven door mensen die niets van wolven begrepen en ten onrechte dachten dat ze een gevaar voor de mens vormden, maar de laatste tijd kwamen de wolven weer terug. Wolven zijn schuwe maar prachtige beesten.

Ze zullen niet snel oogcontact maken, omdat ze sociale wezens zijn die weten dat een directe blik een uitdaging kan betekenen. Hun neiging om andere wezens op een indirecte manier te peilen, is geïnterpreteerd als geniepigheid en sluwheid. Deze wolf, een groot mannetje, verscheen uit een dichtbegroeid varenveld, alsof hij door een goochelaar in een wervelwind van groene doekjes tevoorschijn was getoverd. Hij stond voor de rots waarop ik zat en keek omhoog naar me. Heel even maakte hij oogcontact, daarna sloeg hij zijn ogen onderdanig neer.

We waren niet bang voor elkaar. In de daaropvolgende jaren zou ik erachter komen dat ik veel meer te duchten had van mensen dan van wolven.

Ik kwam overeind en keek omlaag naar hem. Hij keek me weer aan, en wendde zijn blik opnieuw af. Misschien doordat ik verder niemand had om mee te praten, zei ik iets tegen hem. En waarom ook niet? Misschien was het juist helemaal niet zo raar dat ik bij gebrek aan menselijk gezelschap tegen dieren begon te praten. 'Wat kom je hier doen?'

Hij liep om de rotsformatie heen, snoof geuren op, tuurde tussen de bomen door, zijn oren naar voren gericht. Plotseling, toen hij naar het oosten keek, gingen de haren in zijn nek recht overeind staan. Hij jankte hevig, stopte zijn staart tussen zijn poten, keek me aan, begon weer te janken en rende naar het westen, het struikgewas in en was vertrokken. Als hij een stem had gehad, zou hij me niet duidelijker gemaakt kunnen hebben dat er uit oostelijke richting gevaar dreigde. Hij leek alleen maar naar me toe te zijn gekomen om me te waarschuwen.

Zoiets had ik nog nooit meegemaakt. Behalve datgene wat de natuur me in de baarmoeder had aangedaan, waardoor ik vanaf mijn geboorte een verworpene was, iemand die enkel angst en weerzin opriep, had de natuur me nooit kwaad gedaan. Ik was nooit door welk dier dan ook gebeten, geen enkele bij had me gestoken, ik had geen allergie voor bepaalde planten ontwikkeld, en ik had ook geen hooikoorts. Misschien vond de natuur dat ze me dusdanig te grazen had genomen dat elke verdere toevoeging overbodig was. Een muggenbult zou al te veel van het goede zijn, zou in zekere zin afbreuk doen aan de freak die ik geworden was. De natuur was zo trots op wat ze in een duistere bui tot stand had gebracht, dat ze de neiging onderdrukte om nog iets toe te voegen aan de perfectie van mijn imperfectie.

Ik was ervan overtuigd dat de wolf me voor dreigend gevaar wilde waarschuwen en wilde net van de rots naar beneden klimmen toen ik tussen de bomen een gestalte zag naderen, een man met een felrood jack aan en een geweer in zijn hand. Ik wist meteen dat hij een jager was, hoewel het jachtseizoen nog niet geopend was. Dit betekende dat hij iemand was die zich niet aan de regels hield, en daarom was hij misschien nog gevaarlijker dan anderen als hij een glimp van me zou opvangen.

En toen, op een afstand van vijftien of twintig meter, zag hij me. Hij riep me op vriendelijke toon, wat betekende dat hij me niet goed had kunnen zien. Voordat hij zou ontdekken wie ik werkelijk was, liet ik me van de vormeloze rotspartij naar beneden glijden. In paniek rende ik in de richting van het huis, maar toen riep hij weer iets, en ik dacht dat hij tussen de struiken door achter me aan zou komen. Het huis was nog bijna twee kilometer te gaan. In plaats van er als een haas vandoor te gaan, dook ik weg en liep ik snel om de kalksteenformatie heen, zodat de rots tussen hem en mij in kwam te liggen, en toen ik bij een van de gaten kwam, kroop ik er op handen en knieën door naar binnen.

2

De uitgeholde binnenkant van deze door weersinvloeden gevormde rots was bekend terrein voor me, omdat ik die al had verkend,
op de plekken waar de ruimte groot genoeg was om in rond te kruipen. De tunnel waar ik doorheen kroop, was laag en krap en maakte een bocht naar rechts, en het was er pikkedonker. Ik was niet alleen bang voor de jager, maar ook voor wat zich mogelijk in de grot
aan het eind van de tunnel had verscholen. In het verleden, toen ik
hier op ontdekkingstocht was gegaan, had ik steeds een zaklantaarn
bij me gehad. Nu niet.

De uitgeholde ruimte in de rots bood een schuilplaats aan verschillende diersoorten, waaronder ratelslangen. Omdat het begin
oktober niet meer zo warm was, waren slangen traag, misschien niet
al te gevaarlijk meer, maar hoewel de schepselen der natuur me al
die jaren gespaard hadden, was het niet ondenkbaar dat een wezel,
een das of een ander vervaarlijk beest bang zou worden en zich in
het nauw gedreven zou voelen als ik zomaar de grot binnenkwam.
Ik kroop op handen en voeten voort, mijn gezicht onbeschermd, en
ik deed mijn ogen stijf dicht om ze te beschermen tegen een mogelijke uithaal van een dierenpoot.

Toen ik de bocht om was, kwam ik in de grot zelf, die een doorsnee van ongeveer twee meter had en anderhalve meter hoog was. Ik werd niet aangevallen, en deed mijn ogen open. Door een van de gaten boven me scheen de zon naar binnen, die een rondje van licht op de grond vormde, als een zilveren dollar. Licht dat door een groter gat naar binnen viel, vormde een grotere lichtvlek met grillige vormen, ongeveer ter grootte van mijn hand. Er stond die dag geen wind, en het was doodstil in die schuilplaats in de rots. Ik bleek er de enige te zijn.

Ik was van plan daar net zo lang te blijven tot ik er zeker van was dat de jager was weggegaan. De lucht rook vagelijk naar kalksteen en naar rottende bladeren die door het grootste van de twee gaten boven in de grot naar binnen waren gewaaid. Als ik last van claustrofobie had gehad, zou ik het niet lang in die krappe ruimte hebben uitgehouden.

Op dat moment kon ik niet bevroeden dat ik binnen afzienbare tijd de bergen zou moeten verlaten en dat ik 's nachts een zware tocht zou maken. Mijn leven zou meer dan eens in gevaar zijn, en ik zou in een grote stad terechtkomen. Ook wist ik toen nog niet dat ik jarenlang in het geheim onder de drukke straten zou komen te wonen, in afwateringsbuizen en metrotunnels en al die vreemde gangen die onder een stad door lopen, noch dat ik ooit, tijdens een middernachtelijk bezoek aan de grote centrale bibliotheek, toen ik dacht dat er verder niemand was, bij lamplicht bij Charles Dickens een meisje zou ontmoeten, en dat die ontmoeting mijn hele wereld op de kop zou zetten, en die van haar, en de uwe.

Toen ik een paar minuten ineengedoken in het donker tussen de twee smalle lichtbundels had gezeten, hoorde ik geluiden. Ik dacht dat de das uit mijn fantasie misschien werkelijkheid was geworden en nu door de tunnel naar me toe kwam. Dassen hebben lange klauwen aan hun voorpoten, waardoor ze geduchte tegenstanders zijn. Maar toen merkte ik dat de geluiden van boven kwamen en door de gaten de grot binnendrongen. Zware schoenen op de rotsen, een kletterend geluid, geratel. Een man kuchte en schraapte zijn keel. Het klonk allemaal heel dichtbij.

Als hij meer dan een glimp van me had opgevangen, als hij me goed had kunnen zien, zou hij nu op een agressieve manier naar me op zoek zijn of besloten hebben zo snel mogelijk uit het bos te komen waar een schepsel als ik zich ophield. In plaats daarvan leek hij een korte rustpauze te nemen, wat deed vermoeden dat hij me niet goed had gezien.

Ik had geen idee wie of wat ik was of hoe het mogelijk was dat ik door het samengaan van een man en een vrouw ter wereld was gekomen, en ik dacht dat ik daar nooit achter zou komen. De wereld zit vol schoonheid, en nog veel meer dingen zijn in elk geval aangenaam voor het oog, en wat lelijk is, is desondanks van dezelfde materie als al het andere en maakt deel uit van dezelfde tapisserie. Sterker nog: als je het goed beschouwt, is een lelijke spin op zichzelf een bewonderenswaardig kunstwerk dat ons respect of zelfs onze bewondering meer dan waard is, zoals de gier zijn glimmende zwarte veren heeft, en de gifslang zijn geschubde huid.

In één opzicht leek ik de wereld een zekere schoonheid te kunnen bieden: mijn hart, dat geen verbittering of woede kende. Vrees kende ik wel, maar geen haat. Angst kende ik, maar ik veroordeelde niemand. Ik was in staat lief te hebben en verlangde ernaar wederzijds te worden liefgehad. En hoewel ik in zekere zin beschermd was opgevoed en mijn levenservaring zich beperkte tot de dreigingen waarmee ik geconfronteerd was, was ik meestal tamelijk gelukkig. In deze wereld, waarin treurigheid en ellende aan de orde van de dag waren en waarin de menselijke beschaving door duistere krachten leek te worden ondermijnd, bezat mijn vermogen tot blijdschap en hoop misschien een zekere schoonheid, een welkom baken in de stormvloed.

Terwijl ik in de donkere holte in de rots zat te wachten, werd ik nieuwsgierig naar de jager die door een steenlaag van een meter van me gescheiden werd. Ik kon me niet voorstellen wat voor leven hij leidde, in mijn ogen mysterieuzer dan dat van een leeuw op de steppe of een ijsbeer op de Noordpool. De kleine bergweide waarin ons huis stond, lag zo afgelegen dat jagers zich er tot nu toe niet hadden laten zien. Het leek me sterk dat deze man van plan was een hert te schieten en de buit vervolgens over een afstand van kilometers naar zijn auto te dragen of te slepen. Een verontrustende gedachte kwam bij me op. Misschien joeg hij enkel voor de kick van het doden en had hij er geen behoefte aan zijn buit veilig te stellen. Als hij een hertenbok schoot, nam hij misschien alleen het gewei mee, en als hij een ree schoot, alleen de oren en de staart. Of misschien joeg hij alleen zonder iets te willen meenemen en ging het hem om de sensatie van het doodschieten, en in dat geval kwam het me voor dat ik voor het eerst in mijn leven in ernstig gevaar verkeerde.

Ik herkende de geur van zijn sigaret, omdat mijn moeder verslaafd was aan haar Marlboro's. Even later kringelden er slierten rook door de grootste van de twee gaten boven me, wat deed vermoeden dat de jager daar vlakbij zat. De lichtgrijze dampen krulden en draaiden alsof ze geesten van overledenen waren die de weg terug zochten naar de wereld van de levenden. Hij floot een wijsje dat ik niet kende, en zo nu en dan onderbrak hij dat om een trek van zijn sigaret te nemen.

Naast mijn moeder was hij het eerste menselijke wezen dat ik ooit had gezien. Ik zat gefascineerd in het donker, bevreesd maar ook geïntrigeerd, als een astronaut op een vreemde planeet die voor het eerst in de menselijke geschiedenis in contact komt met een buitenaardse levensvorm. Dat hij met onderbrekingen zat te fluiten, zo nu en dan zijn keel schraapte, binnensmonds een paar woorden sprak, dat ik hem kon horen verzitten – door dit alles werd ik benieuwd hoe hij eruitzag, en ik wilde een glimp van hem zien, ook al was het maar een stukje van zijn hand of van het rode jack dat hij droeg, want hoewel hij gewoon een man was, had hij in mijn ogen iets betoverends. Langzamerhand hield ik mezelf voor dat hij zo dicht bij het gat moest zitten dat ik in elk geval íéts van hem zou moeten kunnen zien, al was het alleen maar een schoen.

Zonder geluid te maken boog ik me naar het grootste gat toe, stak mijn hoofd in de lichtbundel en tuurde omhoog. Nog geen meter boven me zag ik zijn hand, die over de rand van het gat lag, de sigaret tussen twee vingers geklemd. Het was een grote, verweerde hand, waaruit ik opmaakte dat de man zelf sterk was, en op de rug van de hand ontwaarde ik rossige haartjes, als flinterdunne koperdraadjes.

De door de luchtstroom meegevoerde rook kringelde door het gat omlaag en gleed over mijn gezicht, maar ik was niet bang dat ik zou gaan kuchen of niezen. Ik was eraan gewend dat mijn moeder rookte, als we in de woonkamer zaten te lezen, zij met haar boek en ik met het mijne. Vanaf mijn zesde lag mijn leesniveau veel hoger dan mijn leeftijd zou doen vermoeden, en we lazen beiden graag. Bijna altijd zat ze dan met de rug naar me toe, zodat ze mijn gezicht niet hoefde te zien, want alleen al van mijn aanblik kon ze in een diepe depressie raken, en dan kreeg ze hevig last van schele roodslag, wat veel erger was dan zwartgalligheid, maar op de een of andere manier trok de rook in sierlijke slierten naar mijn gezicht en kringelde langs mijn huid, alsof de werkelijkheid van mijn gelaatstrekken op die manier onderzocht kon worden.

Boven op de rots ging de jager verzitten. Zijn hand verdween uit mijn blikveld, maar in de positie waarin de jager nu zat, schuin opzij gebogen, neuriënd in plaats van fluitend, zag ik een gedeelte van zijn gezicht, onder zo'n schuine hoek dat het onwerkelijke proporties kreeg, alsof zijn hoofd een van de gezichten op Mount Rushmore was: een stevige kaaklijn, een mondhoek, het puntje van zijn neus. Zijn sigaret kwam in zicht, maar niet de hand waarmee hij die vasthield. Hij nam een trek en blies de rook uit in een rondje, iets wat me fascineerde. De blauwe damp trilde als in een droom, bleef in de lucht hangen alsof hij daar tot in alle eeuwigheid zou blijven, maar werd toen door de luchtstroom vervormd en door het gat naar beneden gezogen, recht in mijn naar boven gerichte gezicht.

Hij blies nog een rondje van rook. Als je twee keer achter elkaar hetzelfde kon doen, moest je er wel goed in zijn, en dat maakte dit tweede rondje nog bijzonderder dan het eerste. Hoewel ik zeer onder de indruk van deze truc was, weet ik bijna zeker dat ik geen geluid maakte.

Toch draaide hij zijn hoofd plotseling om en keek door het gat naar beneden, en doordat hij de binnenvallende bundel zonnestralen daarbij niet blokkeerde, zag hij mijn oog, een van mijn bijzondere ogen, een meter lager, die hem vanuit het inwendige van de rotspartij aankeken. Hij had blauwe ogen, en het oog waarmee hij me zag, vertoonde een hevig verschrikte blik, en daarna zoveel pure agressiviteit, zoveel haat en afgrijzen, dat ik op dat moment wist – als ik er ooit aan mocht hebben getwijfeld – dat het verhaal van mijn moeder over de vroedvrouw waar moest zijn.

Trillend, bevreesder dan ik ooit geweest was, trok ik me terug uit het licht, schoot het duister in en drukte mijn rug tegen een rotswand. Gelukkig was de tunnel die naar mijn schuilplaats voerde, zo krap dat iemand van zijn postuur er onmogelijk doorheen kon kruipen.

Ik werd zo overdonderd door de knal van het geweer die door de grot denderde en in de kleine ruimte echode, dat ik van schrik en angst een kreet slaakte. Ik hoorde de kogel tegen de wanden afketsen – *piew, piew, piew* – en was ervan overtuigd dat mijn laatste uur geslagen had, maar de kogel trof me uiteindelijk niet. De jager stak de loop van zijn geweer dieper in het gat en schoot nog een keer. Mijn oren tuitten door de harde knal en het jankende geluid van de kogel die tegen de rotsen afketste.

3

Weer bleef ik gespaard, maar ik wist dat dat niet eeuwig door kon blijven gaan. Op handen en knieën kroop ik door het donker naar de uitgang. De tunnel leek nu ineens veel smaller, de rotswand schuurde voortdurend tegen me aan alsof ik kapotgedrukt werd en uiteindelijk tot een fossiel zou verstenen, zodat archeologen over duizenden jaren voor een raadsel zouden staan.

Ik was half doof door de schoten, maar desondanks hoorde ik de in paniek geraakte jager buiten schreeuwen. Zijn stem kwam via de gaten in de steenmassa tot me, dezelfde gaten waardoor de wind op andere dagen soms een fluitend geluid produceerde. De jager klonk zowel woedend als doodsbang.

Het geweer ging nog een keer af, maar de knal klonk nu gedempter en leek uit een andere richting te komen. Trillingen zetten zich voort in de mij omringende rotsmassa terwijl ik verder kroop. Weer een schot, en nog een.

Ik begreep wat hij probeerde te doen. Hij was van de kalksteenformatie afgeklommen en liep er nu om heen, waarbij hij de gaten aan de voet ervan zocht, de gaten die toegang gaven tot de ruimte waarin ik had gezeten toen we elkaar recht in de ogen hadden gekeken. Er waren er maar vijf die groot genoeg waren voor een jongen van mijn postuur, en slechts drie daarvan liepen door naar een holte, en alleen deze leidde naar een ruimte die groot genoeg was om als schuilplek te dienen. Als hij ongericht in sommige van die openingen schoot, bestond de kans dat hij door zijn eigen afketsende kogels geraakt zou worden, maar intuïtief wist ik dat de kans nihil was dat ik door een dergelijke speling van het lot gespaard zou blijven.

Op handen en knieën kroop ik zo snel als ik kon door het duister naar de uitgang, volgde de bocht die de tunnel maakte, tot ik voor me tot mijn opluchting het daglicht ontwaarde. Bijna aarzelde ik, maar de enige kans die ik had, was als ik hier weg kwam voordat hij voor het gat verscheen en begon te schieten. Ik kroop door het gat naar buiten, verwachtte de zool van een schoen in mijn gezicht te krijgen, of een kogel in mijn kop, maar toen de jager weer schoot, kwam de knal van de andere kant van de kalkstenen rotspartij.

Ik richtte me iets op en bedacht welke opties ik had. Ik stond aan de westkant van de rots en kon vanuit mijn positie de plek zien waar de wolf tussen de struiken en varens was verdwenen. Maar ons huis lag ook die kant op, en het was gevaarlijk om de jager daarnaartoe te lokken. Naar het noorden liep een wildpaadje, een smal maar duidelijk zichtbare route naar het glooiende bos. Als ik tussen de bomen door kon verdwijnen voordat hij om de rots tevoorschijn kwam, had ik misschien een kans te ontkomen.

Terwijl ik naar de bomen spurtte, mijn vrijheid tegemoet, hoorde ik hem roepen als een bijbelse wreker die zich tot in zijn ziel gekwetst voelt door een ernstige aanslag op het goede fatsoen – 'Gruwel!' – en ik wist dat hij me had gezien. Het geweer knalde, en een kogel hakte een stukje uit een boomstam, een paar centimeter naast mijn hoofd. Gedreven door de kracht van mijn eigen op hol geslagen hart, happend naar adem, rende ik harder dan ooit tevoren, langs een pad dat bezaaid was met muntjes van zonnestralen.

Ik kende dit deel van de wildernis beter dan hij. Als ik het een minuut uithield en niet in de rug geraakt werd, had ik misschien een kans hem af te schudden. Dit gebied leek op een oerbos, en hoewel hij langere benen had dan ik en ook nog eens over vuurkracht beschikte, kon iemand die niet zoals ik over een goed richtingsgevoel beschikte, hier gemakkelijk verdwalen.

Toen ik bij de eerste bocht van het pad kwam zonder dat ik verder een schot had gehoord, nam ik aan dat hij me achterna was gekomen. Ik keek niet om maar zette extra de vaart erin.

Herten namen altijd de weg van de minste weerstand, en omdat ze een dusdanig gevoel van tijd hadden dat ze het leven niet in minuten en uren maar in vier seizoenen opdeelden, leefden ze zonder haast. De uitgesleten paden waren daardoor kronkelig, en zo nu en dan vertakten ze zich. Ik nam het eerste zijpad, en toen ook dat zich vertakte, nam ik weer het nieuwe zijpad, in de hoop dat de jager bij een splitsing de andere kant op ging. Ik bleef deze strategie volgen en kwam op een gegeven moment bij de top. Ik liep door naar beneden, trok een smal dal door en ging bij een minder steile helling omhoog. Toen ik bovenaan kwam, bij een bergkam, bleef ik staan. Ik keek achterom en zag niemand.

Ik ging op de rand zitten om op adem te komen. Het lagergelegen bos stond in brand zonder dat de bomen erdoor verteerd werden. Elke boom was een fakkel van rode, oranje of gele herfstkleuren, en de omgeving was als een reusachtig doek dat gemaakt was door een impressionistische schilder die zich had laten inspireren door het spectaculaire van alle dingen.

Ondertussen had ik bedacht dat ik de eerste helling ongedeerd had kunnen beklimmen, omdat hij zijn geweer toen waarschijnlijk had leeggeschoten en tijd nodig had gehad om zijn wapen opnieuw te laden, waardoor ik een voorsprong had opgebouwd en uit het zicht was verdwenen. Omdat het pad zich zo vaak vertakt had, ging ik ervan uit dat hij op een gegeven moment een andere kant op was gegaan.

Ik hoefde alleen maar even op adem te komen, daarna zou ik terug naar huis gaan, via een omtrekkende route, om te voorkomen dat ik de jager tegen zou komen, die nog op zoek naar mij zou zijn.

Dat achtte ik niet uitgesloten. Hij had zo fel en agressief op mijn verschijning gereageerd, dat ik moest toegeven dat mijn moeder me niet voor niets gewaarschuwd had. Toch besefte ik nog niet ten volle in welke hevige mate ik weerzin bij anderen opriep, of hoe vastberaden de jager was in zijn voornemen me uit de weg te ruimen.

Terwijl ik keek naar de bomen in hun overdonderende herfsttooi, bedacht ik dat als de jager daar liep, ik hem misschien pas zou opmerken als het te laat was. In die kleurenpracht vol rode esdoorns vormde zijn rode jagersjack een uitstekende camouflage.

Stukjes steen spatten van de rand op, tegen me aan, en gelijktijdig hoorde ik het geweer knallen. Ogenblikkelijk liet ik me over de smalle bergkam naar de andere kant van de berg rollen, kroop op handen en voeten verder, kwam overeind, en rende door het pluimgras, omdat er geen wildpad te zien was. Ik bereikte de donkere bosrand, schoot tussen de bomen en varens door en rende al struikelend door het kreupelhout. Kennelijk was de jager een uitmuntende spoorzoeker. Ik liet een spoor van vertrapte bladeren en gebroken takken achter. Je moest wel blind zijn om niet te kunnen zien waar ik langs was gekomen.

4

Ik stormde het kreupelhout uit, kwam weer op een wildpad en rende in volle vaart door een bos waar duizenden driekleuramaranten stonden. Soms gleden mijn voeten weg op plekken waar afgevallen bladeren op de vochtige bodem lagen. Omdat ik niet langer geloofde dat ik mijn belager kon afschudden door steeds zijpaden te nemen, probeerde ik nu zo snel mogelijk in het dal te komen.

Ik was nog nooit zo ver in de wildernis doorgedrongen, maar ik wist dat er beneden een beekje liep, wat mij mogelijk een kans bood mijn voorsprong te vergroten of de jager zelfs geheel af te schudden. Ik schoot door een dichtbegroeid veldje vol regenboogvarens met paarse en grijsgroene bladeren en kwam bij een ondiep, traag stromend beekje.

Mijn moeder ging altijd naar het dichtstbijzijnde plaatsje om kleren voor me te kopen, en ook nam ze een paar uitstekende waterdichte wandelschoenen mee als ik weer uit mijn huidige paar was gegroeid. Hoewel ik de waterdichtheid van mijn schoenen nooit had uitgetest, stapte ik het ondiepe beekje in, dat bijna tien centimeter diep was, en liep tegen de stroom in. Nadat ik zo'n twintig meter spetterend door het water had gelopen, keek ik achterom. In het heldere, flonkerende water waren mijn voetafdrukken in het compacte slib op de bodem goed te zien. Het water stroomde zo traag dat het misschien wel een uur zou duren voordat mijn sporen waren uitgewist. Ik had maar een paar minuten voorsprong op mijn achtervolger.

Bedrukt liep ik verder, en al snel kwam ik bij een deel van het beekje waar gladgesleten steentjes op de bodem lagen en waarop ik zo te zien geen sporen achterliet. Hier en daar waren plekken op de oever waar ik vanuit het water op rotsen kon stappen en dus geen voetafdrukken of een spoor van kapotte takjes achterliet. Ik nam de derde mogelijkheid die ik tegenkwam en rende het bos in, weer een helling op.

Ik was nu op onbekend terrein, waar ik niet wist wat ik zou aantreffen, en ik was doodsbang. Terwijl ik voortholde, hield ik me voor dat ik geen acht maar al bijna negen was, dat ik weliswaar een jongetje was, maar niet zomaar een gewoon jongetje, dat ik sterk en snel voor mijn leeftijd was, dat ik al het leesniveau van een zestienjarige had, en misschien had ik daar nu niets aan, maar daaruit bleek wel dat ik veel meer kans had om de jager te slim af te zijn dan anderen van mijn leeftijd.

En misschien kon ik mijn uiterlijk in mijn voordeel aanwenden. De jager had zijn afkeer voor me kenbaar gemaakt – 'Gruwel!' – maar ook had ik angst in die blauwe ogen van hem bespeurd toen we elkaar door het gat in de kalkstenen rots aankeken. Misschien zou hij op een gegeven moment door angst overmand worden en weggaan.

Toen ik de beboste helling beklom, verloren de bomen een deel van hun sprankelende herfstpracht, en het door de bomen gefilterde zonlicht viel niet langer op de bosgrond. Ik keek omhoog en zag tussen de takken door dat er vanuit het oosten wolken waren verschenen, die voor de ochtendzon waren gegleden. Bewolking was misschien gunstig voor me, want in een schemerig bos had de jager vast meer moeite om mijn sporen te lezen.

Het bos bleek tot aan de heuvelrug door te lopen en hield vlak daarna op. Erachter lag een uitgestrekte weide, en in de verte zag ik een paar vervallen gebouwtjes staan: een oud huis zonder verdiepingen, verveloos, geen enkel raam intact, en iets wat mogelijk een schuur was geweest, waarvan het dak nu was verzakt, als de holle rug van een afgetakeld paard. Hier en daar stond het houten hek nog overeind, maar het merendeel was al jaren geleden ingezakt en in het kniehoge goudgele gras gevallen, dat heel licht heen en weer wiegde, als wier op de bodem van de zee dat met de stroming van het water meebeweegt. Als ik rechtdoor zou gaan, de grasvlakte over, zou ik een onmiskenbaar spoor achterlaten, net zo gemakkelijk te volgen als wanneer ik mijn route zou markeren met felgekleurde verf.

Ik volgde de bosrand, die om het grasland heen liep, en rende zo snel mogelijk tussen de bomen door, me er constant van bewust dat de jager elk moment achter me kon opduiken. Mijn eerste idee was om een omtrekkende beweging te maken en zo naar het bos te gaan dat achter het huis lag. Toen ik echter achter de twee gebouwen kwam, zag ik dat het hoge gras plaatsmaakte voor een klein afgestorven zeggenmoeras, wat deed vermoeden dat deze kant van de grasvlakte ooit veel natter was geweest maar nu was opgedroogd. Het dichtgegroeide oppervlak leek op een Japanse mat, en waarschijnlijk zou ik geen sporen achterlaten als ik eroverheen zou lopen. Omdat ik bijna aan het eind van mijn krachten was en niet wist hoe lang ik het nog vol kon houden, gaf ik toe aan mijn impuls en liep ik naar het huis.

De kromgetrokken planken van het verandatrapje kraakten vervaarlijk, en een stuk of vijf boerenzwaluwen vlogen verschrikt uit hun lemen nesten onder de dakrand en zochten hun toevlucht op het verroeste zinken dak. De achterdeur was verdwenen. Ik stapte het donkere huis binnen en hoopte me hier te kunnen verstoppen.

Ook toen er nog een laag verf op het hout zat en het huis bewoond werd, was dit een zeer bescheiden onderkomen. Het was goed te zien dat hier al tijden niemand meer woonde. De planken kreunden en kraakten onder mijn voeten, en hoewel ik niet bang was dat ik erdoorheen zou zakken, zou de jager onmiddellijk weten waar ik was als ik ook maar even mijn gewicht verplaatste.

In de voorste kamer viel het vale licht van de bewolkte dag als een asgrauw schijnsel naar binnen, door de glasloze ramen en door een deuropening waar ooit de voordeur moest hebben gezeten. Het scheelde maar een haartje of ik was in een gat in de vloer gestapt, waar een plank ontbrak. Het huis was een stukje boven de grond gebouwd, op palen, mogelijk omdat de grasvlakte vroeger bij hevige regenval blank kwam te staan. Onder de vloer bevond zich een afgesloten kruipruimte van ongeveer zestig centimeter hoog.

Het huis bood minder mogelijkheden om me te verstoppen dan ik had gehoopt, en ik wilde net weer weggaan toen ik naar buiten keek en in het donkere bos de jager ontwaarde, die de omtrekkende route volgde die ik had genomen. Ik had geen keuze meer en moest me onmiddellijk verstoppen. Ik kon maar een kant op: de kruipruimte in.

Sommige van de dertig centimeter brede planken zaten los en maakten meer geluid dan de andere als ik eroverheen liep. De spijkers waarmee ze ooit waren vastgezet, waren weggeroest. Aan de oostkant van de kamer, bij de muur, tilde ik twee planken op, wurmde me tussen de steunbalken door en liet me zakken in het rijk der spinnen, duizendpoten en hun soortgenoten. Het kostte me weinig moeite om de ene plank op zijn plaats te schuiven, maar het was lastig om de laatste tussen het dertig centimeter brede gat door op zijn plaats te krijgen. Uiteindelijk kreeg ik het toch voor elkaar. Ik ging op mijn rug in het donker liggen wachten. De gedachte bekroop me dat ik zojuist mijn doodskist had gecreëerd.

5

Een wildernis kan een uitgestrekt woud of een jungle zijn waarin maar heel weinig sporen van de menselijke beschaving te vinden zijn. Of een woestijn die zo heet is dat er zelfs geen cactussen groeien. Of een continent van ijs en sneeuw. Een kruipruimte onder een huisje kon je qua uitgestrektheid geen wildernis noemen, maar toch vond ik het er net zo onherbergzaam en deprimerend als Antarctica.

Alleen vaal grauw licht drong er binnen, aan de andere kant van de voorkamer, door een gat waar een vloerplank ontbrak. Ik draaide mijn hoofd en keek tussen de steunpalen door die kant op. Het binnenvallende licht leek op een cocon waar een menselijk wezen in zat. Ik wist dat ik mezelf maar wat verbeeldde, maar toen ik mijn ogen iets toekneep om scherper te kunnen zien, dacht ik dat ik het weefpatroon kon onderscheiden, de gesponnen zijden draden die zo fijnmazig waren geweven dat het niet onderdeed voor geweven stof, en binnen die enigszins lichtgevende en doorschijnende vorm leek zich een donkere schim te bevinden, een wezen dat zijn gedaanteverwisseling bijna voltooid had en op het punt stond de wereld te betreden. Ook de fantasie kan een soort wildernis zijn, of eigenlijk een complete woestenij als je je erdoor laat meevoeren van het ene deprimerende en groteske visioen naar het andere, want als je fantasie met je op de loop gaat, kun je allerlei paranoïde waan-voorstellingen krijgen, en waanzin ligt dan op de loer.

Ik keerde me af van dat lichtschijnsel en staarde omhoog naar de ruwhouten plank die zich enkele centimeters boven mijn gezicht bevond, hoewel ik er in het donker niets van kon zien. Ik wachtte en hoopte maar dat de jager ervan uitging dat ik me niet in een van de twee gebouwtjes had verstopt omdat dat te zeer voor de hand zou liggen en ze bovendien te klein waren om je er te kunnen ver-stoppen.

Achter in het huis kraakte een vloerplank toen de jager de ve-randa betrad. Hij liep zeer behoedzaam, en ik merkte dat hij pro-beerde zo stil mogelijk te doen, maar door het kromgetrokken en verweerde hout werd hij herhaaldelijk verraden. Toen hij in de voor-ste kamer kwam, kreunde en kraakte de vloer vervaarlijk, wat eens te meer deed vermoeden dat hij fors van postuur was. De losse plan-ken rammelden tegen de steunbalken.

Toen hij ongeveer in het midden van de kamer was, bleef hij staan en verroerde zich niet. Omdat hij niet eens zijn gewicht van de ene voet op de andere verplaatste, bleef het volkomen stil. Ik was ervan overtuigd dat hij luisterde of hij mij kon horen, en daarom ademde ik oppervlakkig en door mijn mond. Door de vochtigheid en houtrot kreeg ik een zurige smaak in mijn mond. Ik voelde de aandrang te gaan kokhalzen, maar gelukkig kon ik die neiging on-derdrukken.

Na een minuutje begon hij tot mijn verbazing te praten, en ook wát hij zei, verraste me. 'Ik was nog maar vijftien toen ik al begon te dealen in meth en PCP en nog linker spul. Ik was koerier voor een ploert van een vent, ene Delehanty. Er was een bendeoorlog aan de gang, in dat wereldje eigenlijk schering en inslag. Ik werd door twee figuren in een steegje in het nauw gedreven. Ze waren overduidelijk van plan me helemaal in elkaar te trimmen en mijn handel af te pakken, om Delehanty iets duidelijk te maken. Ik heb ze koud gemaakt, heb hun oren afgesneden en ben daarmee naar Delehanty gegaan. Daardoor kwam ik een treetje hoger op de ladder. Die moorden stelden niks voor, maar als gevolg daarvan kreeg ik het wel beter binnen de organisatie en werd mijn leven een stuk gemakkelijker.'

Hij praatte niet in zichzelf. Zijn woorden waren voor mij bestemd. Hij wist dat ik me ergens had verstopt, en omdat er geen andere plek was waar ik me kon verbergen, ging hij ervan uit dat ik onder de vloer was gekropen.

Voor zover ik wist, was een losse plank de enige uitweg uit de gevangenis die ik voor mezelf had gecreëerd. Misschien zat er ergens onder de grond een luik of een schuifdeur, maar die uitgang zou ik in het donker nooit kunnen vinden, met al die steunbalken waar ik tussendoor zou moeten kruipen. Bovendien was de kruipruimte zo laag dat zelfs een jongen als ik er niet gemakkelijk in rond zou kunnen kruipen. Ik zou dan op mijn buik moeten gaan liggen en me als een slang moeten voortbewegen. Vluchten was hoe dan ook onmogelijk, want dan zou de jager me onherroepelijk horen. Hij zou dan boven me gaan staan en dwars door de vloer heen schieten. Dat zou ik niet overleven.

'Eerst telde ik de mensen nog die ik uit de weg ruimde, maar daar ben ik al snel mee opgehouden,' zei hij. 'Sommigen moest ik in opdracht dumpen of overhoop schieten, anderen legde ik uit eigen beweging om. Het gaat altijd om poen, hoe je het ook wendt of keert. Poen die je van anderen afpakt, of poen van jezelf, die je met hand en tand moet verdedigen. Ik zal het niet goedpraten. Daar heb ik geen enkele behoefte aan. Ik heb de wereld niet gemaakt. Het gaat er hard aan toe, en je moet gewoon doen wat je te doen staat om door te kunnen.'

Tijdens het praten verroerde hij geen vin. Hij bleef doodstil staan, en daaruit trok ik de conclusie dat hij nog steeds luisterde of hij me kon horen, ook onder het praten door. Ook als hij tussendoor even zweeg, probeerde hij te horen waar ik zat. Ik vroeg me af waarom hij niet door de kamer liep en her en der op goed geluk door de houten planken schoot, net zo lang tot ik een kreet slaakte en hij wist dat hij doel getroffen had.

'Ik heb eens twee oudjes van in de zeventig omgelegd. Ik was in Florida, op vakantie, maar ook in mijn vrije tijd hou ik mijn doppen open om te kijken of er niet toevallig een kansje voorbijkomt. Ze hadden een gigantische slee, een Cadillac, en zij had zich behangen met allemaal juwelen. Ik zag ze in een restaurant en ik wíst gewoon dat ze een grote klapper waren. Soms moet je gewoon op je intuïtie afgaan. Dus op een gegeven moment ben ik naar buiten gegaan, en toen zij de zaak verlieten, ben ik ze gevolgd. Ze bleken in een kast van een huis te wonen, aan de baai, maar het was nog licht, en ik heb het duister nodig om te kunnen opereren.'

In mijn donkere, onwelriekende schuilplaats belandde een spin of iets dergelijks op mijn voorhoofd, die daar trillend bleef zitten zonder ergens heen te kruipen, alsof het beest dacht dat er gevaar dreigde. Maar toen ging hij op ontdekkingstocht en kroop hij over mijn voorhoofd naar mijn linkerslaap.

'Dus ik ben daar 's avonds weer naartoe gegaan, en ik was van plan om gewoon aan te bellen en een of andere kutsmoes op te hangen om binnen te komen. Je zult er nog versteld van staan waar ze allemaal wel niet intrappen. Ze willen je gewoon geloven, ook al ben je een volslagen onbekende voor ze. Maar aan de zijkant van de omheining zat een hek, niet op slot, dus ik loop om het huis heen, gewoon om de boel te verkennen. En daar zaten ze, achter het huis, met z'n tweetjes op de veranda, in het donker, bij een paar kaarsjes, te kijken naar de lichtjes aan de baai, een glas martini onder handbereik. Ik heb een geluiddemper, dus ik schoot hem in die ligstoel overhoop, niemand die het hoorde. Voordat die ouwe taart iets kon zeggen, gaf ik haar met mijn pistool een hengst en sleepte haar door de openstaande schuifpui naar binnen.'

Terwijl de spin mijn linkerslaap verkende en langs mijn wang kroop, kreeg ik het vermoeden dat de jager bijna door zijn munitie heen was. Als hij nog maar een paar kogels had, kon hij het niet op de gemakkelijkste manier aanpakken door gewoon de hele vloer lek te schieten. Daarom kwam hij met die praatjes over moord en doodslag, om me uit de tent te lokken en op mijn zenuwen te werken, net zo lang tot ik mezelf zou verraden. De spin leek met hem samen te spannen. Het beestje kroop naar de linkerhoek van mijn mond, die ik openhield om zo geluidloos mogelijk te kunnen ademhalen. Ik deed mijn lippen op elkaar, waarna de spin over mijn kin verder kroop.

'Ik ben met die ouwe tang het hele huis door geweest, zodat ze me kon laten zien waar ze hun mooiste spulletjes hadden liggen. Ze zei steeds met zo'n smeekstemmetje dat ze helemaal geen geld hadden, en ik heb haar even flink aangepakt om haar aan het praten te krijgen. Het bleek allemaal één grote grap te zijn, maar dan ten koste van mij. Al haar juwelen bleken nep te zijn, en alle antieke spullen waren goedkope imitaties. Na de beurscrisis hadden ze eigenlijk alleen nog maar een stom pensioentje en dat klotehuis, dat ze nog steeds konden betalen vanwege een omgekeerde hypotheek. Dus ik doe al die moeite om die twee om te leggen, wat me nota bene een avond van mijn vakantie kost, en het enige wat me dat uiteindelijk oplevert is zeshonderdtwaalf dollar in contanten en een kristallen pressepapier die ik op het bureau van die ouwe man had gevonden, echt een leuk gevalletje, al heb ik geen idee waar dat ding gebleven is.'

Terwijl de spin nog steeds mijn gezicht verkende en langs mijn rechterwang naar beneden kroop, luisterde ik naar de doodstille jager, die zich niet bewoog en wachtte tot ik een geluid zou maken. De achtpotige verkenner liep met een bocht naar mijn neus, en ik was bang dat het beestje misschien in een van mijn neusgaten wilde kruipen, geen geruststellende gedachte. Maar terwijl de stilte aanhield, ging de spin naar mijn rechteroog. Mogelijk dat hij mijn wimpers aanzag voor een van zijn soortgenoten.

Toen ik een voetstap hoorde en het oude hout kraakte, dacht ik dat ik misschien toch een geluidje had gemaakt en dat de jager naar me toe wilde lopen. Maar toen zei een andere man: 'O, hallo,' en mijn belager leek zich om te draaien, verrast een stem te horen. Hij opende het vuur en schoot drie keer snel achter elkaar. Er klonk een korte kreet, een afschuwelijk geluid. Iets smakte met een klap tegen de vloer, en de planken rammelden.

'Wie ben jij nou ineens?' vroeg de jager, en ik nam aan dat hij het had tegen degene die hij had neergeschoten. Vloeken rolden over zijn lippen, een onwelvoeglijke tirade die mij de indruk gaf dat de jager doodsbang was en met godslasterlijke kreten probeerde zijn paniek in bedwang te houden.

Terwijl de spin naar mijn oor kroop, waagde ik het een hand naar mijn gezicht te brengen, om het beest meer keuzemogelijkheden te bieden. Mijn achtpotige gast schrok hier niet van, maar liep trillend van vingertop naar vingertop, en daarna over mijn handpalm.

'Ik weet niet wie of wat je bent,' zei de jager, die zich nu duidelijk tot mij richtte, 'maar ik zal je te pakken krijgen, hoe dan ook, en dan maak ik je dood. Ik kom terug, en dan zul je eens wat zien.'

Hij had maar een glimp van me opgevangen, maar dat was voldoende geweest om in woede en haat te ontsteken. Hij was gewelddadig geworden, maar kennelijk ontbrak het hem aan moed om zonder voldoende munitie de confrontatie met mij aan te gaan. Hij ging er op een holletje vandoor. Zijn voetstappen denderden over de planken vloer, het hout kraakte onder zijn gewicht. Misschien struikelde hij, en ik kreeg de stellige indruk dat hij tegen een muur aan viel, omdat het hele huisje op zijn grondvesten schudde en hij een kreet van schrik slaakte, als een doodsbang kind. Hij begon weer te vloeken, kwam overeind en vluchtte door de deuropening naar buiten.

In de stilte die volgde, legde ik mijn hand weer op de zanderige bodem van de kruipruimte, en nadat de spin mijn duim eerst bijzonder boeiend leek te vinden, kreeg hij op een gegeven moment toch genoeg van me en zocht zijn toevlucht elders in het donker.

6

Omdat ik niet iemand ben die graag risico's neemt, bleef ik op mijn rug in de kruipruimte liggen. Ik luisterde, wachtte af, dacht na.

In dat verre verleden, toen ik nog maar acht was, wist ik het nog niet, maar in de loop der tijd kwam ik tot het inzicht dat het menselijk hart van de vele soorten wildernissen die er bestaan het grauwst en bedreigendst kan zijn. Er zijn veel harten die een grote schoonheid en maar een heel klein beetje duisternis bevatten. In veel andere harten is de schoonheid in hoekjes weggestopt en heerst vooral de duisternis. Daarnaast komen er harten voor waarin geen duisternis te vinden is, maar dat zijn er niet veel. En sommige harten hebben al het licht verbannen en hebben de leegte verwelkomd; die harten kun je overal ter wereld vinden, hoewel je ze niet altijd even makkelijk herkent, omdat de bezitters ervan over het algemeen tamelijk sluw zijn.

In de jaren nadat ik aan de jager ontsnapt was, kwam ik het puikje van de mensheid tegen, en ook het uitschot. Er waren dagen vol dreiging bij, maar ook dagen van triomf. Door de jaren heen kwam er veel verdriet op mijn pad, maar ook kende ik vreugde. Mijn leven zou in grote mate bepaald worden door de vrees en ontstellende woede die mijn aanwezigheid opriep, maar ik zou niet alleen angstige ogenblikken maar ook momenten van innerlijke vrede kennen, niet alleen agressie maar ook tederheid, en zelfs liefde in onbarmhartige tijden. Ik zal niet beweren dat ik een uitermate vreemd leven leidde in een wereld die zo vol zit met vreemde zaken, maar nooit had ik reden tot klagen dat mijn leven zo gewoontjes was.

Toen ik er uiteindelijk van overtuigd was dat de jager was verdwenen, schoof ik de twee losse planken opzij en kwam ik uit de kruipruimte tevoorschijn. Ik klopte het stof van mijn kleren en streek met mijn hand over mijn gezicht, dat in mijn verbeelding met spinrag was behangen.

Ik zag het lijk vlak voor de deuropening liggen. De bloedplas leek in de schemering eerder zwart dan rood. Hoewel ik het liefst door de achterdeur weg was gegaan om de dode te vermijden, wist ik dat het aan mij was om bij het slachtoffer te gaan kijken.

Kennelijk was het een wandelaar geweest, iemand die van de natuur en de bergen hield. Zo was hij gekleed, en hij had een grote rugzak bij zich. Ik schatte hem op eind twintig. Hij had krullend haar en een goed bijgehouden baard. Zijn ogen stonden wijd open. Ik mocht dan wel een grotesk uiterlijk hebben, maar zelfs ik kon de doden geen angst aanjagen.

In de acht jaar dat ik op de wereld was, had ik nog maar twee levende mensen gezien, en dit was de eerste dode die ik zag. Hij had zijn leven niet bewust voor dat van mij gegeven, maar het lot had me gespaard door zijn leven te nemen. Misschien had hij de jager horen praten zonder te verstaan wat hij zei, of als hij niets had gehoord, was hij misschien uit nieuwsgierigheid naar binnen gegaan. Ons leven wikkelt zich als een draad aan een spoel af, en tegelijkertijd hangt ons leven immer aan een zijden draadje.

Ik bedankte hem, sloot zijn ogen en kon niet anders voor hem doen dan hem aan de genade van Moeder Natuur over te laten, opdat ze hem tot zich zou nemen en weer één met hem kon zijn, het lot dat ons allen beschoren is.

Als de jager bij het huis was gebleven, zou hij me tegen die tijd allang hebben aangevallen. Desondanks liep ik niet vrij als een vogel door het gras, maar ging snel naar het bos en maakte weer een omtrekkende beweging om het weiland heen. De lucht was geheel bewolkt, en in het grijze licht stonden de bomen niet langer in vuur en vlam maar leken ze inmiddels een bruintint te hebben gekregen. De platanen, die altijd als eerste hun bladeren verliezen, waren al bijna kaal, en hun zwarte takken staken tegen de lucht af.

Via een iets andere route liep ik terug naar huis. Ik vroeg me af of de jager inderdaad terug zou komen en het bos van me af zou pakken, zodat ik noch bij mijn moeder thuis noch in de natuur een plek had. Ik besloot daar niet langer over na te denken, omdat ik er alleen maar droevig van zou worden, en al snel voelde ik me net zo welkom in het bos als altijd.

Toen ik de bergkam bereikte, zag ik de wolf op de richel wachten. Ik was ervan overtuigd dat het de wolf was die me voor de jager gewaarschuwd had.

We bleven een tijdje naar elkaar kijken, en toen zei ik: 'Als je zin hebt in kip, moet je met me mee naar huis gaan, dan zal ik je een lekker maaltje voorzetten.'

Hij hield zijn hoofd schuin naar links, daarna schuin naar rechts, alsof hij me niet goed kon peilen.

'Zullen we vriendjes worden?' vroeg ik. Ik ging op mijn hurken zitten en stak een hand naar hem uit.

Hij kwam niet dichterbij, misschien doordat hij tot de echte wildernis behoorde en ik in twee werelden leefde. Maar toen ik overeind kwam en het bos in liep, kwam hij achter me aan. Uiteindelijk bereikten we een beek, een heel andere dan het stroompje dat ik eerder die dag had betreden. Dit riviertje stroomde wild over een rotsbodem. Ik knielde bij de oever neer en dronk rechtstreeks uit de beek tot ik mijn dorst had gelest.

De wolf bleef staan en keek wat ik deed. Pas toen ik klaar was en weer overeind kwam, ging hij naar het stroompje, een eindje stroomopwaarts, bracht zijn bek naar het water en begon te drinken, alsof hij van mij had begrepen hoe je dat in de natuur moest doen.

We gingen weer op pad. Hoewel het afkoelde en de zon niet meer scheen, werden we door vrolijk vogelgezang begeleid. Na een tijdje, toen ik achteromkeek om te zien of mijn metgezel er nog was, ontdekte ik dat een andere wolf zich bij hem had gevoegd. Ze staken hun kop in de lucht en kwispelden met hun staart. Ze keken me lachend aan, zodat ik ervan uitging dat hun bedoelingen met mij van een geheel andere aard waren dan die van de wolf in het sprookje van Roodkapje. Ik was niet bang voor ze en liep verder. Toen ik weer omkeek, waren ze met z'n drieën.

Tegen de tijd dat we de bosrand bereikten waarachter het huis van mijn moeder lag, had de groep zich tot vijf wolven uitgebreid. Nu liepen ze voor me uit het gras in. Een daagde een van de andere uit door een speelse buiging te maken, en dat gebaar werd beantwoord. Het duurde niet lang of ze buitelden over elkaar heen, hapten vrolijk naar elkaar en renden achter elkaar aan. Een van de groep draaide zich ineens op een poot om, zodat de achtervolgde de jager werd, en elke beweging die ze maakten, vertoonde een betoverende gratie.

Zoiets had ik nog nooit gezien, en ik had het gevoel dat ze deze vertoning speciaal voor mij opvoerden. Ik vond het heerlijk om ze zo bezig te zien en wist intuïtief dat het niet de bedoeling was dat ik meedeed. Na een tijdje waren ze moe gespeeld en trokken ze zich naar de bosrand terug. Daar bleven ze staan en keken naar me. Hun ogen vertoonden een warme, gele tint in de sombere schemering. Ik had het gevoel dat hun dartele spel een diepere betekenis had, maar ik had geen idee wat die betekenis dan was.

Hun tong hing uit hun bek en hun flanken zwoegden. Ze keerden zich om en verdwenen tussen de bomen, als wolven in een droom in een mistig bos. Ik bleef alleen achter.

Ik was van plan meteen naar het vervallen schuurtje te gaan dat als garage dienstdeed om te zien wat mijn moeder daar in een picknickmand voor me had klaargezet, maar toen zag ik de vlag – de theedoek – die aan een spijker naast de voordeur hing. Mijn ballingschap was ten einde, veel eerder dan ik had verwacht.

Die dag had ik afschuwelijke dingen meegemaakt, en ik vond het weliswaar treurig dat de wandelaar om het leven was gekomen – wat mijn redding had betekend –, maar toch was ik opgetogen. Mijn moeder werd onrustig als ik in haar gezelschap verkeerde, en soms was ze zo wanhopig dat zelfs drank en drugs een depressie niet konden afwenden. Maar uiteindelijk was en bleef ik haar enig kind en hield ze op haar manier van me. Ze kon het meestal niet opbrengen om me aan te raken, en al helemaal niet om me aan te kijken, maar desondanks had ze me een plekje in haar leven gegeven.

Tot dan toe was mijn grootste angst dat mijn moeder ziek zou worden of zelfs dood zou gaan en ik alleen zou achterblijven. Zelfs een freak als ik vreesde de eenzaamheid in deze betoverende wereld die geschapen was om er met anderen van te genieten. Ik liep naar het kleine maar dierbare huis en zou al snel leren dat onze grootste angsten zelden uitkomen, omdat de wereld een machine is die tot in het oneindige verrassingen en mysteries voortbrengt – en nare dingen waardoor de geest rijpt of kapotgaat. Mijn leven zou zich niet langer in dit huis of dit bos afspelen, maar in een stad, een wildernis zoals alle steden, en in de wereld onder die stad, waar wij die ons voor anderen verborgen houden een heimelijk bestaan leiden.